현상학과 해석학

현상학과 해석학

닛타 요시히로 지음 | 박인성 옮김

도서출판 b

| 차 례 |

머리말

　『현대철학——현상학과 해석학』[1]이라는 이름으로 전에 출판된 적 있는 본서를 이제 장정을 바꿔 새로 간행하면서 이름도 『현상학과 해석학』으로 바꾸었다.

　본서는, 대략적으로 말하면, 현상학의 이름으로 불리는 현대철학의 입장이 해석학의 이름으로 불리는 현대철학의 입장과 널리 호응하며 20세기에 들어와 점차 시대의 전면에 등장하게 되었다는 점을 눈여겨보면서, 양자가 교차하는 방식의 장면들을 새롭게 다시 주로 현상학 쪽에서 집어내어 논한 논고를 모은 책이다.

　양자의 제휴는 각기 양쪽의 접근을 기다려서 점차 밀도를 높여간 것이며, 이 점에서 동시대적인 관심의 동향을 본래부터 공유하고 있었다. 현상학은 이미 구축된 지식에 구속되는 것이 아니라, '나타남'이라든가 '지향성' 등과 같은 용어에서 읽어낼 수 있듯이 지知의 원형을 '실제로 살아지고 있는 경험'에서 발견하는 일에서 출발한다. 단 현상학의 방법적인 길은, 물어지고 있는 사상事象 그 자체로 다가가기 위해 방법과 사상事象 간의 고유한 회귀관계의 운동 속으로 들어가서, 사상에 즉하여 지식의 근원적인 형성을 탐색하고자 하는 데 있다. 이에 반해서 해석학적 철학은 인간이 제작한 것(에르곤)의 이해와 해석에 중점을 두고서 역사나 문화의 기초이론을 형성하는 것을 주된 과제로 삼고 있다. 그러나 양자 모두 근대의 지식의 기본성격인 관점성 perspectivity의 기능과 구조를 철저하게 묻는다는 점에서 강하게 서로 호응하는 운동이 되었다. 특히 이제까지 이른바 주관-객관 관계의 인식론적 틀에 덮여 있었던 지知의 형성이 본래 이루는 구도를 찾아내고, 세계와 맺는 살아있는 관계를 재검토하는 자세를 취하면서, 양자는 끊으려 해도 끊을 수 없는 강고한 제휴관계를 이룩했다. 관심을 가지는 사람이라면 누구나 알아차리고 있는 만큼, 한 번은 이 현대의 혼입한 정세에 있는 동향의 전모를 대강 둘러볼 필요가 있을 것이다. 그런 한에서 이러한 현대의 지식을 둘러싼 논의나 관심의 형성을 집어내어 현상학과 해석학의 가까움을 확인해 놓는 것이 본서의 한 의도라 할 수 있겠다.

그런데 현상학과 해석학은 그 맹약관계에도 불구하고 이번에는 반대로, 그 가까움 탓에 자주 간과되었던 중요한 기본적인 사상을 둘러싸고서 친화관계의 파탄을 보게 된다. 양자 사이에 여전히 접근의 운동을 허용하는 장소는 보전되고 있지만, 그 장소를 어떻게 이해하느냐에 따라서 결정적인 이반과 대결이 부득이하게 된다. 이러한 이반과 대결은 양자의 교차축이 되는 사상事象 그 자체에서 유래한다. 이 교차축의 문제계통이 본서에서 점차로 중요한 위치를 점하게 된다. 현대의 지知 이론의 전개 방향에 관한 것인 만큼 이 문제계통을 해명하는 일이 본서의 또 하나의 의도이다.

현상학과 해석학의 사이에 있는 것은, 더 이상 두 각각의 병렬하는 입장에서 생기는 차이와 대결이라 하는, 외부로부터 보여지는 표층적인 장면에서 논의하여 정리할 수 있는 것이 아니다. 오히려 주목해야 하는 것은, 현상학 쪽의 물음의 활동 속에서 해석학과 맺는 관계가 변하게 된다고 하는 점이다. 현상학이 언제나 '사상事象의 자기능여自己能與'로 다가가는 길을 관철하는 한, 피치 못하게 철학적 지(知)의 근본변모에 휩쓸리는 사건이 날카롭게 나타나게 되기 때문이다. 지평의 현상은 일찍이 해석학과 결정적으로 만났던 무대이기도 했고, 현상학 자신에게도 극히 중요한 주제개념의 하나였다. 그러나 현상학의 사유에 찾아오는, 사유 자신이 자기변모하는 문이 되기도 하는 장소, 곧 '지평의 열림'을 둘러싸고서 기본적 해명이 변환되는 사태에 직면하게 된다. 세계의 지평적 열림은 오히려 세계가 세계가 되고 있는 운동을 덮어버리는 사태가 부상해 오는 것이다. 그러면서 세계를 나타나게 하면서 나타남으로부터 물러나는 운동이라는 차이화의 사건에 대한 물음이 일어나고, 이 물음은 '지평의 현상학'에서 '현현하지 않는 것의 현상학'으로 가는 길을 열어주게 된다.

약간 동일한 시기에 쓴 논문들을 수록한 본서의 자매편이라고도 할 수 있는 『현상학과 근대철학』(2)에서는 현상학의 사유 자신이 지평 운동의 방향에서 벗어나서 사유 운동의 근저로 수직적으로 방향을 전환해 가는 이러한 사건을, 본서와 같이 해석학과 빚는 고유한 갈등의 발생을 해명하는 방식이 아니라 근대철학의 흐름의 근저에로 역사적으로 물음의 계보를 밟아가는 방식으로 탐구해 보았다. 쿠자누스 이후의 근대 철학의 저류를 형성하고 있는 물음을 텍스트 해석을 통해서 새롭게 다시 사상(事象)에 즉해서 방법적으로 다시 묻는 것도 이 문제계통에 부과되고 있는 작업이다.

본서 『현상학과 해석학』도 제4부를 비롯해서 몇 대목에서 현상학의 사유의 자기변모 문제를 언급하고 있지만 시사적으로 머무는 데 그치고 있기 때문에, 이러한 물음의 전체적인 동향을 전망하는 데에 도움이 되도록 한참 뒤에 쓴 논고 「현상학적 사유의 자기변모」(3)를 마무리의 장(제12장)에 삽입해두었다.

2006년 봄
닛타 요시히로

(1) 『현대철학 ── 현상학과 해석학』, 白菁社, 1997년.

(2) 『현상학과 근대철학』, 岩波書店, 1995년.

(3) 「현상학적 사유의 자기변모」, 『현대사상』 12월 임시증간 「현상학 ── 지와 생명」, 靑土社, 2001년 수록, 8-15쪽.

제1부

현상학과 해석학

—그 접근과 제휴

제1장 현대 독일철학의 동향
——학적 인식에서 경험으로

제1절 신칸트학파에서 생의 철학으로

실증주의와 반대동향 현대철학 특히 해석학이나 현상학이 성립했을 때의 정신상황은 19세기 말의 유럽이 봉착한 심각한 위기의 상황이었다. 산업혁명 후 급속히 인간의 생활양식을 규정하기 시작한 과학기술은 사상思想의 면에서 실증주의가 되어 인간의 지知의 체제를 근본으로부터 다시 정비하고자 하고 있었다. 절대정신이 현실 전체의 개념적 파악을 행한다는, 헤겔(1770-1831)의 사변적 구상은 이미 배척되고 있었음이 분명할지라도, 모든 현실의 사건이 가지적可知的, wißbar이라는 상정은 암묵리에 실증주의를 지배하고 있었다. 과학적 객관성의 알려진 것Gewußtes은 물상화라는 방법적 주제화의 조작을 통해 나온 산물임에도 불구하고, 사람들은 이와 같은 조작에 깃든 추상화를 알아차리지 못하고, 반대로 현실을 있는 그대로 정당하게 파악한 결과의 산물로 여기고 있었다. 인간의 지성이 빚은, 진리의 학적 파악에 숨어서 발생하는 가상을 니체(1844-1900)는 생성하는 현실로 되돌아 감으로써 폭로하고자 했다. 니체가 설시한 살아있는 현실로 귀환하는 일은 이미 그 자체로 학적 방법의 수정을 촉구하는 것이었지만, 그러나 이 동향은 여러 우회로를 경유하고 나서야 비로소 현대철학의 흐름으로서 나타나게 되었다.

신칸트학파의 역사인식론　이와 같은 19세기 후반의 반실증주의적 기운 속에서 이미 형성되고 있었던 역사과학들을 인식론적으로 정초하는 방식으로 정신의 자발성을 되찾고자 한 이들이 있었으니, 바로 신칸트학파의 사람들이었다. 그중에서도 무엇보다 역사인식의 이론을 대표하는 사람은 리케르트(1863-1936)였다. 리케르트는 '과학으로서의 역사학이 어떻게 가능한가' 하는 물음을 제기했는데, 이 경우 과학이란 '개념에 의거해서 현실을 확정하는 것'이었다. 또 과학을 정초하는 인식론은 경험을 그 안에 포함되어 있는 과학성의 계기에 의해서 정당화하는 것을 목표로 했다. 즉 인식이란 주관의 입장에서 세계를 합리화하고 객관화하는 것이고, 따라서 세계는 그 자체로 성립하는 것이 아니라 주관에 의해서 투입된 객관적 규정에 의해서 성립하는 연관이었다. 그런데 인식론의 근저에는 이성적 일반성과 구체적 현실의 대립이 우선 전제되고 있기에, 어떻게 이 대립을 극복하는가가 인식론의 과제가 된다. 개념과 현실이란, 헤겔이 논하듯이 결코 지양되는 것이 아니라 본래 완전히 비동일적인 것이다. 현실은 비합리적이고, 끊임없이 유동하고 연속하며, 개개의 것은 서로에 대해 이질적이다. 이와 같은 이질적인 연속성인 현실을 있는 그대로 인식할 수는 없는 것이므로, 인식은 현실을 변조하고 재편성하며 현실을 지배하는 주관의 작용으로서 활동하지 않을 수 없다. 이 활동은 하나의 선택작용이다. 이런 의미에서 자연과학과 역사과학의 구별은 단지 시점의 차이에 지나지 않는 것이니, 자연과학이 개개의 현실에 공통되는 것에 관심을 가지는 일반화적 파악임에 반해서, 역사과학은 대상의 개별성이나 일회성으로 관심을 향하는 '개별화적 파악'이다. 그런데 역사인식이 개별적인 것의 인식이라고 해도, 전망하기 어려울 정도로 다양한,

모든 개별적인 것 전체를 인식할 수는 없는 것이므로, 이에 단순화의 방법인 선택의 원리가 수립되어, 단순한 개별성 일반과 역사개념으로 채택될 만한 개별성이 구별되지 않으면 안 되게 된다. 이와 같은 사정 때문에 역사적 개념의 형성 가능성의 근거로서, '타당한 가치'에 기반한 이론적 관계가 건립되었다. 이것이 타당성Geltung 이론이다. 가치Wert 개념은 역사인식이나 그 대상에 기준을 부여하는 결정적 역할을 수행한다. 역사인식이란 이 가치와 관계를 맺어가는 방법과 다른 것이 아니다. 그렇지만 가치에 의거해서 현실의 총체로부터 선별된 형성체는 역사라기보다는 문화이기에, 이러한 인식론은 역사의 인식론이라기보다는 문화의 형성이론이라고 할 만하고, 그런 한에서 무역사성을 초래하는 추상화의 이론이다. 형식적이고 고정적인 주관-객관 관계를 고집하는 신칸트학파의 이러한 시도는 과학적 인식을 생의 외부로부터 구축하려 했다는 점에서 소박한 인식론을 탈각할 수 없었을 뿐더러, 그 기본적 입장은 생의 현실로 향하는 인식이라기보다는 현실이 지니는 변화에 대한 경계와 방어적 후퇴라고 할 수 있는 태도에 의해 관철되고 있었다

生과 지知의 연관으로서의 체험 이에 반해서 딜타이 철학의 근본적 출발점은 생Leben과 지Wissen의 연관이 근원적으로 주어진다고 보는 통찰이다. 바꿔 말하면, 생동성Lebendigkeit이 근원적으로 내적 투명성과 결합되어 있다는 것이 그의 철학의 기점이다. 이 생동성은 결코 객관적 관찰에 의해서 포착될 수 없고, 오히려 안으로부터 그것을 알아차릴 수밖에 없다. 이 '알아차리는 활동Innesein'은 '알아차리는 작용'과 '알아차려지는 내용'이 분리될 수 없는 통일태이며, 그 자체 직접적인 자기확실성을 의미한다. 딜타이(1833-1911)는 이것이 체험의 통일성이라는 것을 알게 되었다. 그런데 체험은 동시에 언제나 '이미 분지화된 통일적 전체'이며 이 내적인 연관을 통일적으로 형성하는 것이 '의미Bedeutung'이다. 후설E. Husserl의 『논리 연구』로부터 배웠다는 이 '의미' 개념은 결코 논리적인 개념이 아니라 생의 통일을 가능하

게 하고, 생을 언제나 내적으로 투명하게 하는 활동을 나타낸다. 생의 각 부분이 전체에로 통일될 때 이 통일은 항상 의미에 의해 성립할 수 있다. 즉 체험이란 의미연관의 것과 다르지 않다. "체험은 그 각 부분들이 공통의 의미에 의해 통일적으로 결합되어 있다"고 딜타이는 말한다. 이와 같이 딜타이는 우선 체험과 심적 대상의 관계를 중심으로 해서 지식의 구조를 해명하려고 기도하는 구조심리학으로써 정신과학의 정초를 도모했다.

생의 자기이해　딜타이에 의하면, 자연을 대상으로 하는 자연과학은 주어진 인상적 소재에 기초해서 법칙적 질서를 지니는 대상계를 구성해 가는 데에 반해서, 인간성이나 인간의 역사적이고 사회적인 현실을 대상으로 하는 정신과학은 내적 직접적 확실성에 기초하며 이를 역사인식의 궁극적인 전제로 삼고 있다. 따라서 이 정신과학에서 중요한 과제가 되는 것은 "어떻게 개인의 체험이 역사적 경험으로까지 고조되는가" 하는 문제이다. 그렇다고 한다면, 지知의 객관화의 기초를 심적 생의 구조연관의 통일성에서 발견하고자 하는 시도에는 어쩔 수 없이 무역사성에 발을 들여놓을 위험이 따라다닌다고 말하지 않을 수 없을 것이다. 그래서 딜타이는 구조심리학으로 정신과학을 정초하려는 시도로부터, 이해Verstehen를 중심개념으로 하는 해석학 Hermeneutik으로 정신과학을 정초하려는 고찰로 사색을 심화해 갔다. 딜타이는 해석학의 과제를 '역사적 이성비판'이라 부르고, "주관 내에서 정신적 세계를 구성하는 것이 어떻게 해서 정신적 현실의 지知를 가능하게 하는가" 하는 물음을 제기했다. 이 물음에 답을 주는 것이 바로, '생의 근원적 사태', 즉 이해가 정신적 세계의 객관성의 인식을 성립하게 하는 사태에 대한 통찰이었다. 이해가 정신과학의 근본적 방법이 되는 것은 이해가 정신의 세계의 모든 단계에서 자기를 발견하기 때문이다. 이해에 직접 주어지는 것은 체험이 아니라, 체험이 생의 표출에서 표현된 것, 곧 생의 객관태이고, 이 생의 객관태를 매개로 하는 이해야말로 '생의 자기성찰'로서의 정신과학을 성립하게 하는 것이다. 이러한 체험-표현-이해의 원환구조가 생의 구조를 이루는 한, 인간의 생은 정신과학의 주체임과 동시에 객체이기도 하며, 이해의 주체와 객체의 이 동일성에 의해서 정신과학이 성립하는 기반이 주어진다.

　게다가 생의 자기성찰로서의 정신과학을 정초하는 해석학이 무엇보다 생의 철학으로서 스스로를 징험할 때 가장 주목해야 할 점은 아마도 다음과 같은 점이리라. 그것은 생의 자기이해가 단순히 지나간 것의 재생적 반복이 아니라 오히려 생을 바로 생이게 하는 생의 자기창조적인 영위營爲라는 점이다. 표현은 표현되는 체험내용을 단순히 반복하는 것이 아니라 생의 심층부까지 비추어내는 활동을 지닌다. 이해도 또한 이해하는 자에게 표현 이상의 것을 가져온다는 의미에서 창조적이다. 체험-표현-이해의 원환과정은 반복운동이 아니라 생의 다 길러내올 수 없음을 나타내는 창조적 역동작용으로 보아야 한다.

　이해가 고정된 표현을 통해서 표현 이상의 것을 추체험해 갈 때에는 기술技術이 필요한데, 딜타이는 이 기술을 해석Interpretation, Auslegung이라고 불렀다. 탁월한 정신사가精神史家이기도 했던 딜타이는, 한편으로는 아리스토텔레스의 시학에서 발하고 다른 한편으로는 그리스도교의 성서해석에서 시작되는 '해석'의 역사 속에서 어떻게 해서 해석의 이론이 형성되어 오는가에 대해서 자세히 답사하여, 결국 슐라이어마허에 이르러 전통적인 해석의 방법이 해석학으로까지 고조되게 된 의의를 정확히 파악해냈다. 슐라이어마허는 이해를 작품의 창조과정을 추후에 구성하는 것이고 창조하는 정신의 원천으로까지 되밟아가는 방법이라고 보았는데, 딜타이에 의하면 이는 이해에는 '수용하는' 능력과 '자기활동적으로 형성하는' 능력이 나뉠 수 없게 통일되어 있기 때문이었다. 이와 같이 이해나 해석이 수용적이면서 동시에 창조적이라는 점에 기초해서, "저자를, 저자 자신이 자기를 이해하고 있었던 것'보다 더 잘besser als' 이해하는 일이 필요하다"는 명제가 성립한다. 딜타이도 또한 이 명제를 '작품 배후로 몸을 옮겨가는 것'으로 풀이해서 계승하고, 생의 역사적 자기이해의 창조성을 거기서 읽어내었다. 하지만 과연 딜타이가 이 창조적 재생의 의미를 생의 '자기창조' 이상의 것으로 철저하게 캐물었는 가는 의문의 여지가 있다.

역사적 상대주의와 딜타이의 한계   딜타이는 "정신과학이 가능하기 위한 첫 번째 조건은 나 자신이 역사적 존재이고, 또 역사를 연구하는 것은 역사를 창조하는 것과 동일하다고 하는 점이다."고 서술하고 있다. 분명 정신과학의 정초의 문제로서, 생의 자기성찰이 기반하고 있는 생의 자기동일성이 거론되지 않으면 안 된다. 그런데 그 경우 생의 개념은 기원적이고 지반적인 성격을 띠는 형이상학적 개념이다. 그러나 이에 반해서 '나 자신'으로서의 개체도 또한 생의 개념으로 표명되고 있다. 그렇다면 철저하게 역사내재적인 개체적 존재자 상호 간에 과연 이와 같은 동일성이 성립하는가 하는 어려운 문제가 발생하게 된다. 왜냐하면 각 개인적 생의 창조작용이 각 시대의 정신상황에 의해 규정되고 있기 때문이다. 딜타이도 "역사적 세계는 각각 고유한 자체 가치를 지니는 다양한 세계이다"고 서술하고서, 생의 창조작용이 각각 그 시대에 특유한 '생의 기분'에 내맡겨 있다는 점을 지적하고 있다. 만년의 딜타이는 이 역사적 개인이 상황에 구속되어 있음을 "역사적 생 형식의 상대성"이라고 말하고, 역사적 상대성과 역사적 지知의 보편타당성 간의 심연에 그 나름대로 다리를 놓고자 하고 있다. 왜냐하면 딜타이에게서는 역사인식이라는, 인간의 포괄적 자기인식은 점차로 확대화되어, 자신이 가지는 상대성과 피구속성을 이탈하여 무구속성으로 고조되어 간다는 사상이 보이기 때문이다. 딜타이는 "역사의식은 인간의 해방으로 가는 최후의 걸음"이고, "역사의식은 철학이나 자연연구가 갈라놓을 수 없었던 최후의 쇠사슬을 끊어버린다" 운운하며 말하고 있다. 이러한 생각은 역사적 상대성에 대해서 또 모든 역사적 사건에 대해서 항상 거리를 두고 관조하는 심미주의적 태도를 산출했고, 이는 또한 세계관의 유형을 시도하는 만년의 세계관학의 주장이 되기도 했다.

말할 나위도 없이 이 심미주의적 입장은 내재주의적 방향과는 상통하지 않는 모순된 방향에 있다. 딜타이에게는 생의 개념이 규정되어 있지 않아서, 한편으로는 형이상학적 의미를 지니지만, 다른 한편으로는 개인적 생의 의미로도 사용되고 있었다. 이는, 딜타이가 19세기의 인식론적이고 심리학적인 제약 하에서 '이해'를 자연과학과 병존하는 정신과학의 방법으로 취급하여, 방법론의 테두리 내에서 이 점을 주제화했다는 것과도 관련이 있다. 만약 '이해'가 생의 구조로서 표명되어야 한다면, 그것은 모든 과학적 방법의 근저에서 작동하는 인간의 존재방식이라 하는 차원에서 주제화되어야만 하기 때문이다. 딜타이의 철학을 이끈 가장 기본적인 모티프 중 하나는 직접적 지知가 어떻게 생동성과 결부되는가 하는 물음이고, 또 하나는 역사적인 내재적 지知가 어떻게 해서 역사인식의 보편성을 가질 수 있는가 하는 물음이었다. 그러나 생의 개념이 규정되어 있지 않기 때문에 어느 모티프도 철저하게 심문되지 않은 채, 지知의 근원성의 문제는 후설의 현상학에 의해서, 생의 자기이해의 근원적 사실성의 의미는 하이데거의 존재론에 의해서 각각 새롭게 다시 물어지게 되었다.

제2절 현상학의 의도와 방법

현상학의 근본의도   반실증주의적 기운을 공통의 기반으로 하면서도, 지知의 근원적 발생에 대한 물음을 무엇보다도 철학의 방법의 학적 엄밀성에 기초하고자 한 것은 후설의 현상학이다. 후설(1859-1938)은 실증주의에 의해 철학에 나타난 자연주의라든가 심리주의의 경향뿐만 아니라, 신칸트학파가 구축하고자 했던 논리적 주관이라든가 딜타이가 시도하고자 했던 세계관학의 수립 등을 포함하여 이 시대의 철학들의 근저에서 작동하는 모든 형이상학적 단정을 엄격하게 배척했다. 이와 같이 철저한 방법지方法知를 자각하는 것은, 후설에게는 사실 데카르트 이래의 근대철학의 근본의도를 실현하는 일, 즉 '나는 생각한다'의 절대적 확실성에 기초해서 모든 지知를 그 근원으로부터 체계적으로 정초하는, 철학의 이념을 실현하는 일을 착수하는 것을 의미하기에, 그런 한에서 시대의 비판과 역사적 과제의 실현이 일체가 되고 있으며, 이로부터 '엄밀한 학으로서의 철학'이 제창된 것이다.

후설에게 지知란, 그 원초적 형태에 대해서 말한다면, 의식주관의 작용에 의해 의미로서 구성된 것이다. 지知는 이렇듯 이 상관관계의 대상항으로서 성립한다. 의식작용과 대상의미의 상관성은 지향성Intentionalität이란 개념으로 표현된다. 지향성 개념은 '~로 향해 있다'는 의식의 특성을 나타내는 전통적인 개념이며, 특히 그의 스승 브렌타노가 개개의 의식을 심리학적으로 분류할 때 사용되고 있었지만, 후설은 바로 이 지향성의 원리를 묻고, 이것을 의식의 전체적 본질연관을 형성하는 원리적 기능으로 파악했다. 즉 지향된 대상이 단순히 사념될 뿐만 아니라 직관에서 충실하게 되는 방식 곧 명증 Evidenz의 문제로까지 심화한 것이다. 명증이란, 존재자가 스스로 현출하는 것, 곧 존재자의 자기능여Selbstgebung를 말한다. 의식 쪽에서 말한다면, 의식에 대해서 '스스로 주어져 있는 것'의 곁에 임해서 존재자가 현출하는 대로 존재자를 규정하고 있는 것으로, 존재자로의 핍진한 가까움으로부터 존재자에 대해서 원초적으로 지知를 형성하는 이성의 기능을 의미한다. 그런데 후설에 의하면, 명증은 대상이 있는 그대로 스스로를 주는 원적原的 명증(예를 들면 지각)을 원原양태로 해서 여러 가지 파생양태(예를 들면 기억이라든가 상상)를 지니며 단계적 체계를 형성한다. 따라서 의식의 전체적 연관의 지향적 분석이란, 근원적 명증을 원점으로 해서 구성되고 있는 명증의 체계를 노정露呈하는(=드러내는) 것이며, 후설이 기도하는 지知의 체계적 정초란 바로 이 지향적 분석의 체계적 실시와 다른 것이 아니었다.

자기능여란, 바꿔 말하면, 이성의 '보는' 활동이며, 후설은 『이념들 I 』 (*Ideen zu einer reinen Phänomenologie und phänomenologischen Philosophie*, *1913*)에서 "어떠한 종류인가를 불문하고 근원적 능여로서의 봄 일반은 모든 이성적 주장의 궁극적 원천이다"고 서술하고 있다. 이 궁극적 원천으로까지 돌아가서 '철학 및 학적 인식 일반의 궁극적 정초'를 수행하는 것이 엄밀한 학으로서의 철학의 과제였다.

현상학의 방법적 태도　철학적 인식이란, '봄' 일반이 성립하는 순수한 모습을 바로 그 '봄'에 의해서 포착하는 것이라고 해도 좋을 것이다. 철학적 인식이란, 반성으로서의 '봄'이기에 무엇보다 더 명증적이어야만 하며, 어떠한 매개적인 절차나 편견을 거기에 가져오는 것을 허용하지 않는다. 그런데 이렇게 해서 원초적 지知의 형성 방식을 묻는 지知의 총체성을 정초하고자 하는 철학적 인식에 일거에 다가갈 수는 없다. 그러므로 우선 무엇보다도 우리는 철학적 인식에 이르는 길을 탐구하지 않으면 안 된다. 이 점에서 후설이 끊임없이 대결해야만 했던 상대가 자연주의의 방법적 태도였다. 왜냐하면 자연주의도 또한 마찬가지로 직접적인 소여로 돌아감을 표방하고, 그것과 아무 연고가 없는 모든 선입견을 배척하고자 했기 때문이다. 그렇지만 자연주의는 "사상事象 그 자체로의 귀환이라는 기초적 요구를 자연적 사물에 관한 경험에 의해 모든 인식을 정초하려는 요구와 동일시하거나 또는 혼동하고 있다"(『이념들Ⅰ』)는 점에서 원리적 오류를 범하고 있다. 사상事象을 자연적 사상에만 국한함으로써, 그 결과 논리적 대상을 자연적 경험으로 해체하거나 경험을 자연적 사상에 편입시키거나 해서, '이념의 자연화'나 '의식의 자연화'에 빠지고 있다. 이러한 자연주의의 태도는 본래 과학의 한 방법적 태도이지만(『이념들Ⅱ』), 그러나 방법이라는 점을 잊고 만다면 정신적인 것이나 이성적인 것마저도 자연적으로 단정하는 하나의 형이상학적인 독단에 떨어지게 될 것이다. 왜 이와 같은 방법적 편견이나 과학적 선입견이 발생하게 되는가? 후설은 이와 같은 선입견이 발생하는 근거를 인간의 의식에 붙어다니는 자연적이고 또 기본적이라고도 할 수 있는 '자연적 태도natürliche Einstellung'에서 발견한다.

　자연적 태도란, 의식이 실시태實施態에 놓여서 대상에 계속 관여하고 있을 때 자연히 취하게 되는 자세이다. 이 태도의 특징을, 후설은 첫째로 대상의 의미와 존재를 자명한 것으로 파악한다는 점, 둘째로 세계 존재를 부단히 확신하고 세계 관심의 틀을 암묵적으로 전제한다는 점, 셋째로 세계 관심에 몰입하면서 의식의 본래적 기능을 자기망각한다는 점에서 보고 있다. 자연적 태도로 사는 한, 사물은 언제나 자명한 것으로서 친숙해 있다. 존재자가 무엇인가가 항상 습관적으로 이해되고, 그것이 있다고 하는 점 자체에 대해서는 불문에 붙이고 있다. 과학적인 방법적 태도도 또한 이미 전제된 존재자를 일정한 방법적 관점에서 일의적으로 규정하고자 하는 태도이지, 새롭게 다시 존재자의 존재를 묻는 것이 아니다. 요컨대 의식이 실시태에 놓이는 한 이러한 자명성은 피할 수 없는 것이고, 이로부터 여러 실체화적 파악의 경향이 발생한다. 후설이 든 유명한 연구격률 '사상 그 자체로Zu den Sachen selbst!'는 이와 같이 가까움의 가상을 지니지만 실은 매개되어 있는 것을 직접적인 소여로 보고 있는 태도에 대한 비판을 포함하고 있으며, 핍진하게 존재자로의 가까움에 이르기 위해서는 우선 자연적 태도로 사는 것 자체를 문제로 삼지 않으면 안 된다는 점을 설시하고자 한 것이기도 하다. 후설이 자연적 태도의 가장 근본적인 특성으로 여기는 것은, 이 태도로 살아가는 한 어떠한 경우에도 항상 세계 존재가 암묵리에 전제되어 있다는 점이다. 그는 이 세계확신을 일반정립Generalthesis이라 부르고 있다. 나아가 자연적 태도에서는 모든 대상관계가 세계라는 테두리 내에서 행해지며, 과학적 인식도 모두 세계관심에 포함된다는 의미에서 세계관계적이고 세계구속적이다. 따라서 이 세계관심 내에서 의식이 스스로를 반성한다고 해도 스스로를 '세계 내의 하나의 존재자'로서 발견할 뿐이기에, 순수한 이성기능으로서의 자기를 알아차릴 수는 없다.

이와 같이 세계구속적 태도에서는 존재자의 존재와 의미를 묻는 일이나, 존재자의 총체로서의 세계의 의미나 그 기원을 물을 수는 없다. 그래서 후설은 자연적 태도를 방법적으로 극복하여 이 물음들을 심문하기 위해서, 현상학적 환원phänomenologische Reduktion이라 불리는 태도변혁의 방법을 제창한 것이다. 세계관심으로부터 탈각하는 일은 의식을 그 실시태가 가지는 불투명성으로부터 구출하는 것이지만, 그러나 그것은 실시태의 의식을 순수하게 그대로의 모습에서, 즉 '기능하고 있는 바대로의 상채에서' 취해내지 않으면 안 된다. 그 방법적 조작을 데카르트적 회의를 본보기로 삼아 후설은 '일반정립의 판단중지epoché'라 부르고 있다. 에포케는 의식의 작동을 중지하는 것이긴 하지만, 그러나 존재 정립을 방기하는 것이 아니라 정립에 어떠한 변화도 가하지 않고서 단지 '사용하지 않는' 상태로 옮겨간다고 하는 조작이다. 이를 후설은 "우리는 그것을 '작용 바깥에 두고', 우리는 그것을 '배제하고', 우리는 그것을 '괄호에 넣는다'"(『이념들 I 』)고 말하고, 나아가 "나는 마치 소피스트와 같이 이 '세계'를 부정하는 것도 아니고, 회의론자와 같이 이 세계가 현재에 있다는 점을 의심하는 것도 아니다"(같은 책)고 서술하고 있다. 대상에 관한 모든 판단이나 이론의 타당을 금지함으로써, 즉 존재타당을 방법적으로 배제함으로써, 대상과 관계하는 의식 활동의 현장을 있는 그대로 붙잡을 수 있다고 보는 것이다. 그러나 그것은 여간해서 되는 것이 아니라 우리 의식의 자연적 본성에 거스르는 반자연적인, 정신적 금욕의 도道를 관철할 때 이루어지는 것이다. 왜냐하면 세계관심을 억제한다는 것은 이 관심의 내부에서 일어나는 자기이해를, 즉 자기를 단지 세계 내의 한 존재자로 보는 자연적 자기이해를 거절한다는 것을 의미하기 때문이다. 그런 의미에서 바로 자기이해의 근본적 변혁이 필요하게 된다. 이 태도변혁에 의해서야 비로소 주관성은 세계구속성에서 벗어나서, 세계의미의 구성적 기원인 초월론적 주관성transzendentale Subjektivität——『이념들』시기에는 '순수 의식'이라고 불렸다—— 으로서 스스로를 노정하고, 세계도 또한 새롭게 다시 초월론적 의미에로 현상화되어, 구성적 작용과 맺는 상관적 관계의 면에서 주제적으로 물어지게 되는 것이다.

대상의미와 의식작용 간의 상관적 관를 분석하는 것은, 비非세계관심인 곧 '무관여적인' 반성의 시선이다. 이 현상학적 반성에 의해 수행되는 지향적 상관구조의 분석은 '지향적 분석'이라 불린다. 지향적 분석은 그때마다의 의식의 사실 하나하나를 기술하는 것이 아니다. 지향적 분석은 본질직관을 수반해서 실시되는데, 이 경우 본질이란 범례가 되는 사실을 우선 파악하고 그것을 상상을 통해 임의로 자유변경해 갈 때 거기에 잔류하게 되는 비변경체를 말한다. 의식의 본질을 반성적으로 직관한다는 것은, 하나의 지각이라든가 기억을 범례로 해서 그것을 임의로 변경해서 일정한 의식 양식을 새롭게 다시 발견한다는 것이다. 『이념들 I』에서 이 분석론은 감각여건Hyle을 생화生化하여 대상적 통일로 구성해 가는 의식작용인 노에시스와, 노에시스에 의해 구성된 대상의미인 노에마 간의 상관구조를 분석하는 이론이라고 설명되었고, 이렇게 해서 노에시스와 노에마 분석론의 체계적인 약도가 묘사되었다. 지향적 분석론에 잇따라서 『이념들 II』, 『이념들 III』에서는 존재자를 본질적으로 구분하는 존재영역(자연이나 정신)의 구성적 분석, 그리고 경험과학의 근저에 있는 본질학으로서의 영역존재론을 현상학적으로 정초하는 일이 기도되었다.

제3절 발생적 현상학과 세계의 문제

발생적 현상학의 성립 『이념들』의 시기(1910년대)의 현상학적 분석은 이미 구성된 대상의 소여성에 대한 정태론적 분석인 데 반해서, 후설은 1920년 전후부터 점차로 의식의 심층차원의 연구로 나아가서, 이른바 정립작용인 코기토에 앞서는 선코기토적 기능인 수동성을 주제적으로 분석하기 시작하고, 차츰 이 분석의 성과를 방법 자체로 되살려서 20년대 중반 무렵에 의미의 발생을 소급적으로 추적하는 발생적 현상학genetische Phänomenologie을 제창하기에 이르렀다. 발생적 방법이란 '현재적顯在的인 것에 있는 잠재적인 지시연관', 즉 의식의 지평을 노정하는 방법이다. 이 방법은 우선 보편적인 에포케에 의해서 초월론적 노에마로 화한 '미리 주어진 것Vorgegebenes'을 '길잡이'로 하고, 그것을 '지표'로 삼아, 거기에 역사로서 새겨져 있는 '이전의 지향적 구성의 작업'을 차차로 소급적으로 노정해 가는 방법이다. 지향적 생 전체는 언제나 직접적으로는 감추어져 있지만, 간접적으로는 지표를 통해서, 즉 지표를 통해서 대리적으로 현전하고 있는repräsentieren 것에 지나지 않는다. 이와 같이 숨겨진 '지향적 함축태를 노정하는' 방법이 발생적 현상학의 반성이며, 이 '상황 개시開示'로서의 지평을 노정하는 방법이란 점에서 현상학은 해석학적 방법과 중첩된다.

발생적 현상학이 성립함으로써 후설의 현상학은 어쩔 수 없이 근본적 수정을 가하기에 이르러, 정태론적 현상학의 데카르트적 길을 내버리게 되었다. 데카르트적 환원, 정확히 말해 데카르트적 환원 이론이 세계경험의 명증을 환원에 앞서 검토하고, '세계 비존재의 추정 가능성'에 기초해서 '세계 배제'를 제창하는 데에 반해서, 이 새로운 비데카르트적 길은 의식을 점재적点在的 확실성으로서가 아니라 오히려 세계와 관계하는 전全 지향성을 스스로에 포함하는 세계경험적 의식생Bewußtseinsleben으로 보고서, 이 지향적 함축태의 노정을 통하여 비로소 세계의 의미와 존재가 무엇인가를 묻고자 하는 것이다. 현상학적 환원이 갖는 '방법론적 배제'의 모티프가 데카르트적 환원의 방법에서보다는 이 발생적 방법에서 더 잘 살아나고 있다고 해도 좋을 것이다.

발생적 반성이 진행됨으로써 초월론적 주관성의 심층차원이 점차 노정됨에 따라서, 지향적 기능은 단지 작용지향성뿐만 아니라 여러 심층적이고 복합적인 기능을 갖는다는 점이 해명되었으니, 예를 들면 의미의 수동적 자기합치인 '연합이라든가, 지각에서 지평이 현상하는 방식이라든가, 특히 경험대상에 항상 선행하는 세계지평의 수동적 기능, 이 지평의 절대적 영점이면서 동시에 객관화되는 신체의 이중현상, 여러 복합기능을 보여주는 운동감각Kinästhese 등이 놀라울 정도로 정치하게 분석되고 풍부한 성과를 산출하기에 이르렀다. 이 분석군들에 보이는 바와 같이, 세계의 문제를 주제화해 가는 후설 후기의 지향적 분석은 존재자의 나타남의 장이자 세계 현현의 구역인 의식에 대한 전 범위에 걸친 분석이다. 이는 그 특유의 작업철학Arbeit-Philosophie의 능력이 유감없이 발휘된 것이지만, 그 대부분은 공개를 예상하지 않고서 쓰여졌기 때문에 연구초고로 남아 있을 뿐이다.

『위기』와 생활세계의 문제　후설은 그의 생애 최만년에 해당하는 1934년부터 37년에 걸쳐서 그의 초월론적 현상학의 이념과 과제에 대한 최후의 총괄적 표명이라고도 할 수 있는 작업에 착수했다. 그의 동기는, 그가 딜타이의 역사성의 사상에 새롭게 다시 관심을 가지면서 지향적 분석들의 성과를 되살려서 '현상학의 역사적 필연성의 정초와 정당화에 의해 현상학 입문으로 향하는 새로운 길'을 준비하는 것이었다. 이것이 당시 이 일부가 공개된 『유럽 학문들의 위기와 초월론적 현상학』(약칭 『위기Krisis』) 및 이와 관련된 논고들의 작업이었다. 이 새로운 길은 (1) 초월론적 현상학의 역사철학적 정초, (2) 과학의 객관주의에 대한 비판, (3) 과학적 대상의 의미토대인 생활세계Lebenswelt로 향한 귀환과 그 주제화의 방식이라는 세 가지 주제에 의해 이끌리고 있었다. 이 주제들은 어느 것이나 예전부터 후설에 의해 논급되어 온 것이었지만, 『위기』에서는 현대 과학문화의 위기를 역사적인 사상적事象的 근원으로까지 돌아가서 그 정체를 밝혀내고, 이 주제들을 서로 연관지으며 서술했던 것이다. 위기의 진정한 극복은 현상학의 의도를 완전히 실현함으로써 수행될 수 있다고 보았기 때문이다. 후설에 의하면, 과학문화의 위기는 본래 과학이 생生에 대해서 가져야 했던 유의미성의 상실을 의미한다. 근세 초두에 철학은 '세계와 인간에 관한 보편적 이론'이며, 이성의 신뢰가 진정한 인간성에 대하여 결정적 의미를 지니고 있었다. 그러므로 근대 유럽문화의 이념은 필연적으로 '철학적 사유와 과학적 합리성과 진정한 인간성'을 해체 불가능한 통일적인 연관으로서 형성하는 것이었다. 그런데 후설에 의하면, 이 이념은 결국 실현되는 일 없었으니, 구체적으로 말해 과학적 인식(물리학적 객관주의)과 철학적 자성自省(초월론적 주관주의)은 애초부터 각각의 길을 걸었고, 특히 19세기의 실증주의에 의해 표방된 '이성의 단념'이 이 통일적 이념의 결정적 해체를 고하고 있었다. 이 위기를, 근대철학이 본래 의도하고 있었던 이 이념을 실현하고자 하는 현상학에 의해 극복하는 것이다 하고 후설이 말할 때, 『엄밀한 학으로서의 철학』 이래 시대비판과 역사적 과제가 일체가 되고 있었던 현상학의 성립동기가 일단 깊이 자각되어 오고 있었다는 점을 알아차리게 될 것이다.

『위기』에서 서술된 과학의 객관주의에 대한 비판도 또한『논리 연구』이래 일관되게 계속되어 왔던 자연주의에 대한 비판을 심화한 것이다. 후설은 과학이 지닌 방법적 추상과 동시에 발생하는 '방법의 발생적 기반의 망각'이라는 사건을 근대과학이 성립할 때에 발생한 '생활세계의 이념화'라고 하는 심각한 사태 속에서 보고 있었다. 이 주장에 따르면, 과학은 본래 상대적인 유동적 경험세계를 측정하는 기술이었지만, 상대성을 극복하기 위해 사물로부터 질료적 충실을 배제하고, 사물을 일의적으로 규정하기 위해 극한형태를 이념적으로 형성하면서 마침내 하나의 이념적 실천으로 화하는데, 나아가 잇따라서 경험적 세계까지도 간접적으로 수학화한 나머지 결국 세계를 이중으로 이념화하고 말았다. 그 결과 과학이 본래 '방법적 추상'이었다는 점을 망각하고, 이념화된 세계가 그 자체로 존재하는 양 잘못 이해하여, 이념의 위장이 생활세계를 모조리 은폐하고 말았다. 또 모든 것이 과학적으로 처리될 수 있는 것이 되어 이 '보편적 추상' 속으로 이끌려 들어가게 되었다. 이러한 이유로 후설은 과학문화의 '파국현황'을 지적한 것이었는데, 그의 과학비판은 유럽 합리주의의 참월僭越로부터 이반해야 한다고 하는 반과학적인 주장과는 전적으로 다르고, 오히려 과학 본래의 방법이 지니는 유의미성을 되찾고자 하는 '지知에 의한 지知의 해방'의 입장에 서 있었다. 자주 간과되어 왔지만, 그의 과학비판은 또한 과학적 인식의 발생과 함께 일어나는 '발견과 은폐'라고 하는 지知의 근원적 양의성의 구조에 대한 통찰에 기초한다는 점에서 높이 평가되어야 한다.

후설은 과학적 인식의 의미토대인 생활세계로 향한 귀환을 '총체적인 현상학적 에포케'에 속하는 제1단계라고 말하는데, 이는 생활세계가 지금까지 의미하고 있었던 명증의 토대일 뿐만 아니라, '인간의 일상적 실천의 상황'으로서, 과학적 실천도 포괄하는 '모든 실천의 지반'이기도 하기 때문이다. 과학을 하나의 이론적 실천으로 파악하는 것은 "과학이 인간의 여러 기도 중의 하나의 기도에 지나지 않다"(『위기』)는 것을 증시證示하는 것이며, 이 통찰은 '인식과 관심Interesse'을 주제로 하는 현대의 학문론에 대한 하나의 적극적인 제언이 되고 있다.

그러나 후설에 의하면, 초월론적 현상학의 본래의 주제는 제2단계인 '진정한 초월론적 에포케'에 의해 '생활세계로부터 그것의 구성적 근원인 초월론적 주관성으로 돌아가서 묻는 것'이다. 이는 세계라는 것이 어떻게 해서 우리에게 주어지는가, 세계의 초월이 어떻게 해서 성립하는가를 분명히 하는 것이다. 후설의 의도는 생활세계로 귀환해서 그 유동적인 일상적 세계에 머무는 것이 아니라, 그 유동적인 감성적 세계의 불변하는 구조를 잡아내는 것이다. 생활세계에 관한 철학적 보편학은 초월론적 주관성의 세계구성적 기능을 주관성의 심층차원에서 탐구하는 것과 다르지 않다. 관심에 구속되어 있기에 그 자체 불투명한 생활세계가 지니는 적극적 의의를 잡아내어, 불투명한 것을 그러한 것으로 해서 투명화하고자 기도하는 것, 바꿔 말하면 그 자체는 로고스가 아니지만 이미 로고스의 발생을 안에 간직하고 있는 생활세계를 로고스로써 조명하고자 하는 것이 초월론적 현상학의 과제라고 말할 수도 있겠다. 본래 후설의 지향적 분석은 우리가 살아가고 있는 구체적 이성의 분석이고, 자연적 태도에서 발동하고 있는 세계 의식의 주제화이며, 그런 한에서 의식의 심층차원까지도, 이른바 경험을 조건짓는 것까지도 비추어내 가는 분석이다.

현상학과 전통적 형이상학　모든 선입견을 거부하는 후설 현상학의 방법적 태도는 형이상학적 사변의 혼입을 극도로 경계하는 것이었다. 그러나 후설이 현상학적 철학이야말로 근대철학의 방법적 의도를 최후로 실현하는 것이라고 제창할 때, 한편으로는 존재타당의 금지를 위한 '방법적 배제'의 입장을 끝까지 준수하고자 하고 있지만, 다른 한편으로는 그것에 머물지 않고 유럽 형이상학의 근대적 변형이라고도 할 수 있는 초월론적 철학의 자기주장, 즉 근원적 절대학으로서 스스로를 근거짓는 '시원의 이론'이고자 한 면이 보인다. 즉, 세계의 '형이상학적 배제'를 말하는 데카르트적 환원의 이론에는 '세계 이반'과 '세계 구축'을 사유의 운동 속에서 수행하고자 하는 관념론의 입장이 불식하기 어려울 정도로 보전되고 있다. 후설의 자기해석이, 그의 지향적 분석이 펼쳐놓은 많은 사상事象이 지니는 적극적 의미를 가리고 마는 것도 이러한 이유 때문이다. 그가 하이데거를 위시한 그의 후계자들에게서 비판을 받은 것도, 이와 같은 인식비판적 관심에 이끌려서 학學이나 문화에 대한 궁극적 규범을 절대적으로 정당화하고자 한 '인식의 현상학'의 입장 때문이며, 그때 견지된 근대철학의 데카르트적 근거지음을 완결하겠다는 자세 때문이었다. 그런데 후설이 데카르트적 환원을 떠나서 발생적 현상학으로 가는 변모를 달성해냈을 때, 방법 자체에도, 또한 방법에 의해서 열려지는 의식 심층의 여러 사상事象에도 '근원적 시원'을 부정하는 현상이 모습을 나타내게 되었다. 그러나 그럼에도 불구하고 여전히 보편학이자 근원학이고자 하는 현상학의 학문적 이념은 후설에 의해서 견지되고 있었다. 분명 이와 같이 근대철학과 현상학 간에 어떤 양의적 관계를 발견할 수 있다고 해도 좋을 것이다. 이와 같은 현상학의 근저에서 작동하는 형이상학적 성격에 대해서, 예를 들면 후설의 방법이 정립적(대상화적) 반성이기 때문에 존재자를 대상과 등치하는 형이상학적 전제가 붙어다니고 있다라든가, 후설의 현상학적인 '봄視'의 매체가 되고 있는 조작개념은 '봄'에 들어오지 않는 그의 철학의 그림자이기에 이와 같은 사유의 구조야말로 형이상학적 사유라든가, 후설의 사유가 근원명증을 원점으로 하는 명증의 이념에 관철되고 있는 데에서 '현전의 형이상학'의 본질이 가장 날카롭게 드러나고 있다라든가 하는 등 일련의 후설 비판이 있지만, 이 비판들은 모두 현상학의 내부로부터 일어나는 자기비판이며, 현상학이 오늘날의 해석학적인 사변적 사유로 심화해 갈 때의 자기부정적인 운동을 의미한다.

그러나 후설의 현상학이 이와 같은 역설을 극히 예리한 형태로 명시하게 되는 것은 실은 후설의 사유가 '봄視'에 철저했기 때문에 일어나게 된 사태이기에, 이를 근대철학의 주관성의 입장이 그 가장 깊은 곳으로부터 자기를 해소해 가는 움직임으로서, 혹은 적어도 스스로의 한계에 조우하고 있는 사태로서 파악할 수 있을 것이다. 이런 의미에서 이 사태 속에 숨어 있는 놀라울 만큼 풍부한 문제군을 결코 일의화一義化하지 않으면서 하나하나

주제적으로 전개해 가는 것이야말로 금후의 현상학의 과제이다.

제4절 기초적 존재론의 구상

해석학적 현상학 이미 딜타이나 후설에 의해서 시도된 시대의 과제를 해결하고자 하는 노력을 다시 한층 심화하고자 하는 철학이 있었으니, 그것은 하이데거에 의해 처음 제창된 존재론이었다. 하이데거(1889-1976)는 해석학이 제기한 역사이해나 자기이해의 문제를 '사실적 자기의 자기이해'라는 존재론적 구조를 주제화함으로써 심화하고, 현상학으로부터 '사상 그 자체'로 접근하기 위한 엄격한 방법적 훈련을 배우며 후설의 '의식'의 입장에서는 물어지지 않았던 의식의 '존재'를 묻고자 했다. 나아가 그는 아리스토텔레스 연구를 통해서 그리스인의 사유에서 발견되는, 현상학에서 말하는 현상 곧 '자기를 내보임sich zeigen'이 알레테이아(진리) 또는 '현現에 있는 것의 비은폐성'으로서 사유되고 있다는 점을 알아차리고 그것이 지니는 존재론적 의미에 다가가고자 했다.

하이데거의 철학을 일관하는 궁극의 주제는 존재자와 존재의 구별—— 존재론적 차이ontologische Differenz—— 을 통하여 존재의 의미를 철저하게 캐묻는 것이다. "존재의 의미를 새롭게 다시 묻는 일이 필요하다"는 문장으로 시작되는 『존재와 시간Sein und Zeit』은 우선 이 물음을 물음으로서 정비하면서, 물음을 캐묻기 위한 준비적 통로를 주제화한다. 왜냐하면 존재의 의미를 묻기 위해서 우선 당장은 일상적이고 막연한 선행적 존재이해를 실마리로 할 수밖에 없기 때문이다. 그러므로 이 존재이해를 행하는 존재자, 바꿔 말하면 자기의 존재에 있어서 존재를 문제로 삼고 있는 특정한 존재자—— 현존재Dasein—— 에 자리 잡고서 이 선행적 존재이해를 존재론적으로 주제화하지 않으면 안 되었다. 그리고 이 주제화의 방법을 곧 현상학이라 했던 것이다.

하이데거는 '자기를 내보이는 것' 곧 현상을 통속적 현상개념과 현상학적 현상개념으로 구별한다. 당장 자기를 내보이는 것은 전자 곧 존재자이지만, 그것에 대해서 당장 자기를 내보이는 것의 그늘에 숨어 있지만, 그러나 수반적인 선행적 방식으로 자기를 내보이고 있는 것이 그 은폐가 제거되고 자기 자신에 있어서 자기를 내보이는 것이 될 때, 이것이 현상학적 의미의 현상 곧 존재자의 존재이다. 현상학이란 이 본래적 의미의 '자기를 내보이는 것'으로 접근하는 방식이며, '자기를 내보이는 것을 그것이 스스로 나타나오는 대로 그 자신 쪽에서 볼 수 있도록 하는 것'이다. 이렇게 해서 하이데거는 존재의 의미에 이르는 방법적 통로로서 현존재의 분석을 기도하지만, 그러나 사상事象 내용의 면에서 현상학은 존재자의 존재의 학 곧 존재론이다. 게다가 이러한 존재론은 현상학적 기술의 방법적 의미에서는 해석학이다. 왜냐하면 현상학의 로고스 활동은 어떤 것을 볼 수 있도록 하는 것sehen lassen이고, 해석의 이 활동을 통해서 존재의 본래적 의미 및 현존재의 존재의 근본구조가 현존재 자신에 속하는 존재이해에 고해지기 때문이다. 하이데거에 의하면, 이와 같은 해석학은 기초적 존재론Fundamentalontologie이다. 이 기초적 존재론은 현존재 이외의 존재자를 존재론적으로 탐구할 수 있는 지평을 잡아내되, 또한 동시에 다른 존재자에 대해서 존재론적 우위를 지니는 현존재의 존재를 해석한다는 점에서, 즉 실존의 실존성을 분석한다는 점에서 탁월한 의미를 띠고 있다. 그러므로 기초적 존재론은 종래의 전통적 형이상학에 대해서 기초를 부여하고, 존재에 관한 모든 가능한 물음에 대한 근거도 탐구한다는 이중의 의미에서 기초적이며, 이와 같은 방식에서 전통적 형이상학과 대결을 도모하고자 하는 시도라고 할 수 있을 것이다.

현존재 분석론 분명히 실존분석론은, 존재의 의미를 묻는 그 본래의 의도에서 본다면, 결코 궁극적인 작업이 아니다. 그러나 그럼에도 불구하고, '특수하지만 철학에서는 제일의적인 의미'를 갖는 이 분석론 때문에 하이데거 철학은 야스퍼스 철학과 나란히 실존철학을 대표한다는 인식이 널리 퍼지게 되었다. 이는 단지 피상적인 오해였을까, 아니면 기초적 존재론의 입장을 설정하려면 피하기 어려운 사태였을까?

현존재 분석론은, 첫째로 인간 존재가 '세계-내-존재In-der-Welt-sein'라는 존재론적 기초구조를 지닌다는 점을 보여주고, 둘째로 이 세계-내-존재가 시간적이자 역사적이라는 점을 보여주며, 셋째로 이 현존재의 시간성으로부터 시간이 어떻게 해서 존재의 의미에 속하는 것인가를 묻고자 한다. '세계-내-존재'라는 존재론적 규정은 한편으로는 셸러Scheler의 '세계로의 열림 Weltoffenheit', 다른 한편으로는 후설의 세계지평과 이어지는 현대의 새로운 인간규정을 가장 적확하게 표현한 것이라고 할 수 있다. 인간을 순수한 인식주관으로 보고 세계로부터 고립된 전통적인 주관-객관 관계를 설정하는 것과는 달리, 오히려 그 근저에 있는 '열려진 장소'를 보고자 하고 있다. 현존재는 세계 내에 있다는 방식에서 언제나 사물과 교섭하고 타인과 함께 있다. 세계란 존재자의 대상적 전체가 아니다. 오히려 역으로 존재자의 전체가 세계에서 자기를 내보이는 것이다. 현존재가 일상적으로 우선 사물을 만날 때 사물은 '눈앞에 있는 것(=전재자)'으로 보여지는 것이 아니라, '손안에 있는 것(=용재자)' 곧 도구로서 사용되고 있다. 이 도구가 사용될 때에 언제나 이미 '무엇을 위해'가 사전에 이해되고 있다. 이 도구의 목적사용의 연관을 나타내는 유의미성의 전체가 세계이며, 세계가 언제나 이미 비주제적으로 선행적으로 이해되고 있기 때문에 도구의 사용이 가능하게 된다.

나아가 '내에 있음(=내존재)'이라는 규정에는, 우선 첫째로 현존재가 언제나 이미 세계 내에 내던져져 있다는 사실성이 속해 있다. 이 사실성을 개시開示하는 것이 정황성情狀性, Befindlichkeit이다. 둘째로, 이 내던져져 있음 Geworfenheit(=피투성被投性)을 떠맡아서 자기의 존재를 이해해 가면서 스스로의 가능성으로 기투(=기획투사)하는 실존實存이 속해 있다. 그러나 기투 Entwurf가 이미 내던져져 있는 것이기에, 사실성과 실존성은 '내던져진 기투ge-worfener Entwurf'로서 규정되고, 정황적 이해로서 현존재의 개시성開示性을 형성하고 있다. 셋째로, 이 내던져진 기투가 유의미성 전체를 향해서 스스로를 분절화할 때 말Rede로서 규정된다. 이 현존재의 규정들의 통일이 염려Sorge이다. 하이데거는 이른바 '의식의 지향성'을 존재자 상호 간의 관계로 보아 그 존재론적 근거를 염려에서 발견하고, 이것을 현존재의 존재의 전체적 구조로서 취해내는데, 여기서 기초적 존재론이 코기토의 원리에 입각하는 전통적 근대 형이상학의 기초를 '지향성의 존재론적 정초'라는 형태로 놓고, 의식에서 존재로 전회를 기도했다는 점을 적확하게 읽어낼 수 있다.

유한성과 시간성   그런데 하이데거는 '세계 내 존재'의 구조 전체로서의 염려 내에 포함되는 자기성의 문제에 초점을 두고서, 현존재의 존재방식을 본래성과 비본래성으로 구별해서 분석한다. 본래적인 존재방식으로서의 전체적 존재가능이 현존재의 존재론적 해석의 근원성을 보증하기 때문이다. 이는 하이데거의 존재론이 어디까지나 사실적 자기의 실존적 자기이해를 뿌리로 해서 성립하고 있다는 점을 나타내고 있다. 우선은 세계로 퇴락하여 세계에 입각해서 자기를 이해하는 비본래성이라 불리는 '세인世人, das Mann' 의 양태로부터, 이 누구도 아닌 평균적 존재방식으로부터 죽음의 불안에 의해 깨어나서, 근원적 양심의 소리를 들음으로써 현존재가 각자 근원적 피투성인 '죽음의 존재'를 선구적先驅的으로 결의하여 본래적인 전체적 존재 방식을 떠맡는다고 하는, 이 비본래성에서 본래성으로 향하는 실존적 결단에 의한 전환에는 후설의 현상학적 환원에도 비할 만한, 일상성으로부터 이탈함 이 지니는 중요한 의미뿐만 아니라, 이 시기의 하이데거가 직면하고 있었던 근원적 사상의 핵심에 해당하는 것이 무엇이었나가 고해지고 있다. 이와 같이 하이데거가 죽음이라는 근원적 현상을 둘러싸고서 인간 현존재의 유한성에 주제적으로 몰두함으로써, 설령 그것이 **실존론적 분석의 실존적 기반**으로서 분석의 근원성을 보증하기 위한 것이라고 해도, 당시 그의 철학 이 죽음과 불안을 말하는 실존철학이라는 인상을 직접 세상에 주는 셈이 되었다.

죽음으로 향한 선구적先驅的 결의성은 모든 가능성이 거기로부터 발생해 오는 궁극적으로 능가할 수 없는 가능성을 떠맡는 것이며, 이 본래적 실존에 있어서 현존재의 존재의 의미인 시간성이 시숙時熟하고, 본래적 염려의 의미 로서 현존재 자신에게 개시開示되어 온다. 본래적 현존재의 의미인 시간성은

'기재하고 현재하는 도래'라고 하는 탈자적 구조를 지닌 유한적인 전체적 시간인 데에 반해서, 전통적 형이상학의 시간해석의 기초가 되는 통속적 시간이해는 시간을 객관화적으로 파악하고, 과거와 현재와 미래를 직선적으로 표상하고 있다. 하이데거는 염려의 존재의미를 시간성으로서 노정하여, 이 시간성 속에서 현존재의 분석론을 회복하여 그것을 정초하고, 그리고 시간의 지평으로부터 존재 일반의 의미를 묻고자 했다. 결국 현존재의 존재의 구조를 존재론적으로 주제화하는 것은 '하나의 길에 지나지 않는 것'이어서, 궁극의 목표는 '존재의 물음 일반의 완성'이었다. 그러나 『존재와 시간』의 제1부 제3장 「시간과 존재」가 결국 미발표로 끝난 탓에, 기초적 존재론이 방법적 시점의 면에서는 초월론적 철학의 입장을 답습하고, 사상事象의 면에서는 자기성의 입장에 머문다고 하는 비판을 받게 되었다. 후에 하이데거 자신이 『존재와 시간』에서, 형이상학의 근거로 귀환하고자 도모했지만 형이상학의 언어를 사용했기에 그 뜻을 충분히 수행할 수 없었다고 변론하고 있다. 『존재와 시간』 이후 1929년에 『근거의 본질에 대하여』가 발표되었는데, 하이데거는 이 책에서 『존재와 시간』에서는 불명확했던 문제, 즉 존재자의 존재론적 정초로서의 철학에서 말하는 '왜라는 물음Warumfrage'이 '내던져진 기투'와 어떻게 관련되는가 묻고서, 존재자와 존재의 존재론적 차이는 존재자에서 그 존재에로 초출하는 현존재의 초월Transzendenz이고 이 초월이 심연적인 근거라고 답하고 있었다. 나아가 같은 해 『형이상학이란 무엇인가』에서는 존재자로 향한 초출은 무無 안에 보전되어 있다고 말하기에 이르렀다. 무는 존재자 전체가 미끄러져 떨어지는 불안 속에서 모든 존재자의 허무화nichtigung로서 드러나는데, 현존재는 무에로 자신을 해방시키고, '무엇 때문에 존재하는 것이 있는가? 차라리 무가 아닌가?' 하는 물음으로 뒤흔들리게 된다. 무로 강요되는 이 형이상학의 기본적 물음으로 글을 매듭짓고 있는 이 책은 형이상학의 입장이 니힐리즘이라는 것을 매우 적절하게 보여주고, 전기의 기초적 존재론 구상의 좌절이 어떠했는가를 전하고 있다. 이후 1933년 하이데거는 불행하게도 나치즘 체험이라는 정치적 착오를 범하게

되는데, 얼마 되지 않아 거기로부터 벗어나고, 잇따라서 영원한 침묵의
시기를 맞이하게 되었다.

제5절 존재의 사유

형이상학적 사유와 그 극복　하이데거의 사유는 '존재하는 것이 있다'고
하는 단순하지만 기적 중의 기적이라고도 할 수 있는 사실에 대한 경악에서
비롯된 '존재란 무엇인가' 하는 물음이며, 게다가 이 물음을 끝까지 심문해
가는 사유라고 말해도 좋을 것이다. 1930년대 하이데거는 새롭게 다시 이
'물음을 다하기 힘든 물음'의 물음이라는 의미를 둘러싸고서 사색을 심화해
갔다. 왜냐하면 존재자에서 그 존재에로 물어 나아가는 한, 이 물음은 이윽고
존재자 전체를 뒤흔들고 그 지반을 잃게 하는 무의 경험에 다다르기 때문이
다. 무의 경험은 형이상학이 유럽의 니힐리즘이라는 점을 드러내는 경험이
다. 이 시기의 하이데거는 니체의 철학사상과 대결하면서 니힐리즘을 극복하
는 길을 탐구하고, 또 횔더린의 시의 해석을 통해서 자신의 사유를 귀향적
사유로서 발견해 간다. 이와 같이 형이상학의 정체를 확정지음으로써 '존재
로 향한 물음'이야말로 실은 존재에 의해 불러들여 가는 귀향적 사유이고,
이 도정에 있는 사유라는 점이 분명해지게 된다. 귀향적 사유란, 형이상학적
사유로부터, 형이상학이 가리고 있는 형이상학의 근거로 향하여 돌아가는
사유이고, 변천하면서 형이상학을 극복해 가는 사유Verwindung이다. 이 사유
의 변천 운동이 '사유의 길'로서 표명되게 된다.
　형이상학이 가리고 있는 형이상학의 근거란, 형이상학을 성립하게 하는
근본경역根本境域으로서, 하이데거가 본래 '존재론적 차이'라고 부르고 있었
던 '존재자와 존재의 근본적 구별'을 말한다. 형이상학은 이 구별을 사용하고
있지만, 그러나 이 구별을 주제적으로 묻고자 하지는 않는다. 즉 형이상학은
분명히 존재자를 그 존재에 있어서 묻지만, 그러나 '존재자가 있다'고 할

때의 그 '있다'고 하는 것의 진정한 의미로 향해서 묻는 일을 행하지 않는다. 형이상학은 존재자의 존재를 물음으로써 그것을 '항상적으로 현존하고 있는 것ständiges Anwesen'으로서 규정했는데, 이 '단순한 현존의 고정적 항상성'으로 규정된, 존재자의 존재란 실은 존재자를 그 보편성이나 일반성에서 규정하는 존재자성이고, 또 존재자를 그 전체에서 규정하고 있는 최고의 신적인 존재자였다. 따라서 형이상학은 존재론인 것과 동시에 또한 신론이기도 한 것이며, 이렇게 해서 존재-신론onto-theologie의 체재에 의거해서 존재자의 존재의 파악을 행해 온 것이다. 그렇기 때문에 이 존재론적 파악에는 분명히 존재론적 차이에 해당하는 것이 사용되고 있지만, 존재자와 존재자성의 구별로서 사용되고 있는 것이어서, 구별의 진정한 의미는 알려져 있지 않다.

존재의 진리의 현성　하이데거에게는 이 존재론적 차이를 차이로서 사유하는 것이 '사유의 사태'이다. 이 차이 또는 구별은 『근거의 본질에 대하여』에서는 현존재의 초월로서 사유되고 있었지만, 이 구별은 이제 구별이 구별로서 현성現成해 오는 존재의 근본운동으로서 사유되고 있다. 하이데거에 의하면, 본래 존재자라는 말은 존재를 의미함과 동시에 존재자를 의미하는 말Seiendes seiend이었다. 이는, 존재와 존재자는 서로 구별되면서 공속하고, 서로 의존하기에 분리될 수 없는 통일적 사태를 형성하고 있다고 하는 것이다. 게다가 이 사태는 동적인 사태이다. 하이데거는 존재자와 존재의 구별을 이중의 주름Zweifalt으로 말하고, 구별이 구별로서 현성하는 것은 이 이중의 주름이 스스로를 전개해 가는 사건이라고 말한다. 이중의 주름에 따라서 존재자는 존재 속에서 나타나고, 존재는 존재자의 존재로서 나타난다. 이와 같이 존재가 '존재자를 있게 하는 것'과 존재자가 "있게 되어 있는 것"은 동일한 사태에 속하고 있다. 하이데거는 존재의 이 운동을 빛에 의탁해서 말하는데, 존재가 스스로 환히 밝히는 것은 존재자가 존재의 '환히 밝히는 장소Lichtung'에서 빛나는 것이라고 한다. 존재는 존재자를 은닉된 상相으로부터 은닉되지 않는 상으로 운반해 정돈하는 운동이고, 은폐성Verborgenheit에서 비은폐성 Unverborgenheit으로 간단間斷 없이 탈은폐화함Entbergung이며, 은닉된 것이 은닉되지 않는 것으로 도래함이다. 그렇지만 이 간단없이 환히 빛나는 것 자체는 존재자를 빛나게 해 가면서도 그 자체는 '눈에 띄지 않는 것'이며, 빛나는 존재자의 그늘로 물러나 이와 같은 것으로서만 스스로를 고하고 있다. 그렇기 때문에 '환히 밝히는 장소'란 '스스로를 숨기면서 닫는 바의 환히 밝히는 장소'이다. 이것이 하이데거가 '존재의 비밀'이라고 부르는 존재의 진리의 근원적 현성 방식이다.

존재는 스스로의 운동 속에서 인간을 이끌어들이고, 인간의 사유는 이 운동을 스스로의 사유로 하여, 존재자가 그 존재로 나타나도록 존재를 언어로 가져온다. 이 사유야말로 '존재의 사유'이고, 시작적詩作的 사유라고 불리는 사유이며, 존재자를 그 이름을 부름으로써 존재에로 도래하게 하고, 취집聚集하는 발어Sagen이다. 이 사유는 동시에 존재의 비밀을 알아차려서 비밀을 비밀로서 수호하고, 파수하고, 그리고 존재의 현출을 수용하는 사유이다. 인간은 어떠한 의미에서도 자립적 존재가 아니라, 역으로 존재가 언어로 도래하기 위해서, 존재에 강요되어 존재의 '환히 밝히는 장소'로 열려나와 서는 탈자적-존재Ex-istenz이다. 탈자적-존재는 이윽고 시작詩作을 그 요소로 삼는 '거주함Wohnen'으로서 폭넓게 표명되게 된다. 하이데거는 그 외에 존재의 진리의 현성에 대해서 여러 기본어를 통해서 말하고자 하고 있다. 예를 들면 구별에서 유래하는 말 '무'도 또한 그 본질은 '존재와 친밀한 것'이며, 존재의 비밀을 비밀로서 수호하기 위해 '환히 밝히는 장소' 안을 살랑거리는 '존재의 장막'이라고 말하고 있다. 즉 구별의 현성은 존재가 '무화하는nichten' 운동이며, 그런 의미에서 시작詩作이란 존재자를 존재자로 있게 하는 '균열Riß'을 척도로 하여 수취하는 일과 다르지 않다. 그러나 여기서는 후기 하이데거가 말하고자 하는 세계에 대해서 이 이상 자세하게 파고들어갈 수는 없다.

존재망각으로서의 형이상학 그렇다면 어떻게 해서 형이상학은 이 존재의 진리의 현성에 대해서 아무것도 알지 못하는가? 그 이유는 바로 진리의 현성의 방식에 숨어 있다. 즉 존재자가 존재의 빛에 빛나고 있을 때, 이 빛나는 존재자는 그 외양으로 보여지게 되고, 환히 밝히는 존재 자체는 빛나지 않는(눈에 띄지 않는) 것이 된다. 빛나는 것의 외양에 사로잡혀서 빛을 알아차릴 수 없게 되는 것이다. 그렇게 되면, 상호의속적인 이중의 주름은 닫혀지고, 비밀은 비밀로서 수호되지 않은 채 비밀대로 자기를 은닉하고, 모든 것은 존재의 은폐성 속에 은닉되고 만다. 존재와 존재자의 구별은 현성하지 않은 채 본래 분리될 수 없는 이 양자가 분리되어 존재자성과 존재자의 관계로 대치된다. 이에 사유는 존재자를 대립적으로 바라보고서 존재자에 의해서 존재자를 규정하고, 존재자 전체를 특정한 존재자에 의해서 근거짓는 자립적 사유로 화하고 만다. 이것이 형이상학에 고유한, '보는 것'과 '보여지는 것'이라는 주관-객관 관계가 원초적으로 성립해 오는 사정이다. 이렇게 해서, 형이상학이 형이상학으로서 성립하게 되는 근본경역은 바로 존재의 이중의 주름의 사건인 데도 불구하고, 그것은 인간의 사유가 존재의 운동 바깥으로 나가서 존재자를 바라보는 방식에서 생기해 오는 '존재망각Seinsvergessenheit'이라는 사건이 되고 만다. 이와 같이 존재와 존재자의 구별이 그 공속적 통일성에서 사유되지 않음과 동시에 서양 형이상학은 이 구별을 가령 감각적 가상과 불변적 진리의 존재 간의 구별로 역전시키고, 존재자 전체의 존재 근거를 이데아를 위시한 특정한 존재자로서 사유하기 시작한 것이다.

근세 형이상학과 기술　하이데거에 의하면, 사유는 수용적인 존재의 사유이든 자립적인 형이상학적 사유이든 모두 존재의 역운歷運에 의해 지배되고 있다. 게다가 형이상학으로서 생기해 오는 존재의 역운이 각각의 시대를 획정하는 근거가 되고 있다. 따라서 근세를 근세로서 규정해 오는 근거는 근세형이상학의 본질 속에 감추어져 있다. 본래 형이상학은 존재자를 대상화적으로 고정하지만, 그러나 특히 형이상학은 모든 존재자를 자기 앞에 놓는 작용＝표상작용Vorstellen 쪽으로 눈을 돌리고, 주체의 주체성을 궁극적 존재자 곧 기체subjetum로서 사유함으로써 주체성의 형이상학으로서 생기하게 된다. 주체의 주체성이 존재자의 존재자성 곧 '항상적으로 현존하는 것'으로서 사유되기 시작하는 것이다. 그러면 모든 존재자는 이 주체성에 의해서 표상되어, 대상Gegenstand으로서 지知 속으로 거두어들여지고, 지知에 현존하는 것이 된다. 그런데 주체성의 형이상학은 점차로 그 주체성의 본질로서 '의지에의 의지'를 드러내기 시작한다. 모든 지知의 근거에서 지知를 제약하는 무제약적인 것은 '자기 자신을 의지하는 의지'이며, 이 의지의 자기관철이 이윽고 형이상학을 완결에 이르기까지 이끄는 것이지만, 완결된 형이상학은 이제는 철학의 형태를 벗어난 '기술Technik' 바로 그것이다.

이와 같이 하이데거는 기술을 '의지에의 의지의 궁극적 출현형식'이라 말한다. 기술은 본래 진리가 물건의 제작으로서 현성하는 방식을 나타내는 테크네라는 용어에서 유래하지만, 그러나 근대기술은 본래의 테크네와는 완전히 다른 방식으로, 즉 자연을 향해서 도발적으로 존재자를 '편리를 제공하는 것'으로서 확정하고, 그것을 새로운 질서체계의 메커니즘으로 편성해 간다. 이를 하이데거는 기술은 존재자를 용상用象, Bestand으로서 취집하는 집합적 배치Gestell(=몰아세우는 것)라고 말한다. 게다가 의지의 주체는 인간이 아니라 의지 그 자체이어서, 역으로 인간은 의지 지배의 복무자로서 의지에 봉사하게 되고, 의지의 자기관철을 의지에게서 위탁받게 된다. 이 위탁이 기술적 사유로서 작동하고, 존재자를 남김없이 이용하는 계획적 산정의 역할을 수행한다. 기술의 지배 하에서 인간의 사유는 기술의 본질을 전혀 사유하지 않은 채 극도의 무사려에 빠지고 만다. 그러므로 기술의 공포는 기술적 산물이 생존을 위협하는 데에 있다고 하기보다는 기술시대의 인간이 '사유로부터의 도망'의 도상에 있다고 하는 데에 있는 것이다.

하이데거의 기술론은 이제 주체성의 형이상학에서 자립적 사유가 기체로서 절대화되는 단계를 한참 지나쳐서, 기술이 존재의 진리가 현성하는 방식을 그대로 의사화擬似化한, 그림자의 질서체계Konstellation를 형성하는 것에 대해 말한다. 기술도 또한 하나의 '취집'으로서, 통일적 집합태를 형성하기 때문이다. 그러나 그것은 존재자를 그 존재에로 있게 하는 것이 아니라, 역으로 모든 존재자를 동등한 형태로 만들고, 존재의 진리가 현성하는 근본경역을 모조리 은닉해버린다. 그러나 그럼에도 불구하고, 이 존재망각의 극한 양상인 존재방기로서의 기술도 그것대로 하나의 존재의 역운으로서, 자신 속에 존재망각의 유래를 감추고 있는 것이니 이 깊이 은닉된 본질을 사유할 가능성이 거기에 간직되어 있다.

바로 하이데거의 사유야말로 이 '유래'로 향한, 형이상학의 은닉된 본질로 향한 귀향의 길로서의 사유이다. "고향의 상실이 세계의 운명이 된다. 그 때문에 이 역사적 운명을 존재사적으로 사유하는 일이 필요하다."고 하이데 거는 말한다. 이 존재사적 사유는 존재에게 불러들여지고 '회고하면서 앞을 그리는 사유'로서 원환적 사유이며, 언젠가 '물음의 성격'을 벗어나서 더 이상 '왜라는 물음'을 묻지 않는 '단순한 발어'에 있는, 저 원초의 사유로 화하기까지 점차 좁혀져 오는 나선 운동에 있는 사유이다. 하이데거가 말하 는 '사유의 길'이란 이와 같이 쉼 없는 경건하고 또 의연한 사유의 걸음과 다른 것이 아니다.

하이데거의 사상은 단지 근세의 주관주의 형이상학뿐만 아니라 서양 '형이상학의 종언'이라고 하는 결정적 사태에 대해서 말하고 있다. 이 통찰은 19세기 말 이래의 심각한 위기의식으로부터 발하고 심화해 온 일련의 역사적 자성自省이 도달한 하나의 궁극적 경지를 나타내고 있다. 따라서 현대철학의 상황에 하이데거가 부여한 작용은 헤아릴 수 없을 만큼 결정적인 힘을 지니지만, 그의 너무나도 일의적인 근대철학적 해석에 대해서는 비판적 수정이 필요하다고 생각된다.

제6절 현상학과 해석학의 현황

현대의 학문론적 상황 제2차대전 후의 황폐한 지적 풍토 속에서 독일도 또한 본격적인 철학연구의 체제를 확립하는 데에 오랜 시간이 필요했다. 전후의 정신상황은 무엇보다도 전화戰禍 속에서 허무하게 궤멸해버린 현실의 문화에 대한 공막감이나, 정치를 포함한 기존의 가치체계에 대한 뿌리 깊은 불신감 등에 의해 관철되고 있었고, '이성의 문제'는 자취를 감추고 마르크스주의 사상이나 특히 실존주의 사상과 같은 실천적 교설이 사람들의 마음을 사로잡고 있었다. 다른 한편, 근대사상의 종언에 대한 예감이라 할 수 있는 것이 하이데거의 사상에 대한 깊은 공감을 불러일으키고 있었다. 그러나 1950년대 후반부터 점차 독일철학에서는 새로운 연구관심이 왕성하게 되어, 점점 예리한 학적 이론의 형태를 갖추기 시작하고, 그 속에서 현상학이나 해석학도 또한 새로운 전개를 드러내기 시작했다.

독일 현대철학의 동향들에 공통된 특징은, 현상학이나 해석학, 여기에 또한 하버마스 등의 비판적 이론이 서로 교류하고, 그동안 거의 수용되는 일이 없었던 영미계의 과학철학에 대해서도 열려진 자세를 취하며 이러한 '열려진 교류' 속에서 학문론(또는 과학의 이론Wissenschaftstheorie)이 공통된 과제로서 자각하고 있었다는 점이다. 이 새로운 학문론적 관심은 또한 귀중한 사상 유산인 고전철학을 새롭게 평가하면서 대규모의 연구작업을 착수하고 있는 데서도 발견되는 것이리라.

지知의 구도의 변혁 오늘날의 학문론적 상황은 더 이상 근대과학이나 과학문화를 총체적으로 부정하는 교설이 아니라, 오히려 '과학의 그릇된 자기이해'를 비판적으로 수정하는 일을 과제로 삼고 있다. 후설이 『위기』에서 말한 바와 같이, 과학이 하나의 이론적 실천인 이상, 과학적 인식과 관심의 관계가 새롭게 다시 물어져야 할 때가 있다. 특히 과학의 성립하려면, 나아가 지知 일반이 성립하려면, 언제나 이미 지知의 성립조건이 되고 전제가 되는 것이 수반된다는 현상학적 통찰이 이제 일반화되고 '무전제적 학의 이념의 폐기'가 확인되면서, '지知의 구도'의 근본적 변혁이 기도되었다는 점이 간과되어서는 안 된다. 본래 근대적 지知는 방법적 지知로서, 세계의 지Weltwissen임과 동시에 자기의 지Selbstwissen라는 이중구조를 지닌다. 따라서 지知는 세계지世界知로서의 학 일반을 근거짓기 위해 자기지自己知의 방향에서 철학적 반성으로 활동하면서, 세계지와 자기지의 관계를 주제화해서 보아야만 한다고 생각되고 있었다. 그 경우 자기지가 자기 자신을 지^知의 근거로서 절대화해 가는 방향이 이른바 주관주의 철학의 길이었다고 말할 수 있겠다. 근대철학의 걸음을 주관의 절대화로 가는 길로서 파악한다는 것 자체에는 실은 문제가 있었던 것 같다. 방법적 자기지로서의 반성이 반드시 '절대적 반성'으로 화한다고 할 수는 없는 것이다. 근세 초두의 형이상학(예를 들면, 쿠자누스)에서 반성은 본래 방법적 조치이며, 지^知의 근거를 지^知 자신으로서가 아니라 지^知의 한계로서 발견하는 것이었다. 물론 그것은 지^知의 자기비판을 떠나서 독단적으로 규정할 수 있는 사태가 아니다. 현대의 '학문론'적 반성도 또한 지^知의 성립조건이나 지^知의 근거를 지^知 자신을 절대화하는 일 없이 오히려 그 한계로 간주하면서, 지^知의 구조의 문제로서 탐구하겠다고 하고 있다. 현상학적 반성이나 해석학적 이해가 현대의 학문론에 기여하는 것은 바로 이 '지^知의 구도'의 문제이다.

'세계'의 현상학 현상학은 후설 이후 주로 프랑스에서 사르트르나 메를로-퐁티 등에 의해 화려하게 전개되었고, 또 전후 후설의 미공개 초고에 기초한 저작집의 간행 등에 의해서 점차로 국제적인 교류 속에서 연구수준을 높여갔는데, 독일 고유의 새로운 현상학의 형태로 들 수 있는 것은 핑크의 우주론적 현상학kosmologische Phänomenologie과 롬바흐의 구조존재론 Strukturontologie이다. 후설 만년의 제자로서 지향적 분석의 작업에 정통해 있었던 핑크E. Fink(1905-1975)는 후설 현상학의 내부에서 작동하는 형이상학적 사유의 구조를 비판하면서 후설의 세계 분석을 존재론적으로 다시 파악하고, 하이데거가 말하는 존재의 진리의 현성을 세계가 스스로 유희하며 움직이는 활동으로서 말하고자 했다. 세계는 인간을 포함하는 모든 존재자에 대해서 시간과 공간을 줌으로써 그것들을 현출하게 한다. 이 활동은 인간적 존재가 세계를 향해 열려진 관계 속에서 세계를 이해하는 것도 가능하게 한다. 핑크는 '그 자체에서 현출하는 것'이 우리 인간에 대해서 현출할 때 우주-인간학적kosmo-anthropologisch 차이가 활동한다고 말하는데, 이 우주-인간학적 차이는 하이데거가 말하는 존재론적 차이를 니체의 유희Spiel 사상을 계승하면서 우주론적으로 구체화하고자 한 것이라고 말할 수 있겠다. 나아가 핑크는 이 구상의 내부에서 노동, 전쟁과 지배, 사랑, 죽음과 죽음을 면치 못하는 것들, 유희라고 하는 인간학적 현상들을 통해서 이성, 언어, 자유, 역사성, 신체성 등의 문제를 존재론적으로 규명하고자 했다.

롬바흐(1923-2004)는 현상학의 '세계' 개념이 궁극적으로는 '구조'를 의미한다는 점을 근대철학의 역사적 전개를 따라가면서 명확히 하고자 했다. 롬바흐에 의하면, 근대의 학문은 '보편학'의 실현을 의도하는데, 이 동향은 전통적 실체 개념을 해체하는 과정이 되고, 이윽고 '체계'로부터 '구조'로 순화하는 과정을 밟게 된다. 각 존재자는 기능으로서 세계를 각각의 방식에서 대리적으로 표상하는Repräsentation 활동을 하는 데 반해서, 세계는 기능의 체계로서 그때마다의 '나타남Erscheinung'이다. 즉 어떠한 의미에서도 실체화될 수 없는 '항상 현재的現在的이면서 부재인 전체'이고, 기능으로서의 전체 곧 '구조'이다. 그렇기 때문에 전통적인 실체적 주관-객관 관계를 지향성이라는 기능관계로 해체한 후설의 현상학이야말로 사실 '모든 근대철학에 간직되어 있던 동경'이었으며, 나아가 이 지향성의 근거를 묻는 하이데거에 의해서 '자유가 심연이다'가 통찰됨으로써 근대철학은 그 종언에 이르게 되었다. 이 '근대철학의 종언'을 자각함에서 출발하는 롬바흐의 구조존재론은 더 이상 어떠한 것도 특정한 근거로 보지 않고, 자아라든가 주관성 같은 근대철학이 의거하는 기체 개념에 상당하는 모든 것을 기능 속에서 해소하며, 모든 것을 동적인 자기해방적 사건이라고 말하는데, 이와 같은 주장은 하이데거의 존재의 사상을 현대학문적 상황 속에서 되살리고자 하는 지극히 대담한 이채로운 주장이라고 말할 수 있겠다. 핑크나 롬바흐에게서 보이는, 현상학이 새롭게 전개되는 방향은 현상학이 '세계의 현상학'으로 자기 자신을 열어가는 운동이라는 것을 보여주고 있다.

철학적 해석학 나아가 정립적 반성을 극복하려는 시도는 해석학적 이해의 기능에 대한 적극적인 평가가 되기도 한다. 현상학과 해석학은 이 새로운 운동 속에서 다시 결합을 확인하고자 하는데, 그 일례는 가다머의 철학적 해석학이다. 가다머(1900-2002)는『진리와 방법』에서 "후설이 우리에게 의무를 부여한 현상학적 기술의 양심성, 딜타이가 철학함을 모두 거기에 둔 역사적 지평의 폭의 넓이, 하이데거가 받아들인 양자의 동기를 관철함'을 연구의 규준으로 삼아 해석학적 이해라는 경험의 분석을 기도한 취지를 서술하고 있다. 가다머는 후설의 '지평'의 현상을 '상황'으로 파악하고, 하이데거가『존재와 시간』에서 분석한 '이해의 순환현상'이 상황 내에서 시작되는 전통 이해의 운동으로 생기게 된다는 점을 훌륭하게 파악하고 있다. 전통으로 향해서 묻는 것은 우리가 전통으로부터 물어지는 것이 되며, 우리 자신이 지니는 선-판단Vor-Urteil이 물음의 움직임을 시작하게 한다는 것이다. 전통과 해석자 간 상호 착종된 운동은 상호의 지평이 융합해 가는 방식을 취하는데, 이 관계를 가다머는 영향작용사적 의식wirkungsgeschichtliches Bewußtsein이라 부른다. 전통에 대해서 열려진 이 역사경험은 또한 '물음과 답의 변증법'이라 불리기도 한다. 이는 물어진 우리가 최초의 물음의 대답을 탐구하기 위해 물음을 재구성하는 것을 가리킨다. 재구성된 물음은 '말해진 것Gesagtes'의 그늘에서 '말해지지' 않은 것Ungesagtes'을 탐구하고, 거기로부터 '말해진 것'을 이해해 가게 된다. 딜타이에게서는 불명확한 대로 '생의 자기 창조'라는 방식으로 마무리되고 있었던 '과거의 창조적 재생'이란 본래 무엇인가가 여기에 이르러서 점점 명확하게 되었다. 더 이상 여기서는 과거를 대상적으로 정립하는 고정적 시점은 존재하지 않은 채, 대화 자체가 유희Spiel로서 하나의 동적인, 탈주관적인 사건으로서 생기한다. 프랑스의 리쾨르와 나란히 오늘날의 철학적 해석학을 대표하는 가다머는 하이데거의 '존재의 사유'를 '전통의 이해'로 옮겨서 이로부터 방법론적인 이론을 형성하고, 선과학적인 비정립적 역사경험이 가지는 개방적인 미완결적 구조를 취해냄으로써 현대의 학문론적 상황에 하나의 공헌을 수행했다.

이제까지 서술한 바와 같이, 현상학이나 해석학은 상호 중첩하면서 새로운 국면을 열어가고 있지만, 무전제적 학의 이념을 스스로 파괴해 가는 이 사유의 움직임 속에서 오늘날 철학이 '가상의 비판'으로서 수행하는 역할의 중대함이 분명히 간취되는 것이리라.

제2장 현상학의 역사적 전개들
—본질현상학에서 '인간과 세계'의 현상학으로

본장의 주제는 금세기 초부터 현상학이 밟아온 역사적인 생성의 과정을 다시 밟아보면서, 현상학 내부에 있었던 발전뿐만 아니라, 가능하다면 현상학과 이에 근접하는 현대철학 간에 일어난 여러 교류나 대응 또는 대결의 사건을 고찰하는 것이다.

그러므로 여기서는 개개의 현상학자들의 이론이나 주장을 개별적으로 학설사에 입각해서 서술하는 것을 가능한 한 피하고, 필요한 경우에 역사적인historisch 서술 영역을 넘어 문제점problematik을 밝히는 서술 방식을 취하지 않을 수 없으리라는 점을 사전에 양해를 구해두고 싶다. 이미 학설사적 서술의 유례로서 스피겔버그의『현상학적 운동』(H. Spiegelberg: The phenomenological movement, 2 Vols. *Phaenomenologica*, 5-6, 1959)을 위시해서 몇 시도가 행해지고 있는 데다, 모든 것을 망라해서 소개하게 되면 제한된 테두리 내에서 표면적으로 개관하는 데 그치고 말게 된다. 더구나 현상학의 전개의 각 국면에 나타나는 여러 주장 상호 간의 대응 또는 교류 관계라고 하는 것은, 반드시 그 모든 것이 역사적인historisch 의미에서 동시적이거나 직접적인 전후관계로 환원되거나 할 수 있는 것도 아니며, 본질적으로는 어디까지나 사상事象 그 자체에 있는 대응 또는 대립으로서 고찰되어야 할 것이다. 넓게 생각하면, 이 사건들은 사상事象으로서의 전개 운동이고, 결국은 동시대적으로 착종하고 있었던 영향작용사적wirkunsgeschichtlich 사건 이다.

또, 될 수 있는 한 이 기회에 이제까지 현상학의 역사를 말할 때 충분하게 고려되지 않았던, 결코 간과해서는 안 되는 중요한 사건에 최근의 자료 등을 통해서 조명을 비추어보도록 하겠다. 그렇게 한다 해도, 후설의 현상학 에 대해서는 직접 논급하기보다는 이러한 대응 또는 교류 속에 자리매김하면 서 말해 가도록 하겠다.

제1절 본질직관과 지평의식 뮌헨 현상학과 초월론적 현상학

1. 뮌헨 학파의 성립

금세기 초두 1900년에 후설의 『논리 연구』 제1권이, 이어서 다음해에 제2권이 간행되었는데, 이 책의 출현에 가장 직접적으로 충격을 받은 사람들 은 당시 뮌헨대학의 심리학자 T. 립스 문하의 학자들이었다. 립스 문하의 걸출한 인물 팬더A. Pfänder를 위시해서 가이거M. Geiger, 다우베르트J. Daubert, 콘라트T. Conrad, 라이나흐A. Reinach 등은 모두 이 저작을 훑어보고, 본질학과 본질직관의 사상에 깊이 공감하게 되었다. 1904년 후설의 뮌헨 체재를 인연으 로 해서, 다음해에 뮌헨대학과 괴팅겐대학 간에 밀접한 학문적 제휴가 맺어 지고, 이후 제1차대전이 발발할 때까지 이른바 『현상학 운동』이라 불리는 현상학 최초의 전성기가 찾아오게 되었다. 이 운동은 T. 립스의 『기념논문 집』(팬더 편집)에 현상학에 관한 논문들이 발표됨으로써 형태를 취하기 시작하고, 이윽고 1913년 후설과 공동작업을 하여 『현상학 연보』(*Jahrbuch für philosophie und phänomenologische Forchung*, Bd. Ⅰ-Ⅺ, 및 *Festschrift für Edmund Husserl*, 1930)를 간행하기에 이른다. 1906년에는 이미『논리 연구』를 읽고 후설을 알고 있었던 셸러M. Scheler가 예나에서 뮌헨으로 옮겨가서 이 운동에 참가한다. 다른 한편, 괴팅겐대학 쪽에도 1907년 괴팅겐으로 옮긴 라이나흐와 콘라트를 중심으로 '괴팅겐 철학 협회'가 설립되고, 코이레 A. Koyré, 힐델브란트D. v. Hildelbrand, 헤링J. Hering, 콘라드-마르티우스H. Conrad-Martius, 립스H. Lipps, 슈타인E. Stein 등 신예의 연구자들이 모여들었다.

뮌헨의 립스 문하의 사람들을 위시해서, 당시 쟁쟁한 기예를 지니고 있었던 학자들이 후설의『논리 연구』에 깊이 공감했던 것은 말할 나위도 없이 본질일반성의 자립성에 관한 주장이었고, 동시에 이 본질대상성으로 가는 지향적 통로인 본질직관에 관한 사상이었다. 본질일반성의 충전적인 소여성이라는 것이 있기에 비로소 본질존재론의 전개가 방법론적으로 가능하게 되었기 때문이다. 공동으로 작성된,『현상학 연보』의 서론은 다음과 같다. "직관의 본원적인 원천 및 이로부터 창조되어야 할 본질통찰로 귀환하는 운동에 의해서만 철학의 큰 전통이 개념과 문제의 면에서 개발되어야 한다."

그러나 '터무니없이 큰 정신의 작용'(핑크)을 발하게 된 이와 같은 공동작업도 이윽고 후설과 뮌헨 현상학자들 간에 생긴 사상思想의 괴리가 점차 표면화됨에 따라서 통일성을 잃고, 제1차대전 발발 후에는 여러 연구분야로 눈에 띄게 분산되어, 마침내 1916년에 후설이 프라이부르크대학에 초빙되기에 이르러 결정적이라고도 할 수 있는 일단락을 맞이하게 되었다. 셸러도 이미 제1차대전 중에 교직을 떠나서 베를린에서 자유롭게 활약하고 있었다. 물론『현상학 연보』의 간행은 1930년까지 이어졌지만, 현상학 운동이 시작되었을 때의 정신적 통일성은 상당히 빠르게 해체되기에 이르렀다.

2. 환원이론을 둘러싼 대립

이제까지 후설과 뮌헨학파 간의 괴리에 대해서는 표면에 나타난 대립점이 반복해서 지적될 뿐이어서, 대립의 근저에 있는 문제에 대해서는 충분히 명확하게 논해지지 않았던 경향이 있다. 최근 팬더의 유고의 출판[1]을 시작으로 하는, 뮌헨학파를 재평가하는 동향 속에서[2] 점점 이 대립의 근저에 있는 것이 주목되어 오고 있다. 그래서 우선 이제까지 양자의 대립점이라고 일컬어져 온 것에 주목해보자. 그것은 무엇보다도 후설이 초월론적 현상학을 천명한 것에 대해서 뮌헨의 현상학자들이 한결같이 거부하는 자세를 보였다고 하는 점, 특히 환원이론과 구성이론을 엄하게 거부했다고 하는, 잘 알려져 있는 사실에 나타나 있다. 뮌헨의 현상학자들에 의하면, 참된 현실은 환원에 의해서 현상으로 화하는 것이 아니며, 주관의 구성작용에 의해서 현실을 도출하고자 하는 시도는 실재적인 본질대상성의 자체존재an-sich-Sein를 확신하는 그들에게는 절대 용인될 수 있는 것이 아니었다.

현상학적 '환원'에 대한 뮌헨 측의 비판은 이따금 표명되었는데, 그중에서도 오늘날 가장 잘 알려져 있는 것은 셸러와 인가르덴R. Ingarden의 비판이다. 두 사람 다 환원이론과 얽혀 있는 '절대적 의식의 관념론' 또는 '형이상학적 초월의 사상思想'을 본래의 지향성 이론과는 이질적이라고 여기고 있었다.[3] 그러나 이 두 사람 모두 엄밀하게 말하면, 뮌헨 학파에 속해 있지는 않았다. 뮌헨의 현상학자들 중에서 환원이론에 대해서 확실하게 비판적 표명을 행한 사람은 콘라트-마르티우스였다. 초월론적 현상학과 존재론적 현상학에 관한 논문에서 여사는 "의식초월적 실재인 그 자체에 기초하는 실재가 현실에 있는가?" 하는 물음을 제기하고 다음과 같이 서술하고 있다. "노에마적 존재에 사실적 존재가 대응하는가 하는 이 인식론적 물음을 후설은 모조리 옆으로 제쳐놓았다."[4] 셀름스T. Celms도 엄밀하게 말하면 프라이부르크 시대의 후설의 제자였지만, 후설의 초월론적 현상학의 입장에 대해서는 뮌헨 학파의 가장 공약적公約的인 비판적 견해를 내놓고 있다. 그는 "후설이 전개한 현상학적 방법은 그의 관념론과 분리되어야 한다"고 서술하고, 후자는 전자에서 나온 귀결이 아니라고 강조하고, 다음과 같이 단정을 내리고 있다. "후설은 현상학적 반성(에포케)과 현상학적 환원을 구별함으로써 형이상학적 주지주의에 도달했지만, 그러나 이 구별을 확실히 해두고 있지 않다.'⁵⁾ 즉, 뮌헨계의 사람들에게는 현실의 존재에 관한 판단의 보류인 에포케에 대해서는 관념론과 실재론의 구별 이전의 문제이기 때문에 이를 수용하는 것이 가능하지만, 환원에 대해서는 예상 외의 것이기에 거절할 수밖에 없었던 것이다.⁶⁾

이에 대해서 후설이 뮌헨 학파에 대해서 가한 비판은 한층 엄한 점이 있다. 그들은 현상학적 **철학**의 본래 의미와 근본 의도를 완전하게 결여한 입장이어서 도저히 그것은 철학이라고 말할 수 있는 것이 아니다. 왜냐하면 그들은 실재적인 초월의 자체존재를 '소박하게' 신앙하는 '실재론'의 입장에 머물고 있기 때문이고, 대체로 존재하는 것으로서 전제되고 있는 대상의 존재나 규정된 존재의 기술을 행할 뿐이며, 그런 한에서 다른 모든 실증과학과 그다지 다름이 없기 때문이다. 요컨대 뮌헨 현상학은 오래된 철학적 소박성을 탈각하지 않은 것에, 이른바 '존재론주의'와 다르지 않다. 후설이 이와 같이 단정하는 것은, 심지어 본질대상성조차 언제나 이미 이성의 활동에 의해서 정립된 것이며, 이 활동을 인식비판적으로 주제화하는 일 없이는 그 대상의 존재방식을 물을 수 없다고 보기 때문이다.

3. 대립의 근저에 있는 것

그러므로 양자의 상호 이해에는 다소의 어긋남이 보인다. 뮌헨 쪽에서는 후설의 인식비판 속에 숨어 있는 관념론적 주장을 거절하고 있고, 후설 쪽에서는 뮌헨 현상학의 입장은 인식비판적인 방법의 자각을 결여한다고 규탄하고 있다. 오늘날의 견지에서 회고해보면, 당시 양쪽이 각각 상대를 적확하게 이해하기 이전에 자기 자신의 입장에 대한 철저한 이해가 결여해 있었다고 보여진다. 그런 한에서 양자의 대립에는 양자 측에 각각 책임이 있었다고 말할 수 있겠다.

우선 뮌헨 학파의 경우, 그들의 존재론적 주장의 근저에 있는 확신, 현실이 이미 언제나 질서지워져 있다는 확신은 도대체 무엇에 기초하는가 하는 이 점을 명확히 해두지 않았다. 오늘날에 와서야 자이페르트Seifert가 뮌헨학파의 주장의 근거에는 '신의 창조'에 대한 가톨릭주의의 입장이 전제되어 있다는 점을 표명하고 있다.[7] 따라서 창조란, 인간의 경우, 인격적 행위로서의 문화의 창조에 한정되고 있다. 그러므로 후설이 세계를 구성하는 이성의 기능을 주제화하고자 하는 의도는 그들에게는 완전히 예상 외의 것이었다.

그러면 후설 쪽에는 어떠한 책임이 있는 것일까? 여기서 우선 후설의 뮌헨학파 비판은 그대로 후설 자신의 기술적 형상적 현상학에 대한 자기비판이었다는 점을 이해해두지 않으면 안 된다. 이 점은 후설 자신이 특히 중시했던 팬더에 대해서 여러 번 반복하고 있는 비판적 언급에서 분명하게 읽어낼 수 있다.[8] 팬더에 대한 비판은, 주관성의 철학적 주제화가 아무래도 세계내 주관성의 자기이해의 순화에 있다는 점, 따라서 형상적 환원으로는 불충분하다는 점에 대한 통찰에서 유래한다는 후설 자신의 자기비판이다. 실제로 후설이 철저한 이성비판으로 향하게 된 하나의 기연이 된 것으로서 팬더와 제펠트Seefeld에서 있었던 토론(1905)을 들 수 있다. 이 이성비판을 수행할 때 후설은 기술적 현상학의 입장을 넘어선 초월론적 현상학으로서의 철학을 구상하게 되고, 그 실현의 방법으로서 현상학적 에포케로 시작되는 현상학적 환원이라 불리는 방법의 실시를 주장하기 시작했다. 후설의 이 구상은 1905년의 '제펠트' 초고 같은 형태를 취하기 시작하고, 1907년의 괴팅겐 강의에서 명확하게 주제가 되어, 이윽고 『이념들 I』에 보이는 초월론적 현상학의 최초의 체계적 서술로 이끌리게 되었다.

그렇지만 이 시기(이른바 『이념들』 시기)에 있었던, 후설의 초월론적 철학의 구상은 한편으로는 방법론적 동기에 의해 다른 한편으로는 형이상학적 동기에 의해 성립되고 있었는데, 이 두 계기가 결코 조화를 이루고 있었던 것은 아니다. 현상학적 에포케란 세계 및 세계 내의 일체의 사건에 관한 판단의 보류이고, 따라서 이 방법론적 자각을 관철하는 한, 현상학에서는 세계의 존재의 명증에 관해 형이상학적 단정을 내리는 일은 단연코 허용되지 않는다. 그러한 형이상학적 단정은 바로 현상학이 스스로 금했던 것이기 때문이다. 그런데 후설은 이성비판으로서의 현상학적 반성을 실시할 때 우선 세계의 명증에 관해서 일종의 선행적 결정을 내렸다. 즉, 세계경험이 필증적 확실성을 가질 수 없다는 점이 미리 검토된 뒤에 자아의 절대적 명증성이 설시되었고, 이와 같은 선결적인 명증비판에 이끌려서, 세계가 대상적 형성체로서 의식에 의존적이며, 의식만이 절대적 자립적 존재라고 하는 형이상학적 단정이 내려졌던 것이다. 이 단정에 이끌려서 후설은 현상학적 환원의 정당성을 환원 해석의 형태로 설시하고자 했다. 이와 같은 데카르트주의적 환원의 이론을 표명한 후설 쪽에 초월론적 현상학의 의도를 오해하게 한 책임이 있었다고 말할 수 있을 것이다.

그렇다면 도대체 뮌헨의 본질존재론적 현상학과 후설 현상학의 진정한 차이는 어디에 있는 것일까? 사실을 말하면, 양자의 진정한 구별을 보여주는 것은, 후설이 1920년대가 되어 『이념들』 시기의 데카르트주의적 환원이론을 수정하고 정태론적 입장을 스스로 탈각해 가는 방향을 열었을 때에 비로소 사상事象 그 자체에 나타나게 된다는 점이다. 세계의 존재와 비존재에 관한 일체의 판단을 유보하는 보편적 에포케로서 후설이 설시한 비데카르트적 길은, 우선 '미리 주어진 것'을 지표로 하여 그 지표에 숨겨져 있는 의미의 발생적 역사를 다시 밟아가는 소급적 반성의 방법인데, 이와 같은 반성으로 인해서 비로소 세계는 그 '주어지는 방식', '나타나는 방식'에서 스스로를 드러내기 시작한다. 에포케에 의해서 세계는 결코 일거에 대상의 총체성으로서 현상화하는 것은 아니다. 이 점에서 『이념들』 시기의 초월론적 관념론의 구상에는 후설 자신의 너무나도 성급한 형이상학적 단정이 작동하고 있었던 것이다. 이에 반하는 발생적 고찰에 의해서 세계는 모든 소여성(=주어짐)에 언제나 비주제적으로 수반되고 있는 지평으로서 그 지반성격을 드러내 오는 것이고, 다른 한편으로 총체성으로서의 세계 개념은 모든 구성이 향하는 궁극적인 목표이념임이 밝혀지게 된다.

이것과 관련해서, 『논리 연구』로부터 『이념들 I』까지 이르는 시대에 후설이 입각하고 있었던 직관 우위성의 사상이 사상事象 분석이 심화함으로써 지양되어 간다. 대상의 직접적인 곧 무매개적인 파악인 직관 대신에 지평의 매개성이 모든 분석 중에서 주요한 위치를 점하게 된다. 본질일반성의 구성에 관한 분석도 그러하다. 원래 본질일반성이 주제적으로 구성되는 방식은 자유변경freie Variation의 조작 과정을 포함한 본질직관Ideation에 의거하지만, 그러나 본질을 이와 같은 대상으로서 주관적으로 구성하는 능동성에 앞서 '본질'이라 불리는 바로 그것이 언제나 이미 경험의 진행 속에서 수동적으로 구성되고 있음이 분명해지게 된다. 즉 본질이 모든 경험에서 대상의 규정을 가능하게 하는 예료적 '의미틀'을 형성하는 '무규정적 일반성'으로서 중요한 역할을 수행한다는 점이 분명해지는 것이다. 종래의 본질직관의 사상은 본질이 남김없이 주어진다는 폐쇄적 성격에 구애되고 있었음에 반해서, 본질의 구성 방식이 주어진 것과 사념된 것 사이에 일어나는 어긋남과 겹침의 개방적인 운동 속에서 탐색되어 갔다.(9) 이런 의미에서, 후설의 현상학적 사유의 전개 속에서 이른바 본질현상학이 지평의 현상학에 의해서 지양되고 있었다.

4. 행위수행과 반성

다음으로 또 하나, 뮌헨 학파 특히 팬더와 후설 사이에 생기는 중요한 차이점을 들어두겠다. 오늘날 팬더의 '의지의 현상학'이 재차 주목을 받아오고 있는데, 그것은 일상언어학파의 오스틴이나 설J. Searle의 언어수행론에 대해서 팬더의 자아론이 어떤 방식으로 대응하고 있음이 감지되었기 때문이다. 리쾨르는 양자 사이에 공통되는 것으로서 명화明化, Klärung 혹은 행위에 수반되는 직접적인 자기이해의 활동을 지적하고 있다.(10) 이른바 반성의 무한퇴행의 아포리아가 모두 극복되고 있다고 보기 때문이다. 그런데 이 문제에 대해서도 후설의 '팬더' 초고나 만년의 연구 초고를 통해서 고찰한다면, 사정은 더욱 복잡한 모습을 드러내고 있다고 말하지 않으면 안 된다.

팬더에 의하면, 의지작용에서 "자아라는 중심은 주관이고 출발점일 뿐만 아니라 작용의 본원적 수행자이다." 그렇기 때문에 "의지의 활동에는 직접적인 자기의식이 속해 있다."[11] 팬더에게 있어서, 자아가 '대상 곁에 함께 있음' 곧 자아의 원심성과, '자기 곁에 함께 있음' 곧 자아의 구심성은 그 배후로 거슬러갈 수 없는 원적原的 사건이다. 후설도 또한 팬더의 이 지적에는 동의를 표하고, 자아의 비주제적 전반성성을 모든 행위 "곁에 함께 있는mit dabei" 것으로 보며 승인하고 있다. 하지만 팬더가 이 배후로 거슬러갈 수 없는 사실事實이 그 자신으로부터만 해명되지 않으면 안 되는 사실事實이기 때문에, 반성이라는, 뒤로부터의 추상화를 거부하고자 하는 데 반해서, 후설 은 어디까지나 자아의 자유로운 능력인 반성에 의해서 이 익명성을 현재화顯在化할 수 있다고 주장한다.

분명 팬더나, 작용수행의 담당자로서의 인격을 말하는 셸러는 반성으로 거두어들여지지 않는 수행태를 중시해서, 애초부터 직접성을 방패로 삼아 이것이 반성의 와중에 떨어지는 것을 피하고자 했다. 그러나 후설이 그러하듯 익명적인, 비주제적인 것을 어디까지나 반성에 의해서 방법적으로 주제화하고자 하는 시도가 있어야 비로소 이 직접성의 구조를 분절화할 수 있는 것이고, 또 직접성의 계기를 전체의 동적 사태 속에서 자리매김할 수 있는 것이다. 후에 후설은 팬더나 셸러와 같이 행위를 자족적 사건으로 보지 않고, 행위에 수반되는 직접적인 '나'의 의식이 끊임없이 지평의 개시성과 결부된다는 점을 발견하고 있다. 바꿔 말하면 행위는 지평으로 초출함이라는 동적 사건이며, 이 초출하는 행위 속에서만 '나'는 '나'를 비주제적으로 의식할 수 있다는 것이다. '나는 할 수 있다Ich kann'라는 수동적 자기이해는 지평의 구조화를 가능하게 하는 나의 능력성의 의식이다. 반성이라는 우회로를 경유하여야 비로소 직접적 자기이해를 핵으로 해서 확장되는 행위의 전체적 구조가 분절화될 수 있다. 또 게다가 이 직접적 자기이해의 구조야말로 반성을 가능하게 하는 전반성적인 반성근거로서, 원초적 자아분열에 다름 아닌 것이 이윽고 반성 자신의 손으로 밝혀지게 되는 것이기도 하다.

물론 반성을 철저화하는 후설의 행보는 그 최후의 차원에서 수행태를 그 생생한 모습 그대로 놓아두고 반성 속으로 거두어들이지 않는다고 하는,

이른바 '반성의 한계'에 마주치고 있다. 이 차원에서 반성은 반성임을 스스로 부정하고 극복해야만 한다고 하는 사태에 직면한다.[12] 후설의 만년의 초고에서 읽어낼 수 있는 반성의 한계와 좌절의 문제는 그런 한에서 일견 팬더의 출발점으로 후설이 되돌아가지 않을 수 없었다는 것을 의미할지도 모른다. 그러나 그것은 더 이상 결코 자족적 사건으로서의 행위의 수행으로 되돌아가는 것이 아니라, 어디까지나 직접적인 자아수행을 계기로 하여 스스로에게 거두어들인다고 하는, 전체로서의 '구조'의 기능 속으로 되돌아감을 의미하는 것이 아닐까? 반성의 가시가 많은 오랜 도정은, 역설의 발생을 내다보고 애초부터 이것을 피하는 오늘날의 화용론Pragmatik보다도 아득히 깊은 차원에서 프락시스의 우위성에 마주치는 것이다.

제2절 인식론적 구상의 근저에 있는 것 신칸트학파로 향한 접근과 대결

1. 비판주의와 같은 점 또는 다른 점

『칸트 강연』[13]에 명확하게 표명되어 있는, 칸트에 대한 후설의 평가는 초월론적 현상학이 칸트 철학과 맺는 현저한 친연관계를 자각하면서 구상되었다는 점을 고하고 있다. 본래 『논리 연구』의 기술적 입장에 은연중에 전제되어 있는 인식 비판의 입장을 급속히 방법적으로 주제화하는 것을 촉구한 동기의 하나로 신칸트학파의 나토르프P. Natorp가 가한 『논리 연구』에 대한 비판[14]을 들 수 있다. 그리고 또한 실제로 『이념들 I』에 보이는 초월론적 철학의 구상은 일견할 때 비판주의와 현저하게 형식적으로 대응하고 있다고 볼 수 있다. 이러한 사정으로 보아, 뮌헨학파와 다른 뉘앙스를 띠고는 있지만 신칸트학파의 학자들도 한결같이 초월론적 현상학을 비판주의로 향한 접근으로 간주했다.

그렇지만 이와 같은 수용 형태에 대해서는 이미 핑크가 1932년에 스승 후설의 공인 하에 발표한 논문[15]에서 이의를 제기하고 있었다. 그때까지 비판주의자들은 현상학의 직관주의가 권리문제를 방기했다고 비난하고, 선험적a priori 대상성을 포함한 이념적ideal 대상성을 존재하는 대상성으로 간주하는 존재론주의를 '실증주의의 잔영'이라고 하며 비방하고 있었다. 하지만 핑크에 의하면 이 두 비판은 모두 우를 범하고 있는데, 왜냐하면 『논리 연구』의 방법론은 단연코 실재론적인 독단적 존재론의 입장에 서는 것도 아니었고, 또 『이념들』의 입장은 비판주의가 의미하는 관념론도 아니었기 때문이다. 『논리 연구』에서 『이념들』로 이르는 길은 내적으로 일관해 있는데, 전자에서는 숨겨져 있었던 인식 문제가 후자에서는 드러나 있는 것에 지나지 않을 뿐이다. 핑크에 의하면, 비판주의는 결국 세계내재적 주관성의 입장에 머물면서 선험적 세계형식을 물을 뿐인 데 반해서, '세계의 기원에 대한 물음'을 내세우는 초월론적 현상학은 '세계를 넘어 세계를 묻는 것'이다.

그러나 핑크의 이러한 정리도 아직 충분하다고 말할 수는 없을 것이다. 왜냐하면 후설의 초월론적 관념론의 주장을 너무나도 강하게 전경으로 밀어내고 있기 때문이다. 만약 현상학의 물음이 세계를 넘어 세계의 의미의 기원을 묻는 것이라고 한다면, 이는 결코 세계 바깥에 순수한 절대적 주관성을 상정하여 세계를 그것을 상대하는 대상의 총체성으로 간주해서는 안 된다. 오히려 이 물음은 자기이해의 철저한radikal 변혁으로서 수행되는 것이어야 한다. 자기를 세계내재적 존재자로 간주하는 세간적mundan 자기이해를 탈각해서 세계와 자기의 상관적 기능관계의 장으로서 자기를 이해한다고 하는, 자기이해의 변혁 속에서야 세계가 비로소 세계로서 현상해 오는 것이다. 그런 의미에서만 세계를 초출한다고 하는 표현이 허용된다고 말해도 좋을 것이다. 이와 같은 이성의 자기이해는 비판주의의 인식론적 문제설정의 틀을 깨버리고, 아득히 깊은 차원에서 이성과 생의 서로 뒤얽힌 구체적 모습을 차차 드러내기 시작한다.

2. 인식과 생의 대립

후설 현상학과 신칸트학파의 관계는 상당히 착종돼 있다고 말해도 좋은데, 똑같이 신칸트학파라 해도 논리적 주관으로서의 의식 일반을 말하는 리케르트H. Rickert의 경우와 심리학적 주관성을 말하는 나토르프의 경우는 상당히 사정이 다르다. 이 두 사람은 칸트학파 중에서 일찍부터 현상학과 적잖이 관계를 가졌던 사람들이지만, 분명히 말할 수 있는 것은 현상학과 신칸트학파 사이의 결정적 대립점은 리케르트의 경우에는 두드러져 오지만, 나토르프의 경우에는 오히려 역으로 사라져 간다. 극단적으로 말하면, 후설과 칸트 사이의 일종의 양의적 관계가 각각 이 두 사람의 비판주의 철학자와 후설이 관련을 맺는 형태로 나타나고 있다고 말해도 좋을 것이다.

리케르트에 대한 후설의 비판은 꽤 널리 걸쳐 있다. 비판되는 점들은 리케르트에게서는 인식이 심리적 과정으로서 설명된다는 점, 초월적 대상(리케르트에게는 가치)이 이미 존재하고 있다는 것이 전제된다는 점, 그리고 판단작용의 긍정 및 부정의 활동에서만 인식작용을 인정하고 표상작용의 단계에서 이미 인식작용이 활동한다는 것을 보지 않는다는 점 등이지만, 결정적인 것은 리케르트가 모순이 없는 순수한 사유의 가능성에만 실재하는 세계를 관계짓고 있다는 점이다. 리케르트에 의하면, 경험적 주관이 객관적 현실의 무한한 다양성을 인식하는 경우 다음과 같은 두 각각의 변형작용이 활동한다. 하나는 자연현상을 법칙체계로 통합해 가는, 자연과학의 일반화Generalisierung의 방법이고, 다른 하나는 무한하게 다양한 개체 중에서 '가치'라는 선택원리를 통해서 유의미한 것을 골라내 가는, 역사과학의 개별화Individualisierung의 방법이다. 후설이 비판하는 것은 이와 같은 개념장치를 갖고서 이론을 유용화해 가는 이론 실용주의이다. 근본적으로는 구체적 생을 외부로부터 형식화해 가는 데에서 엿보이는 '구체적인 생의 방기'의 자세가 비판된다. 리케르트에 대한 후설의 비판의 요지는 "초월론적 연역에 대한 칸트 사상의 형식주의적 외화外化"[16]이다. 후설에 의하면, 리케르트의 분석적 형식적 연역은 실재하는 세계의 형식에 대해서는 아무것도 서술하지 않고 있다.[17] 요컨대 후설이 칸트(1724-1804)의 『순수이성비판』 제2판에 나오는 지성의 종합의 대목에 대한 비판이 리케르트 비판으로 이어지고 있다고 말해도 좋을 것이다.

이에 반해서 후설의 현상학은 유동하는 생 그 자체 속에서 이성이 기능하는 모습을 있는 그대로 붙잡고자 한다. 그런 방향에서 감성적 저층부에서 활동하는 수동적 종합의 분석이 기도되거나, 시간의 자기구성의 방식이 근원적 차원으로서 탐색되는 것이다. 제봄Seebohm이 지적하는 바와 같이, 초월론적 현상학에서는 비판철학과 마찬가지로 의식의 통일이 대상의 통일의 가능성의 조건으로서 탐색될 뿐만 아니라, 반성하는 의식과 반성되는 의식의 통일도 물어지고, 대상의식은 물론 자기의식의 분석이 기도된다.[18] 비판주의자들은 후자 곧 의식의 내적 시간성의 분석을 간과하고 있다.[19]

3. 의식의 발생적 고찰

이성과 생, 또는 이성의 뿌리에서 발견되는 생동성Lebendigkeit의 문제는 후설에게서는 후년의 생활세계Lebenswelt의 분석에서 구체적으로 전개된다. 후설에 의하면, 무릇 생각되는 모든 학문이나 이론의 발생의 지반은 생활세계적 경험이며, 이른바 과학의 객관주의는 자신이 유래하는 방법적 지반인 생활세계의 망각이라는 사태를 보여주고 있다. 똑같이 신칸트학파에 속해 있으면서도 리케르트와는 완전히 대극적으로 객관적 세계의 추상적인 경직성을 생에 대한 소외로 보는 사람은 나토르프(1854-1924)이다. 후설과 나토르프의 교섭은 꽤 오래전부터 시작되었으니 『산술의 철학』에 대해 나토르프가 비판하고 난 이후부터이다. 『산술의 철학』에 대한 나토르프의 비판은 심리주의에 대한 비판이며, 이 비판은 동시에 나토르프 자신이 범하고 있었던 것에 대한 자기비판이기도 했다. 이 비판은 프레게가 가한 비판 이상으로 후설에게 강하게 영향을 미쳤던 것 같다. 나토르프가 후설에게 미친 영향으로는 전술한 바와 같이 이후 『논리 연구』에 대한 비판이 있다. 나아가 그 후로도 나토르프의 저작 『일반심리학』(*Allgemeine Psychologie*, 1912)과 『철학과 심리학』(*Philosophie und Psychologie*, 1918)이 후설이 1920년대에 발생적 현상학의 성립시키는 데에 적지 않은 기연機緣을 주었다. 케른의 보고에 의하면, 후설이 이 저작들을 철저하게 연구한 것은 1918년이다.[20]

나토르프는 심리학을 의식 형태의 종류에 따르는 기술을 행하는 (나토르프가 의미하는 바의) 현상학과, 체험통일의 단계 계열의 발생적 고찰을 행하는 심리학의 두 부문으로 나누고, 후자에서는 모든 체험 내용이 체험하는 자아에 대해서 갖는 귀환관계를 묻고자 하고 있다. 심리학적 반성은 의식의 객관화 과정을 무한하게 소급해 가며, 모든 객관화에 앞서는 생생한 것에 도달한다. 이와 같은 소급은 주관적인 것을 재구축해 간다. 그렇지만 나토르프에 의하면, 절대적으로 객관적인 것이 있을 수 없는 것과 마찬가지로 절대적으로 주관적인 것도 있을 수 없다. 순수하게 주관적인 것은 주관화(재구축)의 이상적인 한계에 지나지 않는 것이어서, 단지 상대적인 객관화 단계의 계기繼起 및 이에 대응하는 상대적인 주관화 단계의 계기가 있을 뿐이다. 나토르프는 이와 같은 단계 관계를 잠재력Potenz 개념으로 말하고 있다. 주관적인 것은 보다 낮은 객관화의 단계이지만, 보다 높은 객관화에 대해서는 그 잠재력이 된다. 나토르프의 심리학은 객관화 의식에 의해서 상실된 보다 낮은 단계를 회복하고, 객관화 과정에 의해서 발생한 객관적 세계를 흐르는 의식의 생으로 되돌리며, 개념 속에서 고정된 생을 재구축하는 방식으로 다시 보고자 하는 의도를 갖고 있다. 나토르프의 이 의도와 방법이 후설의 발생적 현상학의 구상에 큰 시사를 주었다고 하는 것은 언뜻 보아도 용이하게 이해될 수 있다. 물론 나토르프의 입장은 후설 쪽에서 본다면 자연적 태도를 탈각하지 않았고, 또 의식의 발생이라 하더라도 시간의 흐름이라기보다는 의식 내용의 발전에 지나지 않는다. 분명 과학의 근저에서 기초적 경험의 층을 발견하고 이 경험이 갖는 구체적인 유동적 과정과, 과학의 객관화된 지식의 내적 관계를 탐색하고자 하는 일은 시대의 물음이었을지도 모른다. 하지만 이 물음이 발생사적으로 심문되는 방향이 명확한 방식으로 수립된 데에서 나토르프와 후설의 만남이 갖는 현저하게 주목할 만한 의의가 발견되는 것이리라.

그 후 신칸트학파의 전개는 우리나라에는 거의 전해지지 않지만, 회니히 스발트R. Hönigswald로 인해서 이 학파는 하나의 전기를 맞이하게 된다.[21] 타당성 이론은 여전히 유지되고 있지만, 신칸트학파의 문제의식에 반성이론이 큰 위치를 점하게 되고, 현상학으로 향하는 어떤 종류의 접근이 보이게 된다. 이 경향은 그의 제자 크라머W. Cramer와 바그너H. Wagner 등에 의해서 강화되고, '반성 철학'으로서 전개되는 이론이 철학사 연구에서도 기도되었다.[22] 크라머에 가까운 헨리히D. Henrich는 '자기의식'의 이론에서 만년의 후설이 도달한 경지에 대응하는 '실천Praxis'과 '자기의식'의 관계에 대해서 예리한 고찰을 행했다.[23]

제3절 해석학과의 교류 1920년대의 프라이부르크 현상학

1. 프라이부르크 현상학의 시대

1920년대는 다음의 두 결정적 사건으로 말미암아 현상학의 역사에서 가장 중요한 시기로 꼽혀지고 있다. 하나는 이미 서술한 바와 같이 현상학이 발생적 현상학으로서 그 본령을 유감없이 발휘하기 시작했다는 점이고, 또 하나는 하이데거에 의해 '존재로 향한 물음'의 방법으로서 현상학의 새로운 가능성이 열렸다는 점이다.

프라이부르크로 옮기면서부터 후설은 점차 시대의 표면에서 멀어졌지만, 역으로 부단한 성찰을 행하며 이른바 작업철학Arbeit Philosophie의 일에 몰두해서 그 성과로 엄청난 양의 초고를 남겼다. 두세 저작을 제외하면 이 시기에 이루어진 그의 작업의 거의 모든 성과는 제2차대전 후가 되어 비로소 저작집(Husserliana 기간既刊 Bd. I -Ⅷ)의 모습으로 공개되었다. 따라서 프라이부르크 시대 후설의 작업에서 오늘날 현상학의 '1920년대의 숭고한 시작'(롬바흐)[24]을 발견할 수 있었던 것은 극히 최근의 일이다. 이 시대의 후설에게서 배운 사람들 중에는 다음과 같은 사람들이 있다. 클라우스L. F. Clauss, 뢰비트K.

Löwith, 베커O. Becker, 메츠거A. Metzger, 카우프만F. Kaufmann, 실라지W. Szilasi, 슈테른G. Stern, 라이너H. Reiner, 브레히트F. J. Brecht, 여기에다 후설 만년에 연이어서 그의 조교로 근무한 슈타인, 란트그레베L. Landgrebe, 핑크와 같은 사람들의 이름을 들 수 있다.

　20년대 후반은 이 제자들 중에서 후설의 후계자로 지목되었던 하이데거의 눈부신 활약이 눈에 띄고, 이후 프라이부르크 현상학의 중심적 역할을 그가 차지하게 되었다. 위에서 든 사람들 중 란트그레베, 핑크를 필두로 하는 몇 명의 사람들은 후설과 하이데거라고 하는 두 거장으로부터 동등하게 사상적 세례를 받고서, 후에 현상학의 이른바 제3세대의 형성에 기여하게 되는 사람들이다.

2. 하이데거의 현상학 구상

　하이데거가 1927년에 『현상학 연보』에 발표한 『존재와 시간』에서 현상 및 현상학에 관해서 명확한 규정을 부여했다는 것은 잘 알려져 있다. 현상은 우선 가상이나 단순한 현출과 구별되며, "자기를 내보임sich zeigen"으로서 형식적으로 규정된다. 그러나 현상학의 현상 개념은, 통속적 현상 개념이 존재자가 자기를 내보임을 나타내는 데 반해서, 존재자의 존재가 자기를 내보임을 나타낸다. 그런데 존재자 쪽은 당장 자기를 내보이는 데 반해서, 존재자의 존재는 그 그늘에 가려져 있다. 현상학이란 이 당장 가려져 있는 존재자의 존재를, 그 덮개를 벗겨내서 자기 자신에 있어서 자기 자신을 내보이도록 하는 것, 즉 존재자의 존재를 그 자신 쪽에서 보이도록 하는 것sehen lassen이다. 이것이야말로 존재자의 존재를 묻는 하이데거에게는 단적으로 말해 '사상事象 그 자체로' 다가가는 일과 다르지 않다. 즉 존재의 의미로 향한 물음을 진행할 때 우선 존재를 이해하고 있는 존재자인 현존재의 방향으로 향하여 이 선행적인 존재이해를 존재론적으로 주제화해서 보아야만 하는 것이며, 이를 위해서 현상학의 방법이 존재론의 차원에서 되살아나게 된다.

하이데거는 전후戰後 '현상학으로 가는 나의 길'에서 이미 학생시대부터 후설의 『논리 연구』에 관심을 품고 있었다고 털어놓고 있다.[25] 하지만 실제로 현상학과 적극적으로 씨름하기 시작하는 것은 마르부르크 시대에 들어가면서부터이며, 1924년경부터 강의나 강연 등에서 현상학에 대한 논급이 눈에 띄기 시작한다. 비멜도 보고하고 있는 바와 같이, 하이데거가 현상학을 본격적으로 거론한 것은 1925년 여름학기 강의부터이며, 이 강의의 맨 앞은 다음과 같이 서술되어 있다. "역사라든가 자연이라고 하는 현실에 대한 물음은 일정한 존재분야에 속하는 사상事象 내용에 대한 근본적 물음이다. 존재에 대한 물음에 길잡이가 되는 것은 시간 개념이다. 따라서 존재자의 존재에 대한 물음은 이 물음이 철저하게 자기 자신을 이해하고자 하는 경우 시간의 현상을 규명하는 일과 결부되어 있다. 시간 현상에 대한 이러한 규명은 전통적인 의미에서 체계적인 것도 아니고 또 사학적史學的인 것도 아니며, 오히려 현상학적이다."[26] 현상학은 역사나 자연을 과학적 대상의미로서가 아니라 오히려 선과학적인 의미로서 취급하며, 현상학적 고찰 방식은 사학적 고찰과 체계적 고찰의 구분 이전으로 돌아간다.

하이데거는 '현상학적 연구의 의미와 과제'를 잠정적으로 아래와 같이 적고 있다. "(1) 현상학적 연구의 발생과 최초의 출현. (2) 현상학의 기초적 발견, 현상학의 원리, 현상학이란 명칭의 해명. (3) 현상학적 연구의 최초의 훈련 및 현상학에 의거해서 행해지는 철저한 고찰의 필연성."[27] 19세기 말의 철학 상황 속에서 현상학에 귀속되는 결정적 발견을, 하이데거는 지향성 개념뿐만 아니라 감성적 직관과 구별되는 범주적 직관이나, 단지 인식의 순서가 아니라 존재자의 존재의 면에서 구조상의 순서를 나타내는, 칸트적 의미를 벗어난 선험의 의미, 나아가 원적原的 파악작용으로서의 기술이나 분석 같은 현상학의 원리 등에서 단적으로 발견하고, "현상학은 지향성을 선험의 면에서 분석적으로 기술하는 것이다" 하며 서술하고 있다.[28]

그렇지만 현상학에 대한 적극적 평가에도 불구하고, 후설의 순수의식의 현상학에 대한 하이데거의 비판적 대결이 이미 개시되고 있었다. 하이데거에 의하면, 내재란 개념은 의식의 규정을 의미하는 개념이 아니라, 두 의식작용 간의 관계를 나타내는 개념이며, 현상학에 특유한 개념이라기보다는 오히려 현상학에 숨어 들어왔던 신칸트학파적 관념론Idealismus에서 유래하는 개념 이다. 후설이 그러했듯 의식을 순수존재로 보는 생각은 지향성의 존재규정, 자세히는 지향성이란 구조를 가지는 존재자의 존재의 규정을 간과하고 있다. 의식의 존재를 묻고자 하는 하이데거로부터 본다면, '인식의 인식'으로 서의 궁극적 인식의 절대적 확실성으로 향하는 인식비판의 길은 의식의 존재에 대한 물음을 등한시하는 것이며, 설령 인식비판의 차원이 용인된다고 해도 그것은 파생적 차원에 지나지 않는다. 하이데거에 의하면, 후설이 인간의 모든 행위의 규범이 되는 법칙성을 객관적으로 확정하기 위해 '순수 한' 본질적으로는 의식내재로 돌아가고자 하는 일은 데카르트의 코기토에서 발한 근대철학을 철저히 하는 일과 다른 것이 아니다.

하이데거에게는 존재로 향한 물음의 방향을 진행할 때 딜타이의 해석학에 보이는 '생의 자기이해로서의 역사이해의 문제'를 '사실적 자기의 자기이해' 의 차원으로 심화하고자 하는 의도가 있었는데, 이 의도로부터 보아도 데카 르트에서 후설에 이르는 근대의 의식철학의 무역사성의 입장은 엄하게 규탄되어야 하는 것이었다. 위에 보이는 후설과의 대결은 그 후로도 하이데 거의 사상 속에서 거의 동일한 형태로 보전된다. 예를 들면 1927년 후설의 브리태니커 초고 집필을 협력할 때에도 후설에게 동일한 취지의 비판을 써서 보내고 있다.(29)

지향성의 존재의 근거를 묻는 일은 현상학을 존재론의 차원에서 되살리고, 이를 존재론의 방법으로 여기는 것이다. 1927년의 강의 『현상학의 근본문 제』에서는 다음과 같이 서술되고 있다. "선험적 인식에 속하는 근본성분들이 우리들이 현상학이라 이름하는 것을 형성한다. 현상학은 존재론 곧 학적 철학의 방법에 대한 명칭이다. 현상학은, 그것이 올바르게 이해된다고 한다 면, 하나의 방법 개념이다."(30) 나아가 이 강연에 따르면, 현상학의 방법은 내용상 서로 연관되고 있는 다음의 세 부분으로 형성된다. 첫째로 존재자에서 존재에로 시선이 전환되는 현상학적 환원Reduktion, 둘째로 미리 주어진 존재자를 그 존재와 존재의 구조들로 기투하는 현상학적 구축Konstruktion, 셋째로 전통적 존재개념을 비판적으로 해체하는 현상학적 해체Destruktion이다.[31] 『존재와 시간』에서 시도된 현존재 분석론은 이렇게 해서 수용된 현상학의 방법에 의해서 존재이해를 행하는 존재자 곧 현존재의 존재의 구조를 존재론적으로 주제화하기 위해 기도된 것이다.

3. 하이데거와 후설을 연결하는 것

아래에서 후설과 하이데거의 현상학 간에 보이는 여러 대응관계 및 대결의 사정에 대해서 그 중요한 점을 몇 가지 거론해보기로 하겠다. 우선 첫째로, 후설의 의식철학과 대결하는 하이데거의 실존분석에는 후설한테서 배운 것이 많이 활용되고 있는데, 예를 들면 그 하나로서 후설의 철학적 자기성찰의 철저성이 '실존'의 본래적 자각으로서 깊이 받아들여지고 있다는 점이 주목되어야 한다. 후설이 말하는 현상학적 환원은 단지 철학하는 시선의 전개라고 하는 반성론적 조작을 의미할 뿐만 아니라, 습성화하여 '근절하기 어려운 경향'으로 활동하는 자연적 태도의 자기이해, 즉 암묵리에 세계의 존재를 전제하는 이러한 자기이해를 의지적으로 거부하는 자기결단을 의미한다. 이 '반자연적인' 의지적 자기결단은 '생의 전全 연관과 관련되는 결단'으로서 보편적인 의지결단이기 때문에, 현상학을 행하는 일은 도리어 각자적으로je eignes 수행하는 '자기책임의 부단한 사려로서의 자기성찰'이 된다.[32] 『위기』에서 에포케를 행하는 자아는 "유일성과 인칭상의 변화를 상실할 수 없다"고 서술되고 있는데,[33] 타자에 의해서 대체될 수 없는, 그것을 스스로 사는 수밖에 없는 이 유일성에서 '이성의 자기책임성'이라는 것이 분명히 논급되고 있다. 후설이 지知의 근거로 돌아가는 일에 대한 이성의 자기책임성에서 본 것을 하이데거는 유한한 실존의 본래성, 즉 본래적 실존의 전체적 존재방식을 떠맡는 실존적 결단에서 발견한 것이다. 철학적 자기성찰에 보이는 이러한 책임성이라든가 본래성의 자각은 어떤 의미에서 하이데거 이후의 현상학에서는 점차 상실돼 가게 된다.

둘째로, 1920년대의 현상학에서 가장 결정적인 사건은, 모든 과학적 인식에 선행하여 근원적 경험의 층이 가로놓이고, 이 기저적 경험의 선행성은 그대로 세계로 향한 개방성을 지니고 있으며, 개개의 경험은 어떠한 경우에도 세계의식 또는 세계이해에 의해 뒷받침되는 일 없이는 성립하지 않는다는 사태가 열려지게 되었다는 점이다. 후설에게서는 경험의 수반적 소여성인 지평의 매개적 기능이 상세하게 분석되고, 나아가 근저에서 활동하는 세계지평 및 세계의식의 지반적 기능이 키네스테제 의식과 맺는 상관적인 결합 속에서 탐색된다. 하이데거에게서는 현존재의 존재체제存在體制인 '세계-내-존재'의 구조에 관한 분석이 기도되는데, 여기서는 현존재가 언제나 이미 세계 내에 던져져 있다는 점이나, 현존재가 개개의 존재자에 관여할 때에 언제나 이미 세계를 선행적으로 기투하고 있다는 점 등이 현존재의 개시성開示性을 둘러싸고서 주제적으로 분석된다. 또 나아가 셸러가 만년이 되어 철학적 인간학의 방향에 의거해서 '세계개방성'의 테제를 수립하게 되는데,[34] 이 분석들은 각각 중점을 달리하는 데에도 불구하고 어떤 공통된 이해를 보여주고 있다. 경험의 기저적 성격, 개방적 동적 성격, 그리고 이것들에 각인되고 있는 인간 존재의 근원적 사실성 등이 각각의 방식으로 밝혀지고 있는 것이다. 『현상학 연보』가 발족한 당시에 비해서 상호 간의 직접 교섭이 거의 두절되었던 이 시기에 근저에서 깊이 서로 통하는 관심이 동시적으로 활동하고 있었다는 점은 상호 간의 은밀한 영향관계가 있었다고 운운하는 견해로는 해결되지 않는 사항으로서, 즉 현상학 사유의 걸음에서 불가피하게 일어나게 되는 차원의 문제로서 이해되지 않으면 안 되는 것이리라.

4. 현상학과 해석학

셋째로, 위에서 든 경험의 근원성이나 개방성과 관련되는 것인데, 이 시기에 현상학은 해석학의 전통과 만나게 되고, 이런 만남을 통해서 이후의 현상학은 결정적인 깊이와 넓이가 주어져 전개되게 된다. 우선 하이데거에 의해서 종래의 해석학이 방법 개념으로 보았던 '이해'가 현존재의 실존론적 존재체제의 기본적 구성계기로서 다시 파악되었다. 하이데거는 존재의 의미를 물을 때 이른바 해석학적 '이해의 순환현상'에 직면했는데, 그는 이 순환을 논리적으로 나쁜 공전空轉으로서가 아니라 "현존재의 실존론적 선구조Vor-Struktur의 표현"(35)으로 여긴다. 이 선-구조는 이해의 '로서als-구조'와 깊이 관련되어 있다. 이해란 '어떤 것을 어떤 것으로서' 이해함이다. 그리고 이 '로서'라고 하는 근원적 규정의 활동은 의미 전체의 선행적 기투에 의해 이끌린다. 하이데거는 이를 '해석학적-로서'라 부르고 다음과 같이 서술하고 있다. "이해적 개시開示 속에서 분절 가능한 것을 우리는 의미라고 이름한다. 의미의 개념은 이해적 해석이 분절하는 것에 필연적으로 속하는 것의 형식적 뼈대를 포괄한다. 의미란 어떤 것을 어떤 것으로서 이해하게 하는 바의 것, 즉 기투의, 앞서 가짐Vorhabe, 앞서 봄Vorsicht, 앞서 잡음Vorgriff에 의해 구조지어진 목표근거이다."(36) 하이데거는 이렇게 해서 해석학의 방법에 붙어다니는 순환의 수수께끼를 방법이 유래하는 사상事象 자체의, 즉 방법을 구사하는 현존재 자체의 존재체제에 뿌리박고 있다고 본다.

이에 대해서 후설의 경우를 고찰해보자. 후설 현상학의 핵심부에 위치하는 가장 중요한 분석 중의 하나는 현출자Erscheinendes의 현출Erscheinung을 둘러싼 초월론적 고찰이며, 현출자와 현출의 차이성과 동일성에 관한 분석이다. 현출자는 현출과 구별되지만, 그러나 현출을 통해서밖에 주어지지 않은 것이며, 현출이란 '현출하고 있는 상相에 있어서의 현출자'에 다름 아니다. 『논리 연구』에 보이는 '의미Bedeutung'의 이론은 현출자가 현출하는 것은 항상 일정한 의미에서 규정되는 것이며, 이것은 우리가 어떤 것을 어떤 것으로서 사념思念하는 것이라는 점을 여러 예를 들어서 해명하고 있다. 여기서는 후설이 언어에서 발견한 '어떤 것으로서의 어떤 것'이라고 하는 구조가 수용되고 있다. 그렇지만 대상을 '~로서' 규정해 가는 방식은 '논리 연구'에서는 통각이론의 틀 때문에 충분하게 고찰될 수 없었고, 또한 『이념들 I』에서는 노에시스와 노에마를 논할 때 노에마의 구조를 분석하는 대목에서도 규정의미의 담당자인 '대상 자체'와 규정의미 간의 관계에 대해서도 아직 형식적 해명에 머물고 있었다.

현출자와 현출의 현출론적 구조에 관한 현상학적 분석은 20년대의 발생적 분석에서야 비로소 충분한 구체성을 띠어 가며, 특히 '지평'의 분석은 '로서-구조'의 문제론의 철저한 전개라고 말할 수 있다. 후설에 의하면, 경험이란 직관적 소여성을 끊임없이 초출해서 비직관적인 수반소여성으로 향하는 연속적 운동인데, 이 초출운동은 '무규정적 일반성'인 '의미의 틀'을 언제나 '미리 묘출하면서', 이것을 입증해 가는 방식으로 일어난다.[37] 현출자와 현출의 동일성과 차이성은 앞(제1절)에서 서술한 바와 같이 주어진 것과 사념된 것 간에 일어나는 어긋남과 겹침의 방식으로 일어나는 지평의 현상으로서 생기한다. 지知가 지知이기 위한 근원적 성격을 나타내는 '로서'의 기능은 객관화적 대상규정에 앞서서 언제나 이미 지평으로서 행하고 있다. 최근에 발덴펠스는 지평의 매개적 기능에서 '열려진 경험으로서의 변증법'을 읽어내고서 다음과 같이 이 '로서' 기능에 대해 말하고 있다. "현상학적 환원이란, 만약 올바르게 이해된다면, 이 차이성으로 향하여 의식해서 행해지는 귀환과 다르지 않을 것이다."[38] 해석학의 전통 속에서 미처 알아차리지 못하고 보전하고 있었던 '이해의 지평 기능'이 후설과 하이데거에 의해서 주제적으로 발굴되었다. 본래 이 '로서' 기능은 후설에게서는 존재자를 그 일반적 본질성인 의미에서 선행적으로 규정하는 방식으로, 하이데거에게서는 존재자를 그 존재로 초출하는 이해의 방식으로 탐구되고 있다. 그런 한에서 양자가 가장 서로 겹치는 지점에서 철학적 물음의 상호 간 기본적 차이가 한층 예리하게 부각되고 있다고 말해도 좋을 것이다.

5. 방법과 사상事象

넷째로, 현상학과 해석학에 공통되는 '사상 그 자체로'라고 하는 근본적 태도는 구체적으로는 '방법의 사상 귀환성'에 기초하고 있다. 이 학들에 있어서 방법은 외부로부터 적용되는 장치가 아니라 사상의 구조에 깊이 뿌리를 내리고 있다. 따라서 철학적 사유는 그 개시開始 상황에서 방법을 선취적으로 사용해야만 하는 것이기에 일종의 역설을 발생하게 하는데, 사유가 진행하면서 이윽고 점차로 방법과 사상의 귀환관계가 드러나게 되어, 방법은 사상에 의해서 정당화되거나 혹은 수정되거나 한다. 이렇게 해서 방법은 사상의 자기전개 속에 포섭되어 가며, 전술한 지평의 선취적 기능이 철학의 방법적 사유에서 활동하고 있는 것이다.

그렇지만 여기에서, 사상에 의한 방법의 수정이 그 한계상황에 조우해서 방법의 자기부정에 이르지 않을 수 없게 된다고 하는 지극히 주목해야 할 사태가 발생하게 된다. 이 자기부정에 의해서 비로소 출발 당시의 방법의 상정을, 혹은 그 철학의 기본적 상정을 근저로부터 또는 배후로부터 동기부여하는 차원이 열려 온다고 하는 경우가 그러하다. 최초의 역설은 이 단계에서 비로소 진정한 해결로 이끌리게 된다. 예를 들면 후설에게서는 만년에 역사의 목적론으로서 논급된 초월론적 역사성, 하이데거에게서는 존재의 역사적 운명이라는 차원이 그것에 해당할 수 있겠다. 이것은 궁극적 의미에서 철학적 사유의 자기명화自己明化가 이루어지는 차원이고, 깊은 의미에서 철학적 사유의 실천적 자기이해가 성립하게 되는 차원이다.

하지만 이 점은 차치하고, 반성 방법의 자기수정과 그 한계라는 점에 의거하여, 현상학의 방법인 '반성'이 해석학의 방법인 '이해'와 '해석'으로 왜 이행하지 않을 수 없는가 하는 점에 대해 언급해두고자 한다. 핑크는 후설 현상학에서 잘 다루어지고 있지만 주제적으로 물어지는 일이 없었던 조작 개념을 '현상', '에포케', '구성', '초월론적 논리학' 등의 개념에서 발견하고 있다.(39) 그렇다면 후설에게 있어서 주제적 개념으로 간주되는 초월론적 주관성의 궁극적 본질로부터 이끌린 반성 개념의 경우에는 어디까지 이러한 것이 해당하게 되는 것일까? 우선 첫째로, 후설 현상학이 진행하는 동안 반성 개념의 규정이 끊임없이 심화하고 있고, 그런 의미에서 반성기능의 여러 가능성이 물어지고 있다는 점이 주목되지 않으면 안 된다. 특히 발생적 소급의 방법으로서 등장하는 반성은 '잠재적인 것Impliziertes'을 현재화Explizieren해 가는 방법이며, 더 이상 단적으로 직접적인 능여적 직관(자기 지각)이 아니라 이미 매개적 기능을 스스로 포함하고 있다. 이러한 종류의 반성은 이미 지나가버린 것을 기억하면서 재생해 가는 기능이 포함되어 있다. 이러한 발생적 소급의 방법은 '이미 주어진 것'을 지표로 하여, 그 지표에 새겨져 있는 숨겨진 의미의 역사를 다시 밟아가는 의식의 매개적인 자기귀환의 길이다.[40] 이 경우 반성은 항상 전제적 소여성이라는 주어진 상황에서 출발하고 이 상황에서 당장은 숨겨져 있는 활동을 점차로 드러내 가는 것이기 때문에, 해석학적 반성에 가까운 성질을 띠는 반성이다. 그러므 로 '자기지각'을 원형으로 하는 반성은 이미 수정되고 있다고 말해도 좋을 것이다.[41]

그래서 둘째로, 반성의 입장이 견지된다고 한다면, 반성은 궁극적으로는 어디까지 그 권한을 가질 수 있는가 하는 점이 문제가 된다. 후설은 1930년대 에 들어서 반성의 성립을 발생적으로 탐구하고, 자아 기능의 원초적 생기 자체로 '철저한 반성'을 향하게 하고자 했다. 이 경우 반성에 붙어다니는 자아의 익명성은 폐기될 수 없고 또 반성에 포섭되지 않는 '원적原的 사실'이 라는 점을 알아차리고서, 이를 '절대자'라는 이름으로 불렀다.[42] 그렇지만 반성은 의식의 통일이 자아의 통일성에 기초한다는 점을 명확히 하지만, 반성을 이끄는 '나는 생각한다'라는 사실이 왜 절대적 사실인가를 말할 수 없는 것이다.[43] 그런 한에서 후설은 어떠한 반성에도 앞서 생기하는 원초적 사건으로서 자아의 현재 기능의 절대적 사실성을 탐지하고 있었음에 도 불구하고 이 '열려진 현재'의 현現, Da의 사실성, 그 자신이 절대자의 이름으로 불리는 것을 충분한 형태로 주제로 해서 물을 수 없었다고 말해도 좋을 것이다. 반성의 한계가 지적되는 것은 바로 이 지점이며, 여기에서 비로소 '반성'에서 '해석'으로 가는 길, 즉 현상학의 해석학적 전개의 필연성 을 말하는 것이 정당화된다. 후설과 하이데거의 사이에서 스스로의 사유의 길을 열고자 했던 세대의 사람들, 란트그레베나 핑크 그리고 M. 뮐러와 같은 프라이부르크 현상학 속에서 성장한 사람들이 공통적으로 지적하는

것은 다름 아닌 이와 같은 '사실성의 해석학'이 성립해 가는 차원에서 보이는 반성의 한계였다.[44]

이제까지 1920년대의 현상학에 가로놓인 문제들에 대해서 말해 왔는데, 1930년대가 되면 현상학의 역사는 다시 깊은 차원을 개시開始한다. 이는 앞에서 서술한 바와 같이 초월론적 역사성이나 존재사유의 역사성의 문제와 관련돼 있다. 하이데거는 1929년에 『근거의 본질에 대하여*Vom Wesen des Grundes*』와 『형이상학이란 무엇인가*Was ist Metaphysik?*』를 발표하여, 더 이상 초월론적 문제설정에서는 존재의 의미에 다가가는 통로가 열리지 않는다는 점을 시사하면서 침묵기를 맞이하기에 이른다. 1930년대의 도중에 일어난 하이데거 사상의 어떤 변모는 이른바 '전회Kehre'로서 잘 알려져 있는데, 이 사건도 또한 현상학의 역사에서 소홀히 할 수 없는 중요한 의미를 가지고 있다. 왜냐하면 하이데거는 그 후 해석학적 현상학의 방법을 떠나서 존재와 존재자의 차이성을 말할 때 현존재의 존재에 있어서가 아니라 존재가 존재자를 존재하게 하는 그 활동에 있어서 그 차이에 대해 말하기 시작하기 때문이다. 그러나 그것은 하이데거가 그 후기의 사유에서 현상학적 사유와 완전히 이질적인 사유로 향했다는 것을 의미하는 것은 아니다. 하이데거는 「현상학으로 가는 나의 길」에서 현상학이 "사유되어야 할 것이 말을 걸어옴에 응답하는 사유의 가능성"이라고 말하고 있다.[45] 후기 하이데거의 존재사유에서 현상학적 사유의 본령을 간파하는 것은, 그러면 도대체 현상학적 사유를 어떠한 사유로서 받아들이는 것일까? 이 물음이야말로 다름 아닌 현대의 현상학에 부과된 물음인 것이다.

제4절 행동, 상황, 구조 프랑스 현상학 소묘

1. 프랑스 철학의 심신론적 전통

제2차대전 후 현상학은 그 무대를 프랑스로 옮겨가서, 마르크스주의와 나란히 전후 사상을 대표하는 실존주의를 방법적으로 받쳐주는 역할을 수행하게 되었다. 프랑스 현상학의 성립에 대해 말할 때 빠뜨려서 안 되는 것은 다음의 두 사항이다. 하나는, 프랑스 고유의 사상적 전통이고, 다른 하나는 전후의 황폐한 정신 상황 속에서 인간의 의미를 다시 묻고자 하는 행동의 교설이 시대의 요청이 되고 있었다는 점이다. 프랑스에는 멘느 드 비랑Maine de Biran(1766-1824) 이후 심신 통합체로서의 구체적 자아를 논하는 전통이 있으며, 이것이 금세기 초 베르그송Henri Bergson(1859-1941) 철학에서 독자적인 창조적 형태가 되어 결실을 보았다. 베르그송의 사상은 의식을 생명의 통일체로서 보는 생의 철학이며, 동시대의 후설이나 제임스 등의 사상과 깊은 차원에서 대응하고 있다. 그의 철학에서 착수된 여러 분석은 현대 프랑스 철학의 기초가 되는 원형적 틀을 형성했다.

제2차대전 후의 프랑스 정신 상황은 기성의 가치나 질서에 대한 철저한 불신감 속에서 '부조리의 사상'을 발생하게 했다. 즉, 자체적 가치의 상실감이 19세기 이후 '신의 죽음'을 말하는 유럽의 니힐리즘 사상이나 파스칼 이래의 '인간의 유한성과 비참함'을 말하는 프랑스 고유의 실존사상과 결부되어, 현실이나 인간의 존재의 불합리성 및 그것을 초출하고자 하는 인간의 자유와 같은 것을 특히 예리하게 의식하게 된 것이다. 이 물음을 현대의 물음으로서 묻기 위해 현상학의 지향성 이론을 행동의 이론으로서 전개하고자 한 사람이 사르트르이다.

2. 사르트르의 현상학

사르트르(1905-1980)의 경우 하이데거의 실존분석이 중요한 매개가 되고 있어서 인간만이 '자기의 존재를 문제로 하는 존재'라는 것이 핵심에 놓이는 데, 어디까지나 '의식'의 차원에서 실존분석을 기도하고자 하는 데에 프랑스 철학의 독자성이 보인다. 사르트르에서 의식은 초월적 대상을 정립하는 코기토임과 동시에 비정립적으로 스스로를 의식하고 있는 자기의식이다. 이 경우 정립작용을 부정작용으로서 파악하는 데에 사르트르 철학의 독특한 주장이 보인다. 최초의 것이 『상상계』(*L'Imaginaire*, 1940)에 보이는데, 이 저서에서 지각과 구별되는 상상의식이 현실을 부정적으로 초출하여 비현실적 대상을 구성해 가는 활동이 주로 분석되어, 상상력의 초월의 활동에서 의식의 자유가 발견되고 있었다. 주저 『존재와 무』(*L'Être et néant*, 1943)에서 이 부정작용이 의식 전반에 걸쳐서 고찰되는데, 부제 '현상학적 존재론의 시도'가 보여주듯이 이 저작에서 의식의 존재는 「대자존재être pour soi」, 초월적 대상의 존재는 「즉자존재être en soi」라는 존재론적 용어로 다루어졌다.

사르트르에 의하면, 의식은 무엇인가의 개시開示로서 의식이 아닌 존재자에 관계하고, '자신의 존재를 자신의 존재에 있어서 문제로 삼는 존재'로서 대자존재라고 불린다. 이에 반해서, 이 개시의 조건이 되는 '현상의 존재'는 의식에 대해서 독립한 초월적 존재자로서 즉자존재라고 불린다. 즉자존재가 그 자체로서 존재하는 충실한 존재인 데 반해서, 대자존재는 즉자존재를 초월적으로 대상으로서 정립하는 의식이며, 이 정립관계는 부정관계로서 성립한다. 나아가 대자는 즉자의 무화無化뿐만 아니라 자기 자신을 무화하는 존재이며, 자기를 무화하는 자기초출이 인간의 자유이다. 대자는 자기 자신 속에 스스로 정초할 수 없는 우연성을 가지며, 이 '대자의 사실성'에 책임을 지지 않으면 안 된다. 즉 대자는 자기의 존재를 떠맡고, 스스로 즉자가 아니게 자기를 규정하고 정초해 가지 않으면 안 된다. 대자가 자기의 존재를 정초하고자 하는 것은 '순수한 부재인 전체' 곧 '즉자적 자기'와 결합해 있어서 스스로 결여존재로서 존재하기 때문이다. 즉자적 자기는 '즉자=대자'라고 하는, 대자 그대로 즉자이고자 하는 절대로 실현 불가능한 인간의 이상을 나타내고 있다. 사르트르의 철학은 즉자로서의 '대자의 사실성'으로부터 벗어나서 즉자로서의 자기로 향하여 부단하게 초출하고자 하되 끊임없이 좌절할 수밖에 없는 인간의 운명을, 예를 들면 대타–존재로서의 자–타 관계를 포함하는 여러 측면에 걸쳐서 분석하고자 한 시도라고 할 수 있겠다.

사르트르가 노리는 바는 대자–즉자의 존재론적 관계를 행동의 면에서 구체적 관계로서 되살리고자 하는 데 있다. 즉 대자의 존재인 자유는 행동의

기초조건이 되며, 대자의 '사실성'은 행동의 '상황'으로서 파악된다. 행동이
란, 대자에 앞서는 즉자를 소여로 무화하여 그것을 일정한 목적으로 향해서
의미부여해 가는 기도이며, 목적이라는 존재하지 않는 것에 비추어서 현재의
상황을 무화해 가는 활동이다. 상황이란, 대자의 이와 같은 존재방식의
것이며, 자유에 의해 무화되는 즉자와 무화하는 자유의 공동 산물이라고도
말할 수 있다. 즉, 자유와 상황은 하나가 되고 있다는 것이다.

사르트르의 철학사상은 전후의 정신 상황과 아주 직접적인 관계를 맺고
있었기 때문에 공명하는 사람들 또는 추종하는 사람들을 많이 배출했지만,
이 정신 상황이 너무나도 일체가 되었기 때문에 얼마 가지 않아 급속하게
조락해 갔다. 현상학의 발전이라는 면에서 본다면, 분명 몇 가지 철학적
착상이 작동했음에도 불구하고, 그것이 심화되지 않고 도중에 중단 또는
방기되었다. 그 이유는 사르트르의 사상이 현저하게 행동의 교설로 기울어져
있었기 때문이기도 하지만, 철학의 이론으로서 어떤 근본적 한계를 지니고
있었기 때문이기도 하다. 그는 지향성을 정태론적 상관관계의 테두리 내에서
작용지향성(정립관계)으로서만 파악하고 이로부터 인간의 초월의 존재론적
구조를 읽어내고자 했기 때문에, 작용지향성을 성립하게 하는 내적 동기가
되는 동적 전체성의 차원 또는 지평적 지향성의 차원을 애당초 간과하고
있었다. 즉 사르트르는 이른바 통각이론이 빠지는 역설을 인간 존재의 근원
적 숙명으로서 적극적으로 해석하고자 했다. 이 점은, 현상학과 마르크스주
의를 최초로 통합하고자 시도했던 『변증법적 이성 비판』이 전체로서의
변증법적 과정에 실존을 계기契機로서 외부로부터 삽입하는 형태를 취하고
있는 데에서도 엿볼 수 있다.

3. 메를로-퐁티의 현상학

전술한 바와 같이 1920년대에서 30년대에 걸치는 현상학은 경험의 지평구
조에 대한 분석이나 지知의 성립 과정에 대한 발생적 고찰 등에 착수했는데,
프랑스에서는 메를로-퐁티의 현상학이 이와 같은 방향을 독자적 형태로

계승하고 발전시켰다. 메를로-퐁티(1908-1961)도 행동의 상황에서 출발하지만, 그러나 정립적 의식의 근저에서 즉 즉자와 대자라는 대립을 넘어선 곳에서 행동의 현상을 탐구한다. 메를로-퐁티의 서술은 전통적 경험주의나 합리주의의 설명을 끊임없이 비판해 가면서 양자의 대립을 넘어서 가는 방식으로 진행된다. 『행동의 구조』(La structure du comportement, 1942)는 물리적 질서, 생명적 질서, 인간적 질서라고 하는 셋 각각의 고유한 질서를 고려하면서 행동을 고찰하고, 이 질서들이 통합되어 가는 방식을 추구하고 있다. 세 질서가 서로 차이를 빚도록 만드는 것은 '구조'의 사상이다. 구조란 구조를 구성하는 계기들이 분리돼 있지 않은 전체가 아니라, 이 계기들의 상호 위치에 의해서 규정된 전체의 것이다. 구조는 자기제어, 자기유기화의 원칙에 따르는 것이므로, 외부에서 가하는 작용에 의해서 변화되는 일은 없다. 이와 같은 의미에서 구조는 사물도 아니고 이념Idee도 아니며, 내와 외, 즉자와 대자 어느 것에도 속하지 않는다. 그러므로 메를로-퐁티는 게슈탈트 이론의 환원주의에 보이는 구조의 물상화에 반대한다. 구조 혹은 형태는, 메를로-퐁티에 의하면, '의미를 지닌 전체'이다. 구조화의 사건은 인간의 단계에서는 더 낮은 단계에서 거부되었던 어떤 개방성에 도달하고, 동물과 달리 종적 상황과의 결합으로부터 해방된다. 이와 같이 의미와 구조가 대립하지 않고 결합함으로써 구조는 특유의 양의성 성격을 갖추게 된다.

『행동의 구조』의 분석에서 모습을 나타내게 된 전반성적 세계에 대한 고찰은 이윽고 『지각의 현상학』(Phénoménologie de la perception, 1945)에서 지각을 중심으로 하는 자기와 세계의 관계에 대한 기술로 이끌리게 된다. 『지각의 현상학』도 또한 전통적으로 경험주의나 합리주의에 의해서 왜곡되었던 '살아진 구체적 경험'을 그 원초적 형태대로 특히 우리의 의식의 감성적 저층부의 활동을 충분한 구체성을 갖고서 부상하게 하고자 하는데, 이 경우 후설의 후기 연구 초고에 보이는 생활세계의 분석의 의의를 다시 묻고, 게슈탈트 이론과의 독자적 통합을 시도함으로써 현상학의 철저화를 기도하고 있다. 특히 이 저작의 중심적 위치를 점하는 것은 신체의 기본적 역할에 관한 분석이다. 이미 후설이 유고에서 다룬 지각에서 행하는 신체의 현출론적 역할, 예를 들면 사물이 현출할 때 신체가 '곁에 있음dabei sein'이라든가, 신체 운동의 '나는 할 수 있다'라는 잠재 능력 등이 '현상적 신체'로서 이해되고, 지각에서 행하는 신체의 실존론적 역할로서 논해지고 있다. 메를로-퐁티에게서 의식은 세계를 사유적으로 구성하는 통각작용이 아니라, '신체를 매개로 하는, 사물에로의 존재'로서 수육受肉된 주체이다. 신체적 존재로서의 나의 실존은 모든 코기토에 앞서는 선인칭적 경험으로 살고 있는 '세계로 향하는 존재être au monde'이며, 지각한다는 것은 곧 세계로 자기를 기투한다는 것이다. 그리고 이 기투는 언제나 이미 획득된 의미의 침전에 기초해서만 가능하다. 메를로-퐁티의 현상학은 신체에 중심을 두는 '초월과 지평'의 철학이며, 후설의 현상학에서 함축적으로 언급되었던 '세계와 자기의 사실성'이 예리하게 현재화顯在化되고 있다. 현상학으로서의 철학적 반성은 이른바 반성철학에 보이는 반성의 절대화의 길을 거부하고, 세계로 돌아가서 '세계를 보는 것을 다시 배우는 것'과 다르지 않다.

메를로-퐁티는 마침내 정치론과 그 밖의 여러 방면에 걸쳐서 활약하는데, 철학 작업 중에는 '언어' 과학들 특히 소쉬르의 언어학의 성과에 주목해서, '구조'의 사상을 독자적 형태로 되살리고자 하고 있다. 소쉬르의 구조언어학은 다음의 네 요소로 이루어져 있다. (1) 언어행위parole에 대한 언어체계langue의 강조. 즉, 언어는 사회적으로 닻을 내린 규칙의 체계이며, 개개의 언어행위는 규칙이 적용된 경우로서 이 체계에 편입된다. (2) 통시적인 것에 대한 공시적인 것의 우위. 즉, 변화는 한 체계의 상태에서 다른 체계의 상태로 이행하는 것이기 때문에, 변화는 체계를 전제로 한다. (3) 언어의 모든 실체적 국면Aspekt을 형식적 계기로 환원함. 즉, 모든 의미는 기호 체계 내부의 가치나 차이로 환원된다. 기호는 의미하는 것과 의미되는 것으로 구별된다. (4) 언어체계는 내부의 상호 의존성으로 이루어지는 자립적 존재이며, 요약해서 말하면, 구조이다.[46] 따라서 언어행위는 고정된 규칙들에 따라서 기능하는 하나의 체계 속의 가변항으로 폄하된다. 이에 반해서 메를로-퐁티는 소쉬르의 기호론을 후설의 의미론으로 융해하고자 하며, 언어행위에서 일종의 지평적 초출작용을 발견한다. 전기의 메를로-퐁티가 선술어적 의식의 침묵 속에서 의미 탄생의 장소를 탐색하고, 표현작용을 이차적인 것으로 본 데 반해서, 여기에 이르러서는 진리로 향하는 우리의 운동을 매개하는 것으로서 언어작용이 지니는 근원적 역할이 중시되고 있다. 언어는 곧 살아지는 언어이기 때문에, 구조화될 뿐만 아니라 구조화해 가는 것이며, 규칙을 따를 뿐만 아니라 규칙을 주어 가는 것이다. 언어란 아직 말해지지 않은 것, 더 말해져야 하는 것이라는 지평을 자기 속으로 끌어들임으로써 언어를 넘어가는 것을 표현하는 초출행위가 되며, 이와 같은 의미에서 '기능하는 언어'이다.

후기 또는 만년의 메를로-퐁티는 유고 「보이는 것과 보이지 않는 것」에서 재차 신체의 근원적 역할을 논하는데, 여기서는 이미 객관적 신체와 현상적 신체의 대치를 뛰어넘어, 감촉하는 신체와 감촉되는 신체 간의 서로 침범하고 서로 교체하는 순환적 관계가 살chair이란 말을 통해서 탐색된다. 지각작용은 더 이상 침전에 기초하는 신체화된 초월이 아니라 오히려 비지각적인 것과 일체화하는 활동이며, 보이지 않는 것이 지각에서 보이는 것을 능가해 가는 과정이다. 이는 원래 그의 철학에서 작동하고 있는 구조의 사상이 언어학적 구조의 사상과 하나로 통합되어 한층 철저화된 것이다. 구조언어학이 말하는 거리 혹은 차이의 개념이 새롭게 존재론적 의미를 부여받았다고 해도 좋은데, 이는 메를로-퐁티의 현상학이 후기 하이데거의 존재 사유에 현저하게 접근해서 서로 겹치고 있다는 점을 보여준다. 현상학이 전개하는 동안 이른바 '지평'에서 '구조'로 전환하는 지점을 메를로-퐁티도 통과한 것이다.

마지막으로, 프랑스의 현상학 중에서 잊어서는 안 되는 한 사람으로서 귀르비치A. Gurwitsch(1901-1973)의 이름을 들고 싶다. 귀르비치는 가이거 Geiger의 제자로서 괴팅겐에서 배우고, 독일 현상학자들과도 교류가 깊은 현상학자이다. 일찍부터 인격과 상호주관성의 문제에 착수했고, 게슈탈트

이론에도 조예가 깊었으며, 하이데거가 행한 도구 분석을 도입하고 이를 보완하고자 하는 시도에 깊은 관심을 보였다.[47] 귀르비치는 후에 미국의 각 대학에서 강의를 담당했는데, 마찬가지로 미국으로 건너온 독일의 슈츠A. Schutz나 슈트라우스E. Straus와도 교류가 있었으며, 함께 현상학을 미국에 보급하고 정착시키는 데에 큰 공헌을 했다.

제5절 현상학의 현재

1. 50년대에서 60년대까지

오늘날 현상학이 놓여 있는 상황은 일견할 때 전전과 전후의 현상학의 상황은 상당한 차이가 있다. 이는 전후의 실존론적 경향이 현상학에서 완전히 수정되었다는 점을 보아도 용이하게 관찰되는 것이리라. 그렇다고 해도 이와 같은 진폭은 현상학이 전개해 오는 동안 결코 무익했던 것이 아니라, 현상학 자체의 성장에 이제까지의 걸음의 모든 성과가 집약되고 있는 것이다.

오늘날에 형성된, 현상학을 활발하게 연구하는 상황은 이미 1950년에 발단되었다. 현상학이 오늘날 융성하도록 만든 기초가 이 시기에 준비되었다고 말해도 좋을 것이다. 그것에 참여한 사람들로는 루뱅 대학에서 후설 문고를 설립하고, 그곳으로 이관된 후설 유고를 해독하고 정리하는 작업을 통해서 저작집의 간행에까지 이르게 하는 일련의 사업을 수행한 반 브레다 신부, 후설 만년의 조교로 근무하고, 전시 중 루뱅에서 유고를 해독하는 작업에 협력하고, 전후 유럽 현상학 연구의 지도적 역할을 수행한 핑크나 란트그레베, 후설 만년의 작업을 특히 감성론적 방향으로 심화하는 방식으로 계승하고 이를 프랑스 전통과 통합해서 독자적인 창조적 작업을 남긴 메를로-퐁티, 형상적 현상학의 입장에 서서 의지의 현상학을 제창한 리쾨르 등의 이름을 들 수 있다. 브뤼셀에서 제1회 현상학 국제대회[48]가 개최된 것은 1951년인데, 위에 든 사람들이 중심 멤버로서 참여했다.

위에 든 지도적 세대의 학자들이 한결같이 하이데거에 매혹되어 있었던 데 반해서, 이어지는 다음 연구세대의 특징은 특히 후설의 미공개 유고를 중요한 자료로 삼는 후설 연구의 형태로 현상학의 새로운 가능성을 탐색하고자 한다는 점에 보인다. 그들의 연구의 성과는 1960년대가 되어서 발표되는데, 그중에서도 생활세계의 문제계통은 60년대의 현상학에 주축이 되고 있다. 『위기』의 생활세계론이 오늘날의 사상에서 주목을 받은 것은, 생활세계 개념이 과학의 객관주의를 빚은 유럽의 위기에 대해서 '진단기능과 치유기능'[49]을 가지기 때문이었다. 이와 같은 생활세계 개념이 어떻게 현대철학에 정착하게 되었는가는, 예를 들면 비판주의, 구성주의 등의 학문방법에서 지극히 중요한 조작개념으로서 사용되어 왔다는 점을 보아도 알 수 있다. 현상학자들 사이에서 이 개념이 집중적으로 논의되는 것은 1963년의 국제철학회의 심포지엄에서부터인데, 그중에서도 란트그레베가 발표한, 초월론적 현상학에 생활세계의 분석을 자리매김하고자 하는 시도[50]는 생활세계의 연구에 하나의 방향부여를 제시하는 것이었다. 생활세계의 현상학과 관련해서 후설 후기의 시간론[51]이나 공간론[52]에 대한 연구가 착수되는데, 이 연구들을 행함에 있어서 특히 후설 문고와 관련 있는 사람들, 그중에서도 쾰른의 란트그레베 문하 사람들의 활약이 돋보인다.

2. 70년대의 동향

1970년대의 현상학 연구가 보여주는 특징은 다음의 두 방면에서 엿볼 수 있을 것이다. 첫째 특징으로 들 수 있는 것은, 오늘날에 이르러서야 가까스로 현상학적 사유의 본질로 향해서 물을 수 있게 되었다고 하는 점이다. 이것에는, 1973년에 후설의 상호주관성에 관한 방대한 양에 달하는 유고[53]가 저작집에 더해져서 후설 현상학의 작업의 전모를 바라보기 위한 단서가 주어지기에 이르렀다고 하는 사정도 작용하고 있다. 이와 같은 자료의 공개 덕분에 분명 이제까지 현상학의 내부에서 어떤 의미에서 충분한 전개를 볼 수 없었던 타자경험의 분석이나 공동체의 구성 등, 즉 현상학적 사회철학(54)의 전개에 필요한 문제계통을 탐구할 수 있게 되었다. 하지만 그뿐 아니라 이 자료 공개가 포함하는 진정한 의의는, 상호주관성의 문제의 차원을 본질적 구성계기로서 스스로에게 거두어들이는, 현상학의 전체적 사상事象에 다가가는 통로도 우리에게 동시에 마련해준다는 데에 있다. 이 유고집을 포함해서 후설이 남긴 작업의 대부분이 공개된 오늘날 점차 후설 현상학으로 하여금 거기로 몰아가는 사상事象의 정체가 도대체 무엇인가 하는 물음을 물을 수 있게 되었다고 말해도 좋을 것이다. 이 물음을 통해서, 예를 들면 과학적 세계와 생활세계, 키네스테제적 주관성과 퍼스펙티브적(= 관점적) 현출 과정, 사물의 음영적 현출과 세계의 지평적 소여성, 기능하는 단독적 자아와 상호주관성 등등 이 문제적 사상事象들을 자기에게 거두어들여 가는 하나의 전체적 사상事象이 '해석'의 작업을 통해서 점차로 부상하게 된다. 이러한 '해석'의 작업 자체가 현상학적 사유의 하나의 활동을 나타낸다면, 이와 같은 작업은 동시에 후기 하이데거의 사유도 포함하여 현상학적 사유의 본질을 다시 묻는 작업이 되어야 하고, 게다가 '근대철학의 숨겨진 현상학적 사유양식'도 비추어내는 작업이 되어야 한다. 이와 같은 철학으로서의 현상학적 사유의 활동은 이미 핑크, 파토츠카, 란트그레베와 같은 하이데거의 사유에 근접한 사람들이 행한 '세계의 현상학'(55)의 시도에도 나타나고 있는데, 오늘날에는 다시 그 자체가 창조적 현상학이라고도 말할 수 있는 롬바흐Rombach의 '구조현상학'(56)도 이러한 '해석'의 하나의 철저화이며, 최근에는 뮐러S. Müller(57)나 헬트K. Held(58) 등의 시도도 이 방향에 속하는 것이라고 말할 수 있다. 이렇게 해서 '현출의 존재론' 곧 파이노메논의 이론으로서의 현상학의 본질을 묻는 사유, 바꿔 말하면 현상학의 자기해석으로서의 작업은 현상학의 핵심부에 위치하는 것이지 않으면 안 되는 것이다.

70년대 현상학의 두 번째 특징을 형성하는 것은 이미 60년대에 시작된 학문방법론(과학론; Wissenschaftstheorie)의 상황 속으로 현상학도 또한 회피하기 어렵게 휘말려 들어가고 있었다고 하는 점이다. 오늘날 과학론이라 불리는 것은 더 이상 협애한 분석적 과학이론이 아니라, 오늘날의 인간의 생활세계적 실천이나 사회관계와 같은 현실과 과학의 이론구성 간의 관계구조를 통합적으로 다시 파악하는, 현대의 '지知의 이론'이다. 현대철학에 공통되는 이와 같은 과제를 둘러싸고서 여러 입장이 종래의 학파적 폐쇄성을 무너뜨리고 서로 비판적으로 교류하는 데에 현대철학의 두드러진 경향이 보이는데, 이 상황 속에서 현상학은 말할 것도 없이 분석철학(특히 후기 비트겐슈타인이나 일상언어학파), 구성주의, 구조주의, 비판이론, 그리고 마르크스주의,[59] 역사이론Historik[60]이나 사회철학 등과 적극적으로 대결 또는 대화를 추진해 가고자 하고 있다. 나아가 또한 원래 사상적事象的으로 현상학과 겹치는 철학적 인간학(셸러, 플레스너H. Plessner, 겔렌A. Gehlen 등)과도 부단한 교섭이 계속되고 있고, 여러 과학분야에서도 현상학과 고도의 대응관계를 갖는 것으로서 야콥슨R. Jakobson의 구조언어학(특히 반자연적 태도, 보편문법, 상호주관적 구성의 면에서 후설에게서 영향을 받고 있다)[61]이나 빈스방거L. Binswanger, 보스M. Boss, 블랑켄부르크W. Blankenburg, 텔렌바흐 H. Tellenbach 등의 정신병리학[62] 등을 들 수 있다. 위에서 든 입장들이나 과학들과 현상학 간의 대응, 교류, 파급작용에 대해서는 이미 다른 곳에서 일부 논급했으므로,[63] 여기서는 이 대응관계들에 공통되는 몇 가지 기본적 동향을 다루는 데 그치고자 한다.

3. 오늘날의 기본적 동향

우선 처음에 들 수 있는 것은, (1) '반성'에서 '해석'으로 향하는 길을 밟아간다는 점이다. 현상학의 내부에서 일어난 사건, 즉 직접적 소여에 대한 직접적 파악인 직관적 반성에서 매개적 반성인 해석으로 향하는 길(제3절 참조)은 현상학과 해석학의 교류를 한층 심화함과 동시에 오늘날의 과학론에 대해서도 큰 파급력을 가지고 있다. 가다머H. G. Gadamer의 철학적 해석학에 보이는 '지평'의 방법론적 의의, 귀속성의 중단으로 시작되는 '물음과 답의 변증법' 등은 해석학을 현상학의 전개로 보는 것을 가능하게 하는 것이리라.[64] 의지의 현상학에서 해석학으로 나아간 리쾨르도 현상학과 해석학이 서로 전제가 되는 관계에 있다는 점을 지적하고 있다.[65] 또한 전술한 바와 같이 현상학의 사유가 자신의 본질을 다시 묻는 작업이야말로 필연적으로 '해석'의 사유이어야 하는 것이다.

(2) 오늘날 널리 논의되고 있는 언어행위의 문제도 반성에서 행위로 향하는 전환이라는 사태와 관련이 있다. 언어게임이나 발화수반행위(오스틴)에 관한 분석은 그 배후로 돌아갈 수 없는, 그 자체로 모든 설명의 근거가 될 수 있는, 언어행위의 수행성격을 말하는 것이며, 또 하버마스J. Habermas (1929-)의 보편적 화용론Pragmatik이나 아펠K. O. Apel(1922-)의 초월론적 해석학이 거론하는 의사소통 능력으로서의 담론Diskurs의 문제도 언어행위에 초월론적 반성의 권한(칸트)이 포섭되어 있다는 주장을 포함하는데, 이 언어행위들에 관한 현대철학의 동향에 대해서 전술한 바와 같은 리쾨르 (1913-2005)의 대응(제1절) 이외에 현상학 측의 어떤 대응이 있는가 하고 물을 수 있을 것이다. 우선 후설 자신이 유고에서 말하고 있는 전달적 지향성에 주목해야 하고,[66] 또 타자와 행하는 언어적 의사소통에 앞서는 '공동화共同化로 향한 본질적 원原지향성'인 충동지향성과 같은 선언어적 의사소통의 가능성에 대해서도 충분한 고찰이 필요할 것이다. 란트그레베의 최근 연구는 후자의 방향에서 진행되는데, 초월론적 지향성의 기저를 형성하는 '자연 측면'에서 상호주관적 기능의 근원성을 탐색하고자 하고 있다.[67] 롬바흐는 의사소통에는 다차원적 구조가 있다는 점을 논하고, 각각의 차원에서 그 유형에 응하는 주관성이 형성된다는 점이나, 어떠한 의사소통에도 '나'가 '우리'의 동일성에 귀속하는 방식 곧 구조의 동일성이 작동하고 있다는 점을 지적하는데,[68] 이 연구들은 오늘날의 언어행위의 문제에 대한 현상학의 대처방식을 시사하고 있다.

(3) '지평'에서 '구조'로 향하는 전환도 또한 오늘날의 현상학에서 일어나고 있는 사건이다. 1920년대에서 시작되는 지평의 현상학적 해명(후설과 하이데거)은 전후 우선 메를로-퐁티가 게슈탈트 이론과 통합하는 형태로 계승했는데, 1960년대에서 1970년대에 걸쳐서 후설의 연구를 다시 검토하는

형태로 란트그레베 (그리고 그의 제자들)이나 발덴펠스(1934-) 등이 고찰을 심화했다. 지평의 현상이 구조의 개념으로 지시되는 기능을 수행한다는 점이 이 연구들에서 확인되는데, 최근의 하나의 방향으로서 지평의 기능을 이제까지와 같이 지평의 초월에 수반되는 기능 또는 행동의 예료적 공간이라는 활동 이상의 것으로서 파악하고자 하는 움직임이 보인다. 구조의 현상학을 제창하는 롬바흐는 이른바 지평의 현상학은 아직 실체론적 존재론의 전통을 다 탈각하고 있지 않다는 점, 특히 '지평을 기투하는 주관성'을 안에 포함하고 있다는 점을 논급하는데,[69] 이는 아마도 지평이 주체의 초월의 장이 되는 역할을 수행하기보다는 오히려 그 자체가 초월의 주역 역할을 수행하며, 주체의 행위는 지평이라는 이 숨겨진 전체의 기능을 떠맡는 것으로서 지평의 기능 속에 포섭된다는 점을 의미하는 것이리라. 그리고 그 경우 이와 같은 전체적 기능은 다차원적인 것이지 않으면 안 될 것이다.

이와 같이 '지평'에서 '구조'로 향하는 전환은 동일한 사태를, 보는 방식의 전환을 통해서 다시 파악하는 것이기에, 사실 이 전환도 또한 반성철학의 자기극복의 방향에서 출현하게 되는 사건이다. 그 경우 '나'는 더 이상 초월의 주체가 아니게 되고, '나'의 의식은 '기능하는 전체'에 내속된 것임 Darinnensein의 의식으로서만 활동한다. 바꿔 말하면 기능하는 전체에 귀속하는 의식은 주체의 실천적 자기이해로서만 활동한다. 그리고 이와 같은 보는 방식의 전환은 이미 후설 최만년의 역사의 목적론이나 하이데거의 '생기사건 Ereignis'의 사상, 나아가서는 메를로-퐁티의 '교착交錯, chisme'의 분석이나 가다머의 지평 '융합'의 이론에서, 그 자체가 '구조'로서 주제화되지 않았다 하더라도, 각각의 방식으로 이미 일어나고 있었던 것이다. 이와 같은 존재론적 의미의 구조 개념은 이른바 구조주의의 방법론적 개념인 구조 개념과 꼭 일치한다고는 말할 수 없을 것이다. 오히려 '지평'의 기능을 '실천'의 입장에서 다시 파악할 때 생각이 미칠 수 있는 하나의 통찰이라고 말해야 한다. 그런 의미에서 구조의 현상학은 해석학과 실천철학 사이에 위치하고 양자를 통합하는 '지知의 이론'이라고 말하지 않으면 안 된다.

현상학의 최근의 몇 기본적 동향을 다루어 왔는데, 각각의 동향은 서로 중첩하고 또 대립하면서 금후 현상학의 전개에 동력이 될 것이다. 현상학의 전개를 일관하고 있는 것, 그것은 현상학이 사상事象 그 자체에 이르고자 하는 사유의 길이고, 사상事象의 자기소여성으로 향하는 부단한 '지知의 운동'이다.

제3장 **현상학 연구의 현황**
——생활세계와 지평의 현상학

제1절 시작하며

목하 전개 중에 있는 현상학의 현황을 이 학문이 씨름하고 있는 문제계통 전반에 걸쳐서 똑같은 거리를 두고 내려다보면서 말하는 것은 도저히 불가능하다. 움직이고 있는 어떤 상황에 대해서는 그 움직임 속에서 말하는 수밖에 없고, 게다가 그 경우 말하고자 하는 것에 대한 연구 관심에서 오는 관점per-spective이 작동하는 것은 어떻게 해도 피할 수가 없는 것이다. 그러나 이러한 관심은 동시대적인 상황 속에서 작동하는 공통의 관심인 한, 그다지 치우친 관점에 떨어지는 일은 있지 않으리라 생각되므로, 하여간 오늘날의 현상학이 당면하고 있는 문제들을 되도록 그 상호 연관을 염두에 두고서 가능한 한 최근의 연구를 논급하면서 추적해보도록 하겠다.

최근의 현상학의 동향에 대해서 말할 때 간과할 수 없는 것은, 이미 1960년대에 시작된 유럽의, 특히 독일어권의 학계를 휩쓸고 있는 학문적 상황 속에서 현상학이 건립되고 있다고 하는 점이다. 이는, 학문적 관심이 주도적 관심이 되어 왔다는 점을 의미할 뿐만 아니라, 이제까지 서로 폐쇄적으로 적대적 관계에 놓여 있었던, 주장을 달리하는 여러 사상적 입장이, 예를 들면 현상학을 위시해서 해석학, 비판이론, 분석철학, 구성주의, 체계이론, 구조주의, 마르크스주의 등의 각 입장이 서로 '열려진 교류' 속에서 대결해 가면서, 비판적 교류를 심화하고 있다는 점을 의미한다. 이와 동시에 현상학 연구의 내부에서도 전후 각국 혹은 각 연구기관 계열의 내부에서 진행되고 있었던 연구가 국제적인 상호교류의 단계로 들어가고, 연구회의가 '열려진 조직'으로서 설립되어, 공통의 주제를 놓고서 토의가 심화되고 있다. 이러한 것들은 현상학의 연구가 활발해지고 연구 공동화의 규모가 확대되었다는 점을 말하는 것일 뿐만 아니라, 금후 현상학의 가능성에 관한 본질적 사건이기도 하다.

우선 처음에, 지난 10년 이래 있었던 현상학 연구의 몇 가지 주된 움직임과 그 방향을 언급해두고자 한다. 첫째로, 각각의 주제영역에 대한 사상적事象的 분석을 심화해 가는 방향을 들 수 있다. 이 방향의 연구는 계속해서 간행되고 있는 후설의 유고를 중요한 자료로 삼아서, 후설이 착수한 분석을 한층 더 깊이 밀고 나아간다는 방법을 취하고 있다. 생활세계의 분석, 과학론, 시간론, 공간론, 타자론 등을 예로 들 수 있겠다. 이 방향에 보이는 연구활동은 뭐라고 해도 후설 문고 계통, 특히 쾰른의 란트그레베 문하에서 성장한 현상학자들이 대표하고 있다. 단 이 현상학 연구들은 결코 후설에 대한 역사적historisch 또는 문헌학적 연구에 머무는 것이 아니라, 목하의 생생한 사상事象에 대한 연구관심에 의해 이끌리고 있다. 둘째로 들 수 있는 것은 현상학 그 자체의 본질로 향한 물음이다. 후기 하이데거 사유의 입장을 포함해서 현상학이란 도대체 무엇인가를 오늘날 점점 묻고자 하고 있다. 이와 같은 물음을 묻는 일은 후설의 작업이 점차 그 전모를 드러내게 됨에 따라서, 그가 진정으로 의도한 바가 무엇이었는가가 점차 명확해지고 있었기 때문에 가능하게 되었다. 이제까지 이 물음을 가장 깊이 묻고자 한 사람은 롬바흐이다. 이 물음은 현상학으로 향한 물음인 동시에 이제까지 숨겨져 있었던, 근대철학의 본질로 향한 물음이기도 하다. 그런 의미에서 이와 같은 관심은 오늘날 강력하게 밀고 나아가고 있는 독일 고전철학의 대규모 연구와도 본질적인 차원에서 상통하는 점이 있다. 셋째로 들 수 있는 것은 전술한 바와 같이 현상학과 현대철학의 조류들과 교차하는 데에서 발생하는 문제들이다. 제일 먼저 들 수 있는 것은 (1) 해석학과의 교류이다. '반성'에서 '해석'으로 가는 길은 끊임없이 다시 물어지고 있는, 오래되지만 새로운 문제이다. 왜냐하면 이 문제는 방법과 사상事象의 회귀관계를 축으로 하고 있기 때문이다. 사상事象의 자기전개 속에서 사상과 일치하는 방법의 새로운 가능성을 탐색한다는 점에서 가다머나 리쾨르의 해석학도 또한 여전히 현상학이라 할 수 있다. (2) 반성철학의 '언어론적 전회'는 오늘날 거의 공인되고 있는 감이 있는데, 이 점에서 현상학은 언어행위가 가지는 수행성 격에 직면한다. 후기 비트겐슈타인의 언어게임이나 일상언어학파의 오스틴과 설의 수행적 언어 이론과, 현상학의 지향성이나 본질직관의 이론 간에 접점을 발견하는 일은 어렵지 않지만, 이로부터 어떻게 양자의 주장을 대결하게 하는가가 문제이다. 이에 대해서 리쾨르의 시도가 있고, 우리나라에서도 다키우라 시즈오滝浦靜雄(1927-2011)의 귀중한 연구가 있다. (3) 언어행위가 가지는 의사소통 기능의 면에서 아펠이나 하버마스 등이 주장하는 언어의 초월론적(또는 보편적) 화용론Pragmatik은 현상학이라고 할 수는 없어도 칸트가 논급하는 초월론적 반성기능이 언어적 차원으로 향하는 전위轉位를 안에 포함하고 있기에, 반성과 프락시스의 관계를 현상학적으로 고찰할 때 중요한 시사점을 던져준다. 그러나 동시에, 담론의 이론이 과연 프락시스가 갖는 의미를 충분히 되살리는가 어떤가도 되묻지 않으면 안 된다. (4) 현상학이나 언어수행론조차 형이상학의 이항대립적 사유로 보는 '담론의 위상학 Topologie'[1]에 대해서 현상학은 어떻게 대결할 수 있는가 하는 문제가 있다. 이미 후기 하이데거에 의해서 현상학은 주관성의 형이상학으로서 각인되었다. 그러나 하이데거의 후기 사유를 포섭하는 현상학의 차원이 열리고 있는 중인 현재, 현상학은 이 문제도 또한 현상학의 보다 깊은 차원의 가능성을 현상학 자신에게 묻는 것으로서 떠맡아야 하는 것이리라. (5) 해석학이나 언어수행론과 마찬가지로 반성이론을 거부하면서 해석학과 대극적인 주장을 하는 것이 루만의 체계이론이다. 이 이론은 현상학에서 논하는 의미와 주관의 관계를 역전시키고 있는데도 불구하고, 현상학이 말하는 지평의 기능을 교묘하게 되살린 과학론이다. 체계이론과 현상학의 관계에 대해서는 이미 란트그레베와 엘레이의 연구가 있는데,[2] 현상학적 과학론이 더 풍부하게 전개되려면, 이 각도에서 하는 대결이 금후 필요하다고 생각된다. 넷째로, 이상과 같은 상황은 반성철학의 총체적 결산이라고 말할 수 있겠지만, 진정으로 프락시스의 문제를 물을 때 이른바 행위론에서는 해결될 수 없는 점이 남게 된다. 하나는 반성의 가능성을 그 끝까지 바싹 추적하지 않는다는 점, 반성에서 프락시스로 향하는 전회가 일어나는 차원을 정확하게 확인할 수 없다는 점이고, 또 하나는 프락시스가 가지는 책임성이나 무제약적인 것과 맺는 관계와 같은 측면은 이른바 언어의 이론에 의거해서는 해결될 수 없다는 점이다. 이러한 점을 고려하면서 프락시스 현상학의 가능성이 오늘날 물어지고 있다고 말해도 좋을 것이다. 물론 이상 개괄적으로 서술한 몇 가지 두드러진 움직임은 개별적으로 나타나는 것이 아니라, 상호 교착하면서 현대의 현상학의 동향을 형성하고 있다. 현상학은 현상학에 대한 비판이나 대결에 부딪쳐 가면서 그것을 새롭게 극복해 가지 않으면 안 된다. 이것이 오늘날 학문론적 상황의 한가운데 놓여 있는 현상학의 과제라고 말할 수 있겠다. 본장에서는 물론 위에 든 문제들을 모두 다룰 수는 없으므로, 몇 가지 주요한 문제를 최근의 연구에 비추어서 논급하는 방식으로 서술하고자 한다.

제2절 생활세계와 지평의 현상학

생활세계Lebenswelt의 개념은 오늘날 널리 현대철학 속에 정착한 것 같다. 그러나 생활세계의 문제가 현상학자들에 의해 거론되어서 이 주제가 갖는 여러 측면이 집중적으로 논의되기 시작한 것은 그렇게 오래되지 않고, 1963년에 멕시코에서 개최된 국제회의[3] 이후이다. 오늘날 생활세계 개념의 일반적 표지가 되고 있는 것은 특정한 주제로 향하는 과학의 인식이나 이론 구성에 앞서, 생활세계의 실천적 관심에 의해 인식 방향이 이미 결정되고 있다는 점, 그리고 과학적 인식이나 기술적 산물이 이미 우리의 생활세계를 깊이 규정하고 있다는 점이다. 방법론적 개념인 생활세계와 역사적 개념인 생활세계의 양의성은 그대로 오늘날의 분석이론과 비판이론 간의 논쟁에도 관련되는 측면이 있는데, 본래 후설이 『위기Krisis』에서 이 개념을 등장시켰을 때 이미 이 개념은 위와 같은 양의성으로 사용되었다. 예를 들면 '이념의 옷'으로 덮여진 생활세계와 이 이념의 옷에서 해방되어 과학적 인식의 의미기저로서 숨어진 생활세계가 그것에 해당하는 것이리라. 나아가 생활세계 개념은 이와 같은 의미기저로서의 생활세계 외에 특정한 목적형상을 지닌 특수세계 Sonderwelt를 지시하는 의미로 사용되거나, 나아가 이것들을 포괄하는 넓은 의미로 사용되기도 한다. 게다가 후설은 생활세계 개념을 두 기능 곧 지반기능과 지표기능이라는 이중의 역할을 갖는 '초월론적-존재론적 양성개념兩性概念, Zwitterbegriff'[4]으로 사용했다. 이와 같은 생활세계 개념의 다의성을 정리해두지 않는다면, 생활세계 현상학 본래의 의도를 해명하거나 나아가 이를 풍부하게 전개해 갈 수 없을 것이다. 생활세계를 주제로 하는 최근의 연구에서 생활세계 본래의 역할이나 자리매김에 관한 것으로서 W. 마르크스,[5] 비멜,[6] 클래스게스[7] 등의 연구를 들 수 있다. 나아가 생활세계에 관한 연구는 생활세계의 **구조**에 관한 분석의 측면을 한층 심화하고자 하는 방향을 향해 가고 있다. 생활세계를 주제화하는 것은 생활세계에 숨겨져서 작동하는 구조나 목표 등을 주제화하는 것이며, 생활세계적 경험이 갖는 개방성이나 과정적 성격을 추려내는 것이다. 이와 같은 연구의 방향에서 특히 '키네스테제'가 갖는 심층기능의 분석이나 '지평의 매개적 기능'에 관한 분석, 상호주관성의 문제에 대한 해명을 통해서 현상학의 새로운 전개의 가능성을 심화하고, 그러면서 당면한 여러 과제에 대처하고 있다. 나아가서는 지평의 매개적 기능이나 상호주관성의 연구를 통해서 현상학에 있어서 또 현상학으로 해서 세계의 '현출'의 문제가 어떻게 결정적 차원을 보여주는가를 점차 묻고자 하고 있다고 말할 수 있을 것이다.

우선 키네스테제의 기능에 관한 연구에 대해서 서술해보겠다. 이제까지 후설의 지각 분석은 지각의 규정작용의 면에서 주목받아 왔다. 논리학 발생의 기저를 이루는 원原, proto-논리학의 역할이 이 규정작용(주제 또는 기체와 규정)에서 발견되고 있었는데, 최근에는 미공개 자료가 잇달아서 간행된 데 힘입어 초월론적 감성론의 작업에 대해서 꽤 적확하게 이해할 수 있게되었고, 그 결과 후설이 지각을 분석할 때도 꽤 일찍부터 관점성perspectivity의 구성 조건이 되는 키네스테제적 기능의 면에 씨름하고 있었다는 점, 그것이 점차로 지평의 분석과 결부하게 되었다는 점 등이 확실해졌다. 예를 들면, 『저작집』 제15권의 보유 제18 논문[8]에서 메를로-퐁티의 지각의 현상학에 보이는 신체의 양의성에 관한 분석의 원점이 되는 사태가 이미 '이중감각을 통한 신체의 구성'으로서 취급되고 있었다는 점 등이 분명해졌다. 키네스테제적 기능의 분석은 구성되는 신체가 아니라 구성하는 신체가 갖는 기본적 역할에 관한 고찰이다. 모든 현출은 신체가 항상 '곁에 있음dabei-sein'으로써 비로소 가능하게 될 뿐만 아니라, 우리의 모든 세계관여는 가령 내가 볼 수 있다, 잡을 수 있다고 하는 신체운동에 의해서 성립한다. 우리는 우리 스스로를 움직일 수 있음으로써 사물의 한가운데에 체재할 수 있다. 따라서 키네스테제적 기능이란 '나는 움직인다', '나는 할 수 있다'라는 능력을 나타내고, 이 능력의 체계에 사물의 현출이 의존하고 있다. 키네스테제적 의식은 신체운동의 수의성隨意性을 의미하는 나의 **자유로운** 능력의 의식이다. 그리고 이 신체의 '곁에 있음'이나 자유로운 운동성은 언제나 사물의 현출에 처하여 비주제적으로 익명적으로 수반되고 있다. 키네스테제의 이와 같은 익명적 기능에 주목해서 그 의의를 구체적으로 다시 물음으로써 후설 현상학이 도달한 궁극적 차원을 명확히 하고, 메를로-퐁티나 하이데거의 현상학적 사유와도 중첩되는 방향에서 현상학의 가능성을 탐색하고 있는 것이 바로 란트그레베의 최근의 일관된 연구들이다.[9] 란트그레베의 연구에 보이는 첫 번째 주요한 의도는, 키네스테제의 분석을 후설이 역시 1930년대의 초에 씨름하고 있었던 '살아있는 현재'의 연구와 서로 포개지게 해서, 키네스테제의 전반성적 수행기능과 '궁극적으로 기능하는 자아'의 익명적 기능을 하나의 것으로서 고찰하고자 하는 데에 있다. 또한 란트그레베에 의하면, '살아있는 현재'는 초월론적 주관성이 자신 안에 상호주관성을 품고 있는 이상, 초월론적 주관성의 근저에서 생기하는 '모나드 총체의 선시간적인 머물러 서 있는 현재'이다. 이와 같은 상호주관성이 스스로를 시간화하는 원초적인 '흐르는 생동성'을 후설은 절대자란 이름으로 부른다. 그런데 이 절대자는, 그리고 마찬가지로 모나드의 단일성(개체성)은 사실성이라고 부를 수밖에 없기에 반성으로 거두어들일 수는 없는 것이다. 왜냐하면 반성은 '나는 생각한다'라는 자아의 기능현재의 한계의 내부에서만 작동하기 때문이다. 반성의 한계가 되는 이 절대적 사실성은 '해석'을 통해서만 그 의의를 말할 수 있는 근원적 개시성Da이다. 키네스테제 기능을 현출의 근원적인 조건으로 보고서 하이데거의 현존재의 분석론에 연계하는 시도는 많은데, 그중에서도 란트그레베의 시도는 '살아있는 현재'나 상호주관성의 분석을 도입하고 있다는 점에서 가장 참신한 것이라고 할 수 있겠다. 그의 연구에 보이는 두 번째 의도는 이 근원적 개시성을 어디까지나 키네스테제 기능에서 발견함으로써 역사를 가능하게 하는 역사의 초월론적 조건을 탐색한다는 데에 있다. 그 경우 후설이 충동지향성이라고 부르는 최하층의 지향성에서 '공동화共同化로 향한 본질적 지향성' 곧 나와 타자의 원초적 합일의 기능을 보고자 한다. 충동지향성을 통해서 '생식과 탄생'이 새로운 세대의 형성을 가능하게 하고, 전통의 원초적 형성의 감성적 기저를 이루게 하는 것이다. 이와 같이 란트그레베는 초월론적 주관성에 '자연 측면'으로서 속해 있는 키네스테제적 기능을 역사를 관통해서 역사 형성의 조건이 되는

'숨겨진 자연'으로 봄으로써 마르크스주의와 행하는 생산적 대화의 차원을 열고자 하고 있다.[10]

생활세계의 연구는 오늘날에는 특히 '지평의 매개적 기능'으로 향해 집중하고 있다고 말할 수도 있다. 본래 관점성이란, 현출물이 반드시 특정한 일면aspect을 통해서만 현출한다고 하는 '현출'의 방식, 소여성의 방식을 의미한다(엄밀하게 말하면, 이 일면 여건에 키네스테제적인 위치 여건이 더해지고 이 두 여건이 서로 제약함으로써 관점적 현출이 성립한다). 현출물은 현출과 구별되지만 현출을 매개로 해서만 주어진다. 현출물과 현출의 차이성과 동일성의 문제는 이미 『논리 연구』 이래 현상학의 문제들의 중심에 위치하고 있다. 현출이론이 『논리 연구』 무렵(자세히는 『이념들 I』 무렵까지)의 통각이론에서 해방되어 발생적 현상학의 장면으로 옮겨갈 때 현출물과 현출의 관계는 기체와 지평, 주제와 규정의 관계로서 분석되어, 현출물의 현출은 지평현상으로서 해명되게 된다. 따라서 후설이 최초에 제창하고 있었던 자기능여적 직관의 우위성 이론은 지평이라는 수반적 소여성이 갖는 활동 때문에 그대로 보전될 수 없게 된다. 그래서 직관의 직접성과 지평의 매개성의 관계를 우선 후설의 이성개념을 검토함으로써 명확하게 해둘 필요가 있게 된다. 그와 같은 작업을 행한 시도로서 아귀레의 연구가 주목되는 것이리라.[11]

지평의 매개적 기능은 경험의 개방성을 나타내는 구체적인 활동인데, 이 활동은 오늘날 '시선의 논리'라고 불리는 바와 같이, 예를 들면 '보이는 것'과 '보이지 않는 것'의 교착(메를로-퐁티), '물음과 답의 변증법'(가다머) 등과 같이, 모든 주체와 객체가 고정되는 일이 없이 동적으로 서로 교체해 가는 변증법적 활동이다. 발덴펠스는 이 '열려진 경험으로서의 변증법'을 다음의 세 활동에서 보고 있다. (1) 개별적 계기契機가 관계하는 전체성이 동적 지평이라는 점, (2) 개별적 위상이 편입되는 전체적 사건이 다의적인 사건이라는 점, (3) 주관과 객관, 주관과 수반주관의 상호관계는 끊임없는 대결에 의해 형성된다는 점이다.[12] 발덴펠스에 의하면, 현출물과 그 현출의 차이로서 생기하는 지평의 기능에는 『논리 연구』의 의미Bedeutung에 보이는 '로서Als'의 기능이 활용되고 있다. 어떤 것이 현출한다란 어떤 것이 일정한 의미로 나타난다는 것이다. 이는 또한 우리가 어떤 것을 어떤 것으로서 사념하는 것이므로, 이 '로서'에서 실재와 의미의 차이성을 읽어낼 수 있다.[13] 이 '로서' 기능이야말로 내와 외, 객관적인 것과 주관적인 것을 매개하는 지평의 기능이다. 그렇기 때문에 발덴펠스는 다음과 같이 말한다. "현상학적 환원이란, 만약 정확히 이해된다면, 이 차이성으로 향하여 의식해서 행하는 귀환에 다름 아닐 것이다."[14]

지평의 매개성이란, 수반적 소여성을 통해서 직관적 소여성을 규정해 가는 것이다. 바꿔 말하면 경험이란 직관적인 것을 끊임없이 초출하여 비직관적인 것을 향해 가는 것이다. 그런데 비직관적인 수반적 소여성은 완전히 공허한 것이 아니라, '규정 가능한 무규정성'으로서의 '의미의 틀'이다. 후설은 이와 같은 무규정적 의미의 틀을 '유형類型, Typus'이라든가 '형型, Stil'이라 부르고, 유형이나 형의 선행적 기투(=기획투사)를 '미리 윤곽을 그리는 것Vorzeichnung(=묘출하는 것)'이라 부르고 있다. 유형이나 형은 물론 주제로서 구성된 본질일반성이 아니라, '일반성의 원原형식'이다. 그러나 이와 같은 일반성을 예료적으로 구성하는 것이 지평의 기투이고, 이 일반성을 직관적 충실로 가져오는 것이 일반성의 특수화로서 '진리의 확증Bewahrheitung'이니 이는 지평을 구조화해 가는 것과 다른 것이 아니다. A. 슈츠는 일찍부터 유형화의 분석에 착안하고, 이 분석에 기초해서 일상세계의 상호 환원할 수 없는 다수의 '닫혀진' 의미영역의 성립에 대해서 고찰했지만, 초월론적 환원을 거부하고 방법적으로 소박성의 입장에 서서 생활세계의 분석을 기도하기 위해 유형화와 지평 간의 관계의 근저에 있는 문제의 차원으로까지 파고들지는 않았다.[15] 무규정적 일반성에는 막연한 경험적 일반성뿐만 아니라 영역적 일반성, 형식적 일반성도 포함된다. 이와 같은 일반성의 기투에 의해서 대상 규정의 방향이 정해지고, 경험의 연속적 연관에 규칙이 주어지는 것이다. 일반성의 예료적 구성은 수동적인 재생의 활동이며, 과거에 침전된 의미가 연합의 기능에 의해서 환기되고 재생적으로 종합되어 의미 상호 간에 여러 대조나 융합을 형성한다. 물론 수동적으로 구성된 일반성은 본질직관Ideation에 의해서 주제적으로 구성되는 본질일반성이 아니다. 이는 예료적 지평을 선先구성한다는 형태로 대상을 특정한 영역에 속하게 하고, 그렇게 함으로써 대상의 규정을 방향짓는 영역적 기능을 수행한다. 어떠한 일반성이 미리 기투되느냐에 따라서 지향성의 활동공간이 영역적으로 각각 결정된다. 이와 같은 영역의 복수성의 사상이 깊이 지향성의 지평기능과 본질적으로 관련된다는 점을 일찍부터 통찰했던 사람은 롬바흐인데,[16] 그가 '구조'의 사상을 착상하기에 이른 하나의 기연이 여기에 있다고 말해도 좋을 것이다. 지평과 영역에 관한 최근의 연구 중 S. 뮐러의 연구가 주목할 만하다. "형型, 의미, 대체로 지知의 유형의 일반적 본질 등에 관한 후설의 정식화는 지평에 관한 그의 해석의 본질적인 배경을 지시한다"[17]고 뮐러는 말한다. 나아가 영역적 일반성과 지평지향성에 관해서 "영역이란 명칭은—— 정태적인 관점 하에서 이제까지 행해진 탐구와는 반대로—— 현출개념과 과정개념으로서 작동한다"[18]고 서술하는데, 이 지적은 합당하다고 말할 수 있다. 이미 후설은 『이념들 I』에서 "사물의 영역적 이념은 현출의 다양성에 규칙을 정하는 것이다"[19]고 말했는데, 발생적 현상학의 지평 분석에서 최초로 영역 사상 본래의 역동적인 형태가 부각되고 있었다고 말할 수 있을 것이다. 후설은 현상학에 의해서 각종의 영역적 존재론의 초월론적 조건을 해명함으로써 세계의 영역적 구조의 존재론에 착수하고자 하고 있었다. 현상학은 존재자의 영역을 제어하는 기본적 개념의 발생적 기원을 묻는 데 비해서, 영역적 존재론은 지평에 있어서 규칙유형으로서 작동하는 일반성을 본질직관Ideation의 작업을 통해서 주제적으로 구조화한다. 분명 후설은 생전에 발생적 분석을 통해 존재론의 체계적 구성을 충분한 형태로 연구했다고 말할 수는 없겠지만, 그럼에도 불구하고 "대상-지평의 복잡한 조직"(롬바흐)[20]에 착안해서 여기서 지知의 새로운 전개의 모태가 되는 것을 탐지해내고 있었다고 말할 수 있을 것이다. 뮐러도 현상학적 이성을 '현출의 이성'으로 보고, 개개의 주관적 현출의 체계들에 규칙을 주는 체계로서 해석하고 있다. 그러나 다른 한편으로는 현출의 지평은 일의적인 세계규정으로서 성립하는 '기술'의 발생 모태이기도 하며, 뮐러는 이와 같은 인공두뇌학적 기술성의 방향에 대해서 다 퍼내기 어려운 무한성, 다양한 관점적 현출의 가능성을 함장하는 개방적 과정으로서의 지평기능의 의의를 각별히 강조한다.

제3절 세계의 현출이론으로서의 현상학

여기서 기술 혹은 기술지技術知라 불리는 일의적 세계규정은 말할 나위도 없이 근대 정밀과학이 행하는 이론적 세계구성이다. 후설은 근대과학을 이념화Idealisierung의 방법이라고 말한다. 현상학적 과학론은 이 이념화가 지평의 관점성과 어떠한 발생적 관계에 놓여 있는가를 우선 고찰하지 않으면 안 된다. 지평은 현출의 다양성을 관통하여 작동하는 영역적 일반성을 수동적으로 구성한다는 의미에서는 세계의 영역적 구조화의 과정이지만, 동시에 지평의 관점perspektive을 넘어 일의적 세계규정에 이르고자 하는 탈관점적인 entperspektiv 경향을 안에 포함하고 있다. 지평을 보다 상세히 규정해 가는 경험의 과정은 궁극적으로는 존재자 그 자체의 자기소유 곧 대상의 완전한 남김 없는 규정을 손에 넣고자 한다. 그렇지만 대상의 충전적 규정은 경험에서는 결코 실현될 수 없는 궁극적 목표로서의 이념에 지나지 않는다. 하지만 궁극적 목표로서의 이념은 인식을 이 극한이념Limes-idee으로 향하여 무한하게 접근해 가는 근사화Approximation의 과정으로서 특징짓고, 경험의 과정에 대하여 규제적regulative 원리로서 기능한다. 후설에 의하면, 근대과학은 경험의 관점적 과정에 내속하는 극한이념을 그 자체로 존재하는 참으로 보고 이를 주제적으로 구축하는 방법이다. 따라서 이 이념화의 방법은 애초부터 경험과 별개로 행해지는 이론형성이 아니라 본래 경험영역의 측정이라고 하는 '실천적 요구'에 기초하며, '미래로 향하는 귀납적 예측'을 '무한하게 확대해 가는' 방향에서 성립하게 된다. 여기서 경험의 지평으로부터 과학의 방법이 성립하게 되는 모습을 가능한 한 단순화하여 표현한다면 다음과 같다. 우선 첫째로, 사물에 대한 규정작용을 이끄는 관심의 방향은 '자연 사물'이라는 영역적 일반성의 지평적 기투에 의해 정해지게 된다. 그런 의미에서 감성적 세계는 이미 특정한 관심에 의해 한정되어 있다(즉, 자연과학적 인식목표에 의해서 규제되어 있다). 둘째로, 이 '자연 사물'이라는 존재론적 지평 속에서, 정밀하게 규정된 사물이라는 '자체존재'의 목표이념이 경험의 진행과정에 대해서 규제적으로 작동한다. 셋째로, 경험의 진행과정은 결코 이 목표이념에 도달할 수는 없지만, 동시에 이 이념을 그 자체로 존재하는 대상으로서 다시 파악하는 과학적 사유의 성립을 촉구한다. 과학의 방법으로서의 이념화란, 탈관점화의 경향이 자립화해서 지평으로부터 분리되는 것을 의미한다. 여기서는 이념화의 방법에 대해서 깊이 파고들지 않겠지만, 관점화와 탈관점화(또는 재관점화)의 역동적 긴장관계에서 과학적 방법의 성립의 발생적 구조를 보고자 하는 활동은 오늘날 아직 충분한 전개를 보이고 있지 않지만, 랑이나 클래스게스의 연구에 이미 그 방향이 보인다.[21]

지평의 관점성은 이제까지 말해온 바와 같이 지평의 과정적 성격으로만 귀속되지 않는다. 퍼스펙티브적(=관점적) 현출의 조건이 되는 것은 키네스테제적 주관성의 시점구속성이다. 후설이 "주어지고 있는 세계는 그때마다의 '현출방식'에 있어서만 세계이다"[22]고 말할 때, 이는 세계가 각각의 주관에게 각자적 현출로서만 주어진다는 것을 의미한다. 나에게는 나에게 나타나는 세계만이, 타자에게는 타자에게 나타나는 세계만이 세계의 유일하게 나타나는 방식이다. 후설은 하나의 세계가 각자적으로 주어지는 방식을 유일성Einzigkeit이라 부르고 있다. 세계는 "어떤 존재자나 객체와 같이 존재하는 것이 아니라, 거기에서는 복수가 무의미한 유일성으로 존재한다"[23]고 후설은 말한다. 세계가 각자적으로 현출하는 한에서 세계의 현출형태는 우선 무엇보다도 주위(환경)세계이다. 이와 같은 근원적으로 그때마다 다른 모습으로 나타나는 세계의 차이적 현출에 제약되면서 세계의 객관적 보편적 구성으로 나아가는 '보편적 운동'이 생기하고 있다. 이 객관적 세계구성은 상호주관적 구성을 통해서만 행해지며, 보편적 객관적 세계는 궁극적으로는 "상호주관적 생의 현재성顯在性 내에서 구성되는 이념"[24]이다. 세계는 모든 표상들의 종합적 통일로서 상호주관적 구성의 궁극목표이며, 이 궁극적인 세계표상으로 향하는 목적론적 운동은 결코 완결되는 일 없이 무한히 계속되는 '보편적 운동'이다. 이는, 이 '보편적 운동' 속에서 구성되는 객관적 세계는 어떠한 세계이든 하나의 세계의 특수한 '현출방식'에 머문다고 하는 것이니, 역으로 말하면, 직관적인 주위세계적 현출의 교체에서든, 역사적인 문화세계의 교체에서든, 여러 목적형상을 지닌 특수세계, 가령 가치세계, 재財의 세계, 학문적 세계에서든 하나의 동일한 세계가 언제나 타당하다고 하는 것이다. 세계가 결코 전체로서 스스로를 주지 않는다고 하는 것과, 세계는 항상 무언가의 현출형태로서만 스스로를 준다고 하는 것으로 읽어내는 후설의 '세계의 현출론적 구조'에 대하여 이제까지 특히 예리한 주의를 기울이고 있는 것은 W. 마르크스와 브란트이다. 마르크스는 후설의 생활세계 개념의 다의성을 정리하면서, 생활세계론의 근저에 우주Weltall, 코스모스 개념으로 향하는 '우주론적 사유'가 작동하고 있다는 점을 지적한다.[25] 브란트는 후설의 한 초고[26]를 인용하면서 다음과 같이 말하고 있다. "세계는 존재하는 세계로서 나에게 끊임없이 미리 주어져 있다. 나는 세계를 무한하게 과학적으로 규정할 수 있다. 이 점에서 바로 과학의 세계란 존재하는 세계의 배후에 가로놓여 있는 세계가 아니라는 점이 제시되고 있다. 오히려 과학의 세계 그 자체는 단지 세계의 하나의 현출형식에 지나지 않는다. 그것은 세계의 퍼스펙티브, 혹은 세계로의 퍼스펙티브에 지나지 않는다. 즉 그것은 하나의 특수한 퍼스펙티브, 하나의 특수세계이다."[27] 세계가 결코 자체적으로 주어지지 않는다는 것은 세계가 항상 세계의 상Weltbild으로서만 주어진다는 것이다. 현상학을 '세계의 현출론'으로서 이해하고자 하는 움직임은 하이데거의 사유에 의해서 열려진 사상事象과도 상통하는데, 하이데거의 사상에 현저하게 접근한 파토츠카나 핑크의 현상학은 이 방향에서 전개된 것이며, 특히 롬바흐의 구조현상학은 지금 말하는 '현출의 존재론'으로서의 현상학이 가장 철저하게 표현된 형태라고 말할 수 있겠다.[28]

생활세계의 현상학적 연구에 포함되는 기본적 문제들에 대해서 말해 왔는데, 생활세계의 문제론으로서 다시 이하의 문제들이 이와 관련해서 논급되어야 할 것이다. 첫째로, 객관적 세계의 구성의 문제는 필연적으로 그 구성의 초월론적 조건으로서 상호주관성 구성의 이론을 필요로 하게 된다는 점이다. 후설이 초월론적 상호주관성 구성의 이론을 전개한 진정한 의도는 세계구성의 초월론적 조건을 해명하는 데 있었다. 『데카르트적 성찰』 제5장에서 시도된 타자나 공동체 구성의 이론은 자연적 태도에서 작동하는 타자관계의 초월론적 해명이라고 하는 다른 모티프와 뒤얽혀 있었기 때문에, 후설이 상호주관성의 현상학을 전개한 본래의 의도는 오랫동안 오해된 채로 있었다. 오늘날 『상호주관성의 현상학』 3권이 저작집에 추가됨으로써 점점 이 책들이 자료적으로도 확인될 수 있게 되었는데, 이미 토이니센은 1965년에 발표한 대저 『타자』에서 후설이 상호주관성의 현상학을 전개한 진정한 의도가 '자연적 태도의 초월론적 기초부여'에 있으며, 세계에 앞서는 복수적 주관성의 초월론적 구성에 놓여 있었다는 점을 간파하고 있었다.[29] 상호주관성의 현상학은 근본적으로 '현출의 이론'의 초월론적 체계론이다. 물론 이와 같은 초월론적 주관성의 공동체 구성이라고 하는 초월론적 전제 하에서 세계에서의 인격공동체에 대한 구성적 분석이 착수된다. 다만 후설은 공동체 구성의 기저가 되는 타자구성의 방법을 자기이입Einfühlung이라는 대상화 의식에서 구했기 때문에 이른바 타자구성의 아포리아에 떨어지게 되었는데, 이 아포리아는 반성이론의 경우와 마찬가지로 후설 현상학의 방법적 한계를 보여주는 것이다. 둘째로, 궁극적 세계표상으로 향하는 '보편적 운동'은 하나의 세계가 존재한다는 것에 대한 암묵적 확신을 담고 있다. 세계가 있다는 비주제적, 비정립적 확신을 후설은 수동적 원原믿음passive

Urdoxa이라 부르는데, 이 세계확신은 동시에 나 자신의 존재에 대한 암묵적 확신이지 않으면 안 된다. '절대적 여기'라고 하는 나의 신체의 현출영점에 대한 확신, 사물이 현출할 때 내가 '곁에 있다dabei-sein'고 하는 확신은 결코 주제적으로 '여기'에 있는 나를 의식하고 있는 방식이 아니다. 그러나 이 확신이 작동함으로써 비로소 현출하는 주위세계는 나에게 현출하는 주위세계로서 의식된다. 후설은 이 '곁에 있음'을 신체의 유일성이라 부른다.(30) 세계의 유일성은 신체의 유일성과 하나가 되어 수동적 차원에서 각자적으로 확신되고 있다. 후설이 유일성이라는 개념을 사용하는 것은 또한 자아의 수행태에 있는 의식에 대해서이다. 예를 들면 에포케를 행하는 원原자아는 "유일성과 인칭상의 불변성을 상실할 수 없는 것"(31)이며, 이 유일성이란 다른 것으로 대체될 수 없는, 그것을 살아갈 수밖에 없는 자아의 수행양태를 의미한다. 세계에 대한 수동적 원原신념, 신체의 비주제적 기능, 자아의 수행태는 모두 전반성적으로, 즉 수행의 한가운데서만 익명적으로 세계나 자아 또한 타자(유일적 자아가 가지는 익명적인 타자관계에 대해서는 후술함)를 '언제나 앞서서' 의식하는 활동이다. 이와 같이 '하나의 세계의 각자적 현출'이라는 현출론의 핵심이 되는 사태 속에서 이른바 '의식의 현상학'의 방법인 반성(또한 자기이입)의 한계를 타파하는 장면이 열리게 된다. 반성철학의 한계에서 프락시스의 차원이 나타나게 된다. 오늘날 철학의 가장 중요한 사건 중의 하나인 반성에서 프락시스로 향하는 전회가 현상학 그 자체 안에서 일어나고 있는 것이다.

제4절 반성과 프락시스

현상학의 방법 중에서 특히 중요한 역할을 수행하는 것은 반성의 방법이며, 특히 후설의 초월론적 현상학의 철학적 입장을 확보하는 에포케의 방법이나, 지향적 분석을 추진하는 본질기술의 방법은 모두 반성의 방법에 기초하고 있다. 이성의 본질이 자기 자신을 현재화顯在化하는 데에 있는 이상, 반성은 이성의 본질에 뿌리를 내린 이성 자신의 자기해방의 방법이다. 에포케의 방법이 나타내는 것은 익명태에 있는 이성이 자기 자신을 거기로부터 해방시키는 능력이고, 이성이 자신을 자기소여성으로 가져오고자 하는 활동이다. 지향적 분석의 방법이 나타내는 것은 이성이 잠재태로 화한 스스로의 역사를 현재화顯在化하는 능력이고, 흘러간 자신의 모습을 반복화해서 동일한 대상으로 고정하고자 하는 활동이라고 말할 수 있겠다. 이와 같은 반성능력이 없었다면, 일상적인 생의 권세와 하비투스를 타파하거나 혹은 유동하고 변전해 가는 생에 대해서 말하거나 하는 일은 가능하지 않으리라. 만약 가령 인간이성에 속하는 본질적 기능인 반성의 역할을 애초부터 부정하여 이와 관련된 논의를 한다면, 그것은 시대의 경향을 표면적으로 영합하는 일 이외의 어떤 것도 아니리라. 그러나 그럼에도 불구하고 오늘날 반성을 둘러싼 논의는 반성의 본래적 기능을 정당하게 평가하기 위해서라도 반성을 절대화한 고전철학의 반성이론과 대결하지 않을 수 없으며, 그런 의미에서 반성철학을 방법론적으로 철저화한 후설 현상학의 반성이론도 또한 반성의 한계를 둘러싼 논의 하에 놓이게 된다. 주지하다시피 후설은 『이념들』 시기에 초월론적 현상학의 입장을 데카르트적 명증 '나는 존재한다'에 입각한 무전제적 학의 입장으로 보고서 초월론적 주관성의 전 영역이 현상학적 환원에 의해 반성적 명증 속에 일거에 포섭된다는 주장을 전면에 내세우고 있었다. 그렇지만 발생적 현상학의 입장이 확립되었을 때, 확실히 반성의 방법적 명증은 필증적apodiktisch 명증으로서 단연코 의심할 수 없는 것이라 해도, 반성의 대상으로서 주제화되는 초월론적 주관성의 영역은 결코 충전적 명증을 가지는 것이 아니라는 점이 드러나게 되고, 동시에 세계도 또한 결코 대상적 형성체로서 의식에 의존하는 것이 아니라 언제나 이미 주어져 있는 지반이라는 점이 밝혀지게 된다. 이는, 반성이 세계의식으로부터 독립해서 세계를 자기 자신에 내재하게 하는 절대적 반성이 될 수 없다는 점, 또한 동시에 반성은 생성하고 유동하는 구성적 생生 그 자체를 그 원초적 생동성의 상相에 있어서 자기 자신 속에 포섭하지 않는다는 점을 의미한다. 발생적 현상학의 반성의 방법은 이미 흘러간 의식의 역사를 다시 더듬어가며 재구성해 가는 방법이지 결코 대상과 충전적으로 합치하는 반성이 아니다. 그러므로 반성의 반복에 의지하는 동일화의 능력이 중시된다고 해도 좋을 것이다.

이와 같은 반성의 한계에 관한 문제는 후설이 1930년대에 써서 남긴 이른바 C초고군 '살아있는 현재'에 등장한다. 이 주제에 관해서 이미 브란트나 헬트의 연구[32]가 있는데, 현재 초고의 일부가 『저작집』 제15권에 수록되어 있다.[33] 반성론의 견지에서 '살아있는 현재'에 대한 분석의 요점을 간략하게 말하면 다음과 같다. (1) 현상학적 반성의 최종적 차원은 반성이 갖는 필증적 명증으로 향하는 '철저한 반성'이며, '철저한 반성'은 반성이 성립하는 근거를 간단없는 흐름으로 향하여 묻고자 한다. (2) '철저한 반성'에 의해서 부상하게 되는 것은 반성을 가능하게 하는 근거가 '살아있는 현재'로서 생기하는 '자아의 궁극적으로 기능하는 현재'라는 점, 이 자아의 기능현재는 '서 있으면서 흐르는 현재'라고 하는 양의적 사태라는 점, 따라서 반성의 단계에서 자아분열을 통해서 자아의 동일성을 확인하는 것은 언제나 '지나고 나서 알아차림Nachgewahren'에 지나지 않는다는 것이며, 반성에 앞서서 언제나 원초적 자아분열과 자아동일화가 생기한다는 점 등이다. 그러므로 이로부터 다음과 같은 점이 도출된다. (3) 이와 같은 전반성적 근거는 확실히 (고차의) 반성에 의해서 구조적으로 분절화될 수 있다고 해도, 그 '기능현재'는 반성의 시선으로부터 끊임없이 물러나고, 반성은 '살아있는 현재'의 생동성을 반성대상으로서 자신 안에 포섭할 수 없다. 기능현재나 원초적 자아분열이 반성으로서 생기하고 있기 때문이다. 이상과 같이 여기서는 반성의 한계가 반성의 생기 그 자체에 즉해서 부상하게 되는데, 이 사태는 한편으로 반성의 좌절을 호소하는 동시에 다른 한편으로 반성이 극복되는 방향을 시사하고 있다. 왜냐하면 익명적인 전반성적 근거를 반성적으로 의식하는 일은 단념해야 하는데, 바로 자아의 수행에 있어서, 바꿔 말하면 프락시스의 입장에서 이미 언제나 비주제적으로 이를 알아차리고 있기 때문이다. 이와 같은 전반성적인 비주제적 자기이해를 키네스테제적 의식의 '나는 할 수 있다'에서 발견할 수 있다. '나는 할 수 있다'는 것은 키네스테제적 수행에서만 확인되는 나의 능력성이며, 이 능력성이 지평의 구조화를 가능하게 하는 조건이 된다. 후설이 행위의 '동기부여Motivation'라고 부르는 것도 역시 수행할 때의 자기의 행위근거의 비주제적 이해라고 말할 수 있겠다. '~하기 때문에, 그래서Weil-So'의 의식은 행위가 자기의 맥락Kontext으로부터 자기를 이해하는 방식이다.

반성론에 나타나는 반성의 좌절에 대응하는 것은 타자구성이론에 나타나는 자기이입 방법의 좌절이다. 구성하는 주관인 타자를 구성한다고 하는 역설은 나와 마찬가지로 기능하는 타자를 구성에 앞서서 언제나 이미 나와 더불어 익명적으로 기능하는 것으로서 의식하는 차원이 열림으로써 비로소 해결되는 것이리라. 타자로 가는 근원적 통로는 타자를 정립적으로 주제화하는 경험에 앞서서, 타자와의 공동수행, 타자로의 연결을 나의 행위수행에서 이해함으로써 언제나 이미 열리고 있다. 후설은 상호주관성의 초월론적 구성을 궁극적으로는 유일적 자아가 복수적 자아를 시간화에 의거해서 구성한다고 말했는데,[34] 이는 어디까지나 반성차원에서 상호주관성의 구성 근거를 구하고자 했기 때문이다. 이에 반해서 최만년의 연구초고로서 남긴 '역사의 목적론'의 사상은 철학자가 철학의 과제를 생의 전 관련에 관여하는 보편적인 의지결단을 통해서 실현하고자 하는 초월론적 환원이 '역사성으로부터의 소환'에 의해서 깊이 동기부여되고 있다는 점을 말하고 있다. 현상학적 환원은 '내면으로부터 상기되고 있는 존재'에 대한 자기이해로서 성립한다. 이는 역사적 인류에 내재하고, 끊임없이 동일한 과제로 계속 존재하는 과제를 철학자가 책임을 갖고서 떠맡는다는 것을 의미한다. 에포케를 행하는 유일적 자아가 그 에포케를 행하는 의지결단을 통해서 '인류'의 이름으로 말해지는 상호주관적 이성 모나드 전체에 대해서 책임적 관여를 수행하는 것이다.[35] 등근원적 상호주관성으로 가는 길은 반성의 입장에서는 막혀 있었지만, 프락시스 입장에 설 때 비로소 열리게 된다. 후설은 여기서는 책임성을 이성의 자기책임성이라는 가장 철저한 책임자질성Verantwortungsfähigkeit으로 보고 있다. 모든 행위는 '할 수 있다Können'는 행위능력이나 행위근거의 의식을 수반할 뿐만 아니라, '해야 한다Sollen'라는 당위의 의식으로서 작동하는 것이다. 이 점에서 발덴펠스가 하나의 행위는 실용적 측면과 윤리적 측면의 양면을 지니고, 양 측면이 교호로 관철한다고 논한 점은 급소를 찌른 것이라고 할 수 있겠다.

행위는 실천적 지향성으로서 무언가를 노려서 그것을 실현하고자 하는 목적론적 활동이다. 그때 우리가 무엇을 할 수 있는가 하는 면이 실용적 측면이고, 그것을 할 수 있는 한에서 무엇을 해야 하는가, 또는 해서는 안 되는가 하는 행위의 결단의 면이 윤리적 측면이다. 행위의 실용적 측면은 행위의 활동공간이 형성되는 방식으로 나타난다. 이 활동공간 곧 신체적으로 규정된 '나는 할 수 있다' '우리가 할 수 있다'는 능력의 체계가 기능하는 장소는 '열려진 세계'이고, 타자와의 상호활동이 행해지는 사회적 장소이다. 활동공간은 개방적이지만, 그러나 항상 일정한 한계를 가지며, 게다가 이 한계가 항상 변화해 가면서 활동공간은 정도의 면에서 점점 확대화되고, 반복이나 습성화에 의해 '획득된 능력'은 이윽고 도구의 세계로까지 미치게 된다. 활동공간을 형성해 가는 것은 앞에서 서술한 바와 같이 지평의 매개적 기능에 의해 지평을 구조화해 가는 것이다. 개방적 지평을 구조화해 가는 이 과정은 그대로 프락시스의 실용적 측면을 가리킨다. 발덴펠스는 "프락시스란 현실의 구조화, 형태화, 조직화, 분절을 의미해야 한다"[36]고 말한다. 그렇지만 행위는 이러한 능력의 면뿐만 아니라, 결코 정도가 확대화되는 형태를 띠지 않는 당위의 면을 지닌다. 발덴펠스는 이 양면의 관계에 대해서 칸트의 경우와 헤겔과 마르크스의 경우를 들고 있다. 칸트에서 볼 수 있듯이 이념적 당위와 현실의 능력 간의 분리는 프락시스의 통일을 상실하는 것이 되며, 헤겔과 마르크스에서 볼 수 있듯이 이 둘을 총체적으로 매개하여 윤리적 당위와 실용적 능력의 구별을 지양하는 것은 양자를 혼합하고 프락시스가 갖는 개방성을 파손하는 것이 된다. 양자의 중간영역은 예료적인 또는 침전한 이성에 의해서 각인돼 있는 문화의 중간영역이며, 이 영역이야말로 인류성에 알맞을 뿐만 아니라 인류성을 체현하고 있다. 단순한 자연이 아닌 우리의 세계는 문화적으로 또 역사적으로 침투해서 형성되고 또 형성되어야 할 현실이다. 이와 같은 상황에 처해 있는 프락시스야말로 사실적인 것과 규범적인 것의 구별로부터 물러나는 중간영역이다.(37) 아래에서 서술할 오늘날의 언어수행론에는 이런 의미에서 화용적 행위론 혹은 프락시스의 화용론Pragmatik의 면이 강하게 부각되고 있다고 생각된다.

제5절 언어행위와 의사소통

오늘날의 언어수행론도 또한 반성적 또는 인식론적 성격을 벗어나서, 이미 상호주관적 성격을 지니는 행위로서의 언어수행performation에 대해서 말하고 있다. 특히 일상언어학파의 오스틴이나 설의 논의를 들 수 있다. 오스틴(1911-1960)이 말하는 발화수반행위illocutionary act는 발화행위가 그 자체로 하나의 행위수행이라는 점을 나타내고 있다. 예를 들면 "내가 내일 온다는 것을 약속한다"는 언어표현은 내일 온다는 약속을 언표하고 있을 뿐만 아니라 바로 그 약속을 행하는 것이다. 이 행위는 진위의 규준에 의거하는 것이 아니라 그 행위가 적절한가 부적절한가 하는 규준에 의거해서 측정되는데, 이것은 행위의 맥락context이 물어지고 있는 것이리라. 말하자면 '언어의 현상학'이라고도 할 수 있는 이러한 주장은 언어 또는 의미의 사용의 면을 중시하고 있다. 리쾨르는 언어수행론에 대해서 팬더의 '의지의 현상학'을 대비시키고, 의미의 사용에 호소하는 분석철학과 의미의 직관에 호소하는 현상학 간의 거리에도 불구하고 양자 모두 그때마다 명화(Klärung=그 자신에 있어서 다른 것과 구별되는 것을 보여주는 활동)를 수행한다는 점에서 공통성을 지니며, 이행과 연관의 기술인 변증법의 구축과 분리된다는 점을 논하고 있다.(38) 언어의 화용론적 체계화를 기도한 것으로서 하버마스의 보편적 화용론Pragmatik과 아펠의 초월론적 해석학을 들 수 있다. 하버마스의 보편적 화용론은 자기이해를 동시에 가능하게 하는 상호주관적 이해의 능력으로서 '의사소통 능력'을 채택하여, 의사소통에 언어과학의 가능성의 조건이 되는 메타의사소통의 능력이 수반된다는 점을 말하고 있다. 담론Diskurs에 이와 같은 본래 반성이 수행하고 있었던 초월론적 기능이 귀속되는 것은 반성이론이 빠지는 무한퇴행을 피할 수 있기 때문이고, 수행되는 언어에서 자기를 내보이는 진정한 구조에 대한 이해가 담론에 포함되어 있기 때문이다.(39)

반성의 입장에서 프락시스의 입장으로 향하는 전회에서 언어분석이나 언어화용론이 수행하는 역할이 크지만, 그러나 프락시스의 문제를 물을 때 과연 언어의 차원에서 모든 것이 해소될 수 있는가 하는 의문이 남게 된다. 첫째로 전술한 바와 같이 윤리적 차원에 대한 물음이 있고, 둘째로 선先-혹은 외外-언어적인 프락시스의 차원에 대한 물음이 있기 때문이다. 설령 언어화되어야 한다고 해도 언어로 환원될 수 없는 프락시스 또는 의사소통의 차원이 남게 되기 때문이다. 오늘날 후설의 유고 '전달Mitteilung의 현상학'(40)이 공개되었는데, 이에 의하면 후설은 자기이입과는 다른 지향성으로서, 타자와의 언어적 의사소통을 수행하는 전달의 작용에 대해서 말하고 있다. 이 전달적 지향성 속에서 타자는 나에 대한 주체로서가 아니라 나와의 공동수행자로서 곧 나의 '너'로서 나타나게 된다. 나와 타자가 대화 속에서 '하나의 우리'로 화하는 것이다. 그러나 후설은 다른 한편으로는 충동지향성과 같은 선先언어적 차원에서 타자와의 '가장 친밀한 상호 합일화'가 행해지고 있다는 점을 분명히 하고, 충동지향성이 '공동화共同化로 향하는 본질적 원原지향성'이라고 말한다. 전술한 바와 같이 란트그레베의 역사의 초월론적 이론은 이 차원에 입각해서 구상된 것이다.(41)

의사소통을 다차원적으로 보아 다층위적인 구조를 논하는 사람은 롬바흐이다. 현상학이 의사소통의 문제와 씨름할 때는 다음과 같은 작업 곧 "현상의 층들을 부각시켜서 보다 기초적인 그러면서 가장 기초적인 현상구조를 보일 수 있게 하고, 정초관계를 명백히 하고, 다층위성을 둘러싼 지식에 입각하여 개개의 분석을 정밀하게 행하고, 현상 속에 숨겨져 있는 오류해석으로 나쁘게 유도하는 일을 해명하는 것[42]이 동시에 제시되어야만 한다. 롬바흐는 현상을 다차원적 구조로 보고서, 이른바 기호론적 의사소통이나 상징 기능 등의 차원에서 구조 의사소통에 이르는 차원들을 열거하는데,[43] 이 모든 차원들에서 '차원 유형의 주관'이 형성되는 것이 현상학적으로 중요하다는 점을 지적하고 있다. 의사소통이 어떠한 차원에 있는가, 우리가 어떠한 의사소통의 입장에 서는가에 따라서, 그 차원의 유형에 부응하는 주관과 그 구조가 물어진다. 그런 한에서 "많은 장면에 대응할 수 있고 또 대응해야 하는 자아는 스스로의 자아의 형태화를 공시적이면서 통시적으로 형성하고 그러면서 그것을 살아갈 수 있는 다면적 주체이다."[44] 우선 우리는 어떤 상황에 자기의 주관성의 구조를 각인하는 일이 필요하게 되는데, 그 성패는 우리의 주관성에 적절한 의사소통 구조를 우리가 실현할 수 있는가 어떤가에 달려 있다. 따라서 "내적 의사소통은 외적 의사소통의 가능성의 조건이 되고", "자기와의 대화가 타자와의 대화를 기초짓는 것"[45]이다. 하지만 이 경우 현상학적으로 제시되는 것은 어떠한 '나라는 단위'에도 '우리라는 단위'가 대응하고 있다는 점이다. "분명히 나는 나라는 형식으로 답하지만, 그러나 이 나라는 형식은 존재론적 복수 중 언어상의 단수에 지나지 않는 것"[46]이다. 롬바흐는 "우리라는 동일성Wir-Identität이 의사소통의 단위들이며, 이 속에서 타자와의 대화와, 자기와의 대화가 합치한다"[47]고 서술하며, 모든 의사소통의 근저에는 우리라는 동일성이 잠복해 있다고 논급한다. 롬바흐가 말하고자 하는 것은 모든 의사소통의 근저에 있는 전체성에로의 귀속성이다. 개개의 구성계기가 전체에 관여하고 전체 내에서 위치를 점한다는 구조가 있기에 비로소 의사소통이 성립한다. 롬바흐는 '내속하고 있음Darinnensein'이 '곁에 있음Dabeisein'의 조건이며, '내속하고 있음'은 존재론적으로 "의사소통 과정의 통일적인, 그것을 담당하는 주관성인 우리라고 하는 형태의 구조적 동일성을 의미한다"[48]고 서술하고 있다.

이와 같은 통찰은 곧바로, 후설이 **각자적 의식**이라든가 신체의 '곁에 있음'이라 부르는 것이 이 존재론적 구조와 분리될 수 없다고 하는 것에 생각을 이르게 한다. 또한 자기 행위의 책임성이라 하는 것도 이와 같은 전체에로의 귀속성 의식이라는 면에서 고찰되어야 하는 것이리라. 롬바흐는 나아가 간**(상호) 세계적 의사소통의 현상학이라는 구상을 내놓음으로써 종교나 예술, 철학과 같은 현존재의 근저적인 자기명화의 형식들까지 포함하는 다차원적인 의사소통 과정의 자기구조화에 대해서 말하며, 후술하는 바와 같은 포괄적 현상학의 하나의 측면을 들여다보고 있다.

제6절 현상학과 해석학

일찍이 현상학에서 해석학으로 향하는 전개는 상당히 도식적으로 이해되고 있었다. 의식의 입장에서 그 존재를 묻는 입장으로 바뀌는 전회가 그대로 기술적 방법에서 해석의 방법으로 가는 이행이라고 받아들여지고 있었다. 그런데 현상학 연구의 전개는 두 면에서, 즉 후설 현상학의 이해를 심화하는 일과 오늘날 현상학의 문제영역을 확대하는 일이라는 두 면에서 해석학과 현상학 사이가 상당히 착종된 관계에 있다는 점을 드러내기 시작했다. 이미 서술한 바와 같이 후설의 발생적 현상학의 성립은 지평의 매개적 기능에 대한 분석에 결정적인 장면을 열어놓았고, 오늘날 현상학의 연구관심을 그 방향으로 몰아가는 기회를 마련해놓았다. 여기서 발생적 현상학의 **방법**에 주목해보면, 지평의 매개적 기능에 대응하여 반성의 방법 자체가 매개적 성격을 띠고 있다는 점을 곧바로 알아차리게 될 것이다. 발생적 반성은 에포케에 의해 '미리 주어진 것'에서 출발한다. '미리 주어진 것'은 착종된 의미형성체로서 의미의 역사를 담고 있다는 뜻에서 초월론적 길잡이의 역할을 수행한다. 발생적 반성은 '의미발생의 소급적 노정'의 방법으로서, 이 길잡이가 지시하는 '숨겨진 역사'를 역으로 다시 더듬어가고자 한다.

말하자면 에포케의 방법이 '익명태로부터 이성을 해방시키는 것'이라고 한다면, 발생적 방법은 '잠재태로부터 이성을 해방시키는 것'이다. 이는 함축태Implizietes를 현재화顯在化, explizieren해 가는 방법으로서 매개적 우회로를 더듬어가는 의식의 자기귀환이다. 이런 의미에서 반성의 작업은 의식생의 흐름에 대항해서 침전된 역사를 재구성해 가는 무한한 작업이 된다. 지평의 매개적 기능의 발견이 의식의 구성능작構成能作을 작용지향성에만 귀속시키는 의식이론의 권역에서 벗어나고 있는 것과 마찬가지로, 지평의 역사적 반성이라는 소급적 방법의 발견은 반성기능을 정립적 반성에만 귀속시키는 방법이론의 틀을 타파하고 있다. '미리 주어진 것'에서 출발하는 역사성 개시開示의 방법은 이미 해석학적 성격을 띠고 있다. 그럼에도 불구하고 후설은 지평기능에 적절한 방법을 '소급적 노정의 방법'으로 부르고 있을 뿐이지 이를 충분하게 주제적으로 논구하지는 않았다. 세계지평과 세계의식 간의 상관성에 비할 만한, 의식의 역사와 그 개시능력 간의 상관성을 충분하게 전개하지 않았던 것이다. 흘러간 것을 의식반성의 주제로 삼는 활동은 반성의 동일화하는 반복능력인데, 이 반복능력을 선도하는 수동적 기억에 대해서는 지나가듯 말하고 있을 따름이었다. 단『위기』에 서술된 철학사의 방법에서는, 현재의 상황의 개시開示로서 역사를 되살아나게 한다는 의미에서 해석학적 성격을 매우 농후하게 읽어낼 수 있다. 결국 후설의 현상학은 이미 해석학적 상황 속을 움직이고 있었는데도 불구하고 이를 주제로 삼지 않았던 것이다. 이제까지 후설의 해석자들이 한결같이 어떤 당혹감을 드러낸 것도 이런 의미의 현상학의 방법론적 한계가 지니는 미묘한 사정에 있었다.

어느 정도 이에 대응하는 것이 해석학의 역사에서도 발견된다. 왜냐하면 본래 이해나 해석의 작용에는 역시 숨겨진 방식으로 지평기능이 활동하고 있기 때문이다. 슐라이어마허나 딜타이는, 전체를 선취하고 이해작용의 과정을 형성하는 이 활동을 이해의 순환Zirkel 현상 속에서 알아차리고 있었다. 딜타이는 역사이해가 지니는 창조적 재생에 대해서는 말하지만, 이 순환을 관철하고 있는 지평기능의 적극적 의미를 묻고자 하지 않았다. 말할 나위도 없이 이 순환이 지니는 존재론적 구조를 주제적으로 심문한 것은 하이데거이다. 그는 이해를 그 존재방식으로 삼는 현존재의 '내던져진 기투'의 구조를 해명하여, 순환이 현존재의 존재론적 선-구조에 기초한다는 점을 논구했다. 게다가 하이데거에 의하면, '내던져진 기투'의 구체적 형태로서의 역사이해는 일찍이 있었던 가능성을 새롭게 결의적으로 떠맡음으로써 미래로 자기를 기투하는 활동이다. 여기에 이르러서, 지평의 선기투는 역사이해의 경우 그 역사이해가 자신의 역사성을 모두 이해하는 방식으로 이루어지는 것으로, 이해하는 자가 이해하는 역사에 귀속되는 방식으로 구체화된다. 이해주체가 그 안에서 구조화해 가는 지평은 살아진 역사적 지평이며, 이런 의미에서 지평의 구조화는 역사이해로도 간주된다. 말할 나위도 없이, 이 귀속성Zugehörigkeit을 해석학의 방법으로서 되살려놓은 것이 가다머의 철학적 해석학이다. 귀속성이란 우리가 과거와 현재 사이의 활동 속에서 일찍이 있었던 것을 다시 현재화現在化하는 작업의 조건이다.

해석학의 방법에서 중요한 것은 이 귀속성의 중단이다. 우리는 선입견 속에서 살아가는 한 전승 내에 있다는 것을 알아차리지 못한다. 전승이 말을 걸어올 때 우리는 자신의 선입견을 알아차리는데, 이때 전승에 촉발됨으로써 우리의 선입견을 근본적으로 미결 상태로 놓아두는 것 곧 귀속성의 중단에 의해서 비로소 전승과 우리 사이에 상호운동이, 이른바 '물음과 답의 변증법'이 개시開始된다. 여기서는 해석학 그 자체에 대해서 이 이상 깊이 파고들어갈 필요는 없을 것이다. 현상학과 해석학의 관계가 지평의 기능이나 판단중지의 방법 등에 의해서 얼마나 긴밀히 맺어져 있는가를 언급하고 싶었을 따름이다. 해석학은 의식의 반성이론을 극복하는 형태로 초월론적 관념론과 대결하고자 했는데, 이는 동시에 현상학의 새로운 가능성을 여는 것이기도 했다. 이미 현상학의 내부에서 배태되고 있었던 경향이 해석학의 전통과 만남으로써 급속히 표면화되고, 해석학도 아울러서 급속히 오늘날의 학문으로 성립하게 되었다고 할 수 있다.

현상학과 해석학이 상호 전제가 되는 관계에 있다는 점을 고찰했던 학자는 리쾨르이다. 리쾨르에 의하면, 해석학의 현상학적 전제는 (1) 의미로 향한 물음, (2) 귀속성의 중단을 통한 해석학의 개시開始, (3) 언어적 차원에 도래하는 선언어적 경험을 향한 소급, (4) 지각의 시간적 구조에서 오는 추정적, 불충전적, 미완성적 성격으로 향한 귀환이다.[49] 이에 반해서 현상학의 해석학적 전제는, (1) 이미 『논리 연구』에서 행한 의미bedeutung의 분석에 들어있는 내용으로, 우인적偶因的인 것을 포함하고 있지 않은 의미는 일거에 개시될 수 없고 '명화Aufklärung'를 필요로 한다는 점이다. 즉 개별적 대상의 통일적 파악이 단순한 감각이 아니라 이미 해석deuten의 기능을 수행하고 있기 때문에 유적類的인 것의 통일적 파악의 기초로서 역할을 한다는 점이다. (2) 『논리 연구』에서 준비된 '직관에서 해석으로 가는 길'은 후에 『데카르트적 성찰』에서 경험의 전체성이 물어질 때 해명(현재화顯在化, explizieren)의 방법으로서 전경으로 나오게 된다는 점이다. 특히 타자구성의 역설에서는 환원적 요구와 기술적 요구 간의 숨겨진 갈등이 갑자기 나타나게 되는데, 이 갈등은 리쾨르에 의하면 타자로 향하는 이행의 작업을 지평의 해명으로 간주함으로써 해결된다. 이미 서술한 바와 같이, 발생적 현상학에 보이는 지평의 해명이 해석학적 방법의 성격을 지닌다는 점을, 리쾨르도 또한 지적하고 있다.[50] 리쾨르는 후설 현상학의 관념론에 대한 해석학적 비판을 전제로 한 뒤 승인해야 할 점을 다음과 같이 말한다. "현상학은 이미 명증의 해명이고, 해명의 명증이다. 해명되는 명증, 명증을 전개하는 해명 이것이야말로 현상학적 경험이다. 바로 이런 의미에서 현상학은 해석학으로서 수행될 수밖에 없다."[51]

제7절 현상학의 가능성

리쾨르가 '해명되는 명증, 명증을 전개하는 해명'이라 부르는 것은 자기소여성으로 가는 길, 명증에 이르는 운동을 의미한다. 자기소여성이란 롬바흐의 언어를 빌려 말한다면, "그 자신을 설명하기 위해 다른 무엇도 필요로 하지 않으며, 오히려 자신 쪽이 설명을 위해 다 길러낼 수 없는 근거인 소여성"[52]이다. 이와 같은 자기소여성에 이르는 이성의 운동을 후설은 『위기』에서 이성의 목적론적 운동이라 말하고 있다. 이성의 목적론은 한편으로 역사의 목적론으로서 언급되는데, 여기서 이성은 역사를 관통해서 자기 자신에 이르고자 하는 운동으로 이해되어, 초월론적 현상학의 착수가 정당화되고 역사적으로 기초부여된다. 다른 한편으로 초월론적 현상학은 이성의 지향적 분석론으로서, 바로 이 자기소여성에 이르고자 하는 이성의 목적론적 구조에 대한 해명을 기도한다. 초월론적 현상학 속에서 스스로를 정당화하는 초월론적 역사성의 차원이 구성됨으로써, 역사의 목적론을 설시하는 역사적 서론序論과 지향성의 목적론적 기능에 관한 지향적 분석론이 상호 매개하며, 초월론적 현상학으로서의 철학이 맡은 궁극적 과제를 수행하는 일이 그 자체로 역사 속에서 무한히 이어져 가는 작업으로 화한다.[53] 초월론적 현상학이란 이런 의미에서 이성 자신이 자신의 구조를 자신의 손으로 풀어 밝히고자 하는 이성 자신의 활동이고, 동시에 그 활동 자체의 자기확인이다. 현상학의 근본사상은 "이성이 자기를 파악하는 것과 사유된 사태 자체Selbst를 파악하는 것"[54]이 서로 겹친다는 점에 있다. 그런 의미에서 후설의 이성의 현상학은 근대철학을 은밀하게 몰아대고 있었던 근본 모티프가 무엇인가를 백일하에 드러냈다고 할 수 있을 것이다. 현재 미공개 자료의 간행이 이어지는 가운데 후설이 남긴 현상학의 작업이 전체적으로 확대되면서, 이제까지 숨겨져 있었던 근대의 지知와 학문의 기본구조라고 말할 만한 것이 순서대로 부상해 오고 있다. 그렇지만 이와 같은 현상학의 사유 사상事象의 전체적 연관은 후설 현상학 내에서 작동하는 고전적인 형이상학적 개념이나 19세기의 인식론적 용어 때문에 거의 은폐된 채로 있다고 할 수도 있다. 이 점이 후설에 대한 당연하다고 할 수 있는 비판을 불러오는 이유가 되는 것이고, 또한 때로 편협할 정도로 피상적인 후설 이해를 유발하는 것이기도 하다.

롬바흐는 '오늘날의 현상학' 속에서 후설의 이성의 현상학(목적론적 현상학)이 보여준 방향으로 현상학의 걸음을 추진하기 위해서는 후설의 현상학을 제약하는 시대적 자기이해로부터 현상학을 해방시켜야만 한다고 서술하고 있다. 그러기 위해서는 예를 들면 **초역사적인 초월론적 주관성과** 같은 주지주의적인, 경직된 생각을 상대화하고, '초월론성의 구성이 개인적으로 또 역사적으로 구체적으로 발생하는 것' 등을 고려하지 않으면 안 된다고 말하고 있다. 롬바흐는 현상학의 걸음이 발생적 현상학, 역사적 현상학, 비판적 현상학의 전개를 통하여 이윽고 존재론적 구조적 현상학에 이를 것이라는 그의 확신을 피력하고 있는데, 그가 말하는 구조현상학이란 그 자신의 언어를 인용한다면 "더 이상 보편적이고 궁극적인 존재론의 이념도, 또한 최종적 근거에서 확립되는 **기초적 존재론의 이념화도** 신봉하는 것이 아니라, 오히려 현실성의 이론이며, 그 이론은 다양한 인류사회에서 역사적으로 성립해 간 현실성의 개념과 생활세계의 일체를 존재론적으로 정당화하는"[55] 포괄적인 현상학을 의미한다. 오늘날 현상학의 다양한 동향은 롬바흐의 언어에도 있는 바와 같이 역사적으로 또 문화적으로 상이한 구체적 현실의 분석을 각각 상대화하면서, 그 정당성을 보증하고 포괄해 가는 현상학의 "보다 큰 연관"[56]으로 더듬어가는 길이며, 주어진 현실의 다층위적 구조를 전체의 동적 구조 속에서 꿰뚫어보는 동적이고 구체적인 사유의 걸음이라고 할 수 있을 것이다.

제2부

•

반성 이론과
해석 이론

제4장 현대철학의 반성이론[1]

　수년 전에 일본을 방문한 하이델베르크 대학의 D. 헨리히(1927-) 교수가 강연 중 전후戰後 독일철학의 발전의 시기를 구분하면서, 그중에서 특히 1950년 후반부터 독일철학이 한편으로는 전통을 해체한 하이데거를 비판적으로 대항해 가는 과제를 갖고서 고전철학의 연구로 향해서 하이데거가 방기한 이성에 대해서 이성과 의식의 개념을 철학의 문제로서 되찾고 또한 이성과 주관을 이를 넘어선 생기生起의 관계에서 묻고 있다는 점을 지적하고, 다른 한편으로는 나치 이후 또한 실존철학 이래 상실된 것을 회복하는 일을 과제로 하여 국제적으로 열려진 시야 하에 특히 앵글로색슨계의 철학을 받아들이고 이를 취급해 가는 경향이 강해지고 있다는 점을 지적하고 있다.[2] 이와 같이 고전철학으로 돌아가는 일이라든가 국제화로 지향하는 일은 현대 독일철학의 뚜렷하게 나타나는 학문적 상황의 형성에 큰 기여를 수행하고 있다고 생각되지만, 나아가 이러한 경향의 근저에서 읽어낼 수 있는 것은 유럽이 스스로의 운명에 대해서 오늘날 품고 있는 어떤 고유한 자각과 같은 것이다. 대체로 현대 유럽철학, 그리고 특히 독일철학은 이 역사적 자각에 이끌려 자국의 문화유산의 전통을 다시 읽는 일로 향하는 경향을 드러내고 있다. 그러나 이 새로운 형태의 전통이해의 가능성은, 사실을 말하면, 니체 이후 이미 19세기 말부터 금세기에 걸쳐서 딜타이나 베르그송, 특히 후설이나 하이데거와 같은 철학자들의 사상을 근저에서 지탱하고 있었던 철저한 역사적 자성自省 속에 이미 싹트고 있었다고 말해도 좋을 것이다. 그들의 역사적 자성은 위기상황의 본질을 개시開示해 감에 따라서 점차 유럽의 정신적이고 역사적인 근거를 스스로 비추어낸다는 성격을 지니고 있다. '시대의 궁핍상황'이 이들의 철학적 자성을 촉구했음이 분명하며, 그 상황 속에는 19세기 유럽이 범한 문명적 과오에 대한 통절한 반성, 특히 산업혁명 후 급속히 인간의 사회생활의 양식을 규제하기 시작한 과학문명이 가져오는 위기에 대한 어두운 예감이 숨겨져 있었다. 하지만 이 철학자들에게서 볼 수 있는 위기의 자각과 그 극복의 방식을 둘러싼 탐색은 단순한 문명론적 진단이라든가 비합리적인 것으로 향하는 회귀와 같은 부류의 것이 아니라, 어디까지나 위기 발생의 근거를 '이성문제' 또는 '진리문제'로서 심문하고, 스스로 이성적 자기책임 하에 인간의 지식을 성립하게 하는 근원적 구조로부터 해명하고자 한 것이다. 과학적 인식이 상실한 본래의 의미도 또한 거기로부터 발견하고자 한 것이다. 그리고 과학적 인식이나 근원적 경험에 관한 진리적 해명을 수행하면서 새롭게 다시 '유럽이란 무엇인가' 하는 물음이 제기되고, 유럽문화가 본래 있어야 할 원상原像, Urbild이 물어지고, 또한 정신적 의미의 유럽으로 하여금 바로 유럽이게 하는 본래의 의도Urstiftung를 확인하고자 한 것이다. 이와 같이 진리론이 역사적 자성自省과 결부해 가는 모습을 우리는 특히 후기의 후설이나 하이데거의 사상에서 읽어낼 수 있으리라. 이런 의미의 문화나 문명의 원原로고스Urlogos라고도 말할 만한 것은 결코 19세기 유럽에서 유럽의 외부로 보급되고 있었던 어떤 보편적 과학의 논리가 아니라 오히려 과학적 세계상에 의해 왜곡되고 과학적 세계해석에 의해 은폐된 인간의 근원적 경험 그 자체에서 발견되어야 하는 것이었다. 따라서 원로고스의 발견은 철저한 역사적 자기반성을 갖고서 전통을 다시 읽음으로써만 가능하게 되는 것이며, 과학적 문화라고 하는 전통에 의해 어느덧 상실되고 망각된 기원을 되찾는 것을 의미한다. 후설은 '전통이란 기원의 망각이다'고 말했는데, 여기서 말하는 전통이란 고정화되고 관습화된 전통이다. 그런 의미에서 그것은 '다시 읽지 않으면 안 되는' 전통인 것이다. 이 철학자들의 역사적 통찰에는 전통에 대한 새로운 이해방식이 서서히 형성되고 있었지만, 그러나 그러한 역사적 자성의 의미가 충분한 깊이를 지니고서 계승되어, 적확한 형태로 '방법'으로서 다시 발견되고 반성론의 주제로서 검토되는 일에는 여전히 많은 시간과 우회가 필요하게 되었다.

두 번에 걸친 대전大戰이 가져온 파국 상황은 실존론적 물음을 전면에 내세우고, 일반적으로 실천적 교설이 사람들의 마음을 사로잡아, 위기의 직접적인 실천적 해결이 성급하게 의도되었다. '이성의 문제'는 배후로 물러나고, 과학문화나 사회체제의 근거에 있는 '지知의 문제'는 등한시되는 감이 있었다. 그렇기는 하지만 오늘날 현실의 사회정세 중에서도 유럽의 통일 의식이 정치적이고 경제적인 체제 하에서 점점 구체적으로 형태를 취하고 있을 때 유럽의 역사적 운명의 자각과 같은 것이 재차 활발히 소생하게 되어, 스스로의 문화의 전통으로 향하여 묻는 자세가 널리 일반적으로 두드러져 나왔다고 해도 좋을 것이다. 이 자세는 모두에서 언급한 바와 같이 철학의 연구자세에서 그 가장 날카로운 나타남을 볼 수 있는 것이지만, 그러나 그렇다 해도 고전철학의 연구, 그리고 독일관념론의 재평가라고 하는 사태는 도대체 무엇을 의미하는 것일까? 무릇 '고전으로의 복귀'라는 말만으로는 현대의 성격을 한정할 수 있는 것이 아니기 때문이다. 오늘날 독일관념론의 재평가는 주로 반성이론을 중심으로 해서 행해지고 있다. 후술하는 바와 같이 이러한 연구는 고전적 반성이론이 말하는 반성의 형식성이나 절대성에 대한 비판의 올바름을 인정하면서도 종래의 관념론 해석의 그릇됨을 바로잡고, 새롭게 다시 '반성의 본질'에 대한 관념론의 통찰을 평가하고자 하고 있다. 이와 같이 반성론이 특히 고전연구의 중심에 놓이는 이유는 현대철학이 다름 아닌 '이성의 문제'로 돌아가서 과학문화의 존재방식을 학문적으로 다시 묻고자 하는 데에 있다. 반성론을 반성한다고 하는 반성론적 상황도 거기로부터 생겨난다. 그리고 이 현대의 반성적 상황 속에서 다름 아닌 이러한 전통에 대한 반성의 가능성과 그 새로운 방법론이 물어지고 있다고 말해도 좋을 것이다.

본장에서는 이것을 주된 테마로서 채택하고 싶은데, 그러기 위해서는 우선 현대의 반성론적 상황에 대해서 언급해두는 것이 필요할 터이니, 다음의 세 가지 테마를 선택해서 이야기를 진행하고자 한다.

첫째, 독일관념론을 재평가하는 반성론적 근거에 대하여.

둘째, 현대의 반성론에 E. 후설의 현상학이 공헌한 바에 대하여.

셋째, 반성론적 상황으로부터 '전통의 반성'이 어떻게 물어지는가 하는 본장의 테마에 직접 관련된 것으로서, 새로운 역사적 반성을 제창하는 철학적 해석학의 시도에 대하여.

그리고 마지막으로 반성론에 관한 금후의 과제에 대해서 언급하고자 한다.

제1절 독일관념론을 재평가하는 반성론적 근거

오늘날의 관념론 해석은 동시에 헤겔 이후의, 즉 관념론 이후의 철학이 가한 관념론 비판의 과오를 지적하는 일을 포함하고 있다. 왜냐하면 헤겔 이후의 반헤겔적 동향 속에서 절대적 주관이라든가 절대적 정신에 반대하여 인간의 유한성이 강조된 나머지, 인간 주관의 절대화에 대한 거부와 더불어 관념론의 유산이라고 할 만한 '반성'이라는 인간 이성의 본질적 기능마저도 경시했기 때문이다. 그래서 도대체 관념론의 절대적 자아와 근세의 인간의 자기인식이 어디서 어떻게 어긋나는가를 새롭게 다시 검토해 볼 필요가 나오게 된다. 이 점에서 독일관념론이 궁극의 것, 최후의 것을 자아라고 하는 형태로 설명하기에 이른 경위를, 근대형이상학의 자아개념의 역사로부터 검토해 보고자 한 W. 슐츠의 '절대적 반성의 문제'[3]는 이 문제를 멋지게 정리한 유명한 논문인데, 그가 논한 바를 여기서 요약하며 추적함으로써 반성문제를 둘러싼 관념론 평가와 현대의 문제 간의 본질적 연관을 명확히 해보고자 한다.

우선 슐츠(1899-1959)는 독일관념론의 근저에 숨어 있는 아포리아를 다음과 같이 석출해 보여준다. 절대적 자아는 현실의 경험적 자아 즉 시간 속에 있는 나가 아니라 오히려 이런 나의 전제가 되는 것이다. 관념론은 이 절대적 자아를 어떠한 제한도 받아들이지 않는 산출의 활동으로서 파악하고, 이 활동을 자기 자신으로부터 나오는 순수한 정립작용으로 본다. 이렇게 함으로써 절대적 자아를 존재자와는 다른, 원리상 탁월한 것으로 보고, 이 자아를 저들 철학의 산출점에 거치시킨다. 그런데 이 절대적 자아란 시작도 없고 끝도 없는, 따라서 파악할 수 없는 무한한 운동의 프로세스를 의미한다. 그렇다면 이 절대적 자아는 그것을 갖고서는 어떤 일도 시작할 수 없고 자기 자신과의 관계에서 파악할 수 없다는 의미에서 이것을 원리로 거치한다는 것은 도저히 불가능하게 될 것이다. 그럼에도 불구하고 시작도 끝도 없는 무한성이란 점에서, 역으로 모든 존재자를 초출하는 것이기에 존재자의 전체를 거기로부터 형성해 가는 구축의 원리라는 성격을 띠고 있다.

한편으로는, 그 자체로 원리가 될 수 없는데도 존재자와의 관계에서 원리로 삼는다는 것은 아포리아가 아닐 수 없다. 그런데 절대적 자아에 수반되는 이 아포리즘을 관념론 철학자들은 잘 알고 있었던 것이니, 예를 들면 후기의 피히테나 셸링과 같이 이 절대자를 본래적 절대자와 비본래적 절대자로 나누든, 헤겔과 같이 원환적 사유를 통해서 무한성과 폐쇄성(완결성)을 하나로 하든, 각각 무엇인가로 해서 이 아포리아를 드러나지 않게 배경으로 밀어붙이고, 절대자를 근원으로 상정해서 거기로부터 존재자 전체의 구축을 완력으로 감행하고자 했다. 그러므로 여기서 저들의 거대한 체계의 구축 속으로 억지로 끌어들이는 일 없이 오히려 저들이 저들대로 처리하고자 한 이 아포리아를 그 발생의 지점으로까지 돌아가서 형세를 재검토하지 않으면 안 된다는 것이 슐츠가 제기한 과제이다.

슐츠는 쿠자누스(1401-1464)에서 시작되는 근대적 자아의 자기인식에는 항상 신의 세계창조의 성격을 되풀이해서 읽고자 하는 일이 있었다고 하면서, 근대적 자아의 자기규정에 얽혀 있는 이 피치 못할 숙명에 대해 언급하고 있다. 그러나 그렇다 해도 반성은, 근대철학에서 적어도 최초에는 인간의 자기인식으로서 실시되었을 때 존재자와의 관계를 남기고 있었으며, 사유의 활동주체인 자아를 존재자와 구별하는 일종의 추상 조치(슐츠는 이를 Wegdenken이라 부른다)로서 제한되고 있었다. 그렇지만 이 제한에 만족하지 않고 이를 깨뜨려서 자아를 절대적 정립의 힘으로서 규정하고 있었던 것이 독일관념론이며, 그런 의미에서 근대적 자아의 자기규정의 근저에 숨어 있는 것을 분출시키고 말았다고 말할 수도 있다.

그런데 현실의 사실 즉 존재자와의 관계를 실제로 말살할 수는 없는데도 독일관념론은 자아의 쪽에 현실의 실재적 자아를 넘어 순수한 산출활동으로서의 절대적 자아를 상정하고, 실재적 자아를 사유하는 자아로부터 분리함으로써 결국 존재자와의 관계도 끊어내고 말았다. 여기에 문제가 있다. 이 자아분열은 두 자아를 각각 고정시킨 것이다. 이 분열은 양의적이기에, 한편으로는 두 자아는 동일한데도 불구하고 다른 한편으로는 각각 따로따로 고유한 삶을 살아가고 있어서, 서로 아는 일 없이 철학자 한 사람만이 이 관계를 수립하여 그것에 통하고 있다고 하게 되었다. 이렇게 해서 존재자와 자아 간의 차이성Differenz(구별)의 근저에 무차이성Indifferenz을 상정함으로써, 자아와 존재자를 구별하는 사유의 운동으로부터 하나의 형이상학적 존재론이 형성되게 되어 순수자아가 실체화되고 만 것이다.

그러나 그럼에도 불구하고 슐츠에 의하면, 독일관념론은 정당한 주장도 하고 있었다. 자아는 자아 없이 어떠한 존재자도 파악할 수 없다는 점을 주장했기 때문이다. 분명 자아로부터 고찰한다면 모든 존재자는 자아가 아닌 것으로서 규정되고, 그런 한에서 자아에 대해서 상대적이다. 하지만 독일관념론이 승인하지 않았던 이 역의 경우도 또한 성립한다. 즉 어떠한 자아도 자아가 아닌 것과의 관련이 없이는 있을 수 없다는 것이 성립하고, 자아와 비아적 존재자 간의 구별을 떠나서 자아도 비아적 존재자도 혼자만으로는 존재할 수 없다.

이 상호의존성의 관계를 승인한다면, 이 구별의 정립을 이 분열에 선행하는 '절대적 시원'인 근원적 상태로부터 사변적으로 설명해 갈 가능성은 존립할 수 없게 되며, 만약 자아와 비아가 미분화한 무차별성을 상정한다면 이 근원적 상태는 언제나 이미 상실되고 만다. 어떻게 해서 도대체 이 근원적인 것이 차별로 이행하는 것일까 하는 점을 설명하고자 하는 이론은 모조리 공상의 소산이 되고 말 것이다.

그렇기 때문에 철학적 반성에게는 무한하게 반성해 가는 자아의 절대화의 사도邪道에 대해서 망을 보는 임무가 부과되는 것이다. 철학적 반성은 무한한 것 속에서 자기를 상실할 가능성으로부터 몸을 지킬 수 있도록 노력하지 않으면 안 된다. 그러나 그렇다고 해서 관념론 이후의 사상이 그러했던 바와 같이 절대적 자아를 대신하여 '현실의 인간'을 반성되지 않는 존재로 놓고, 이를 궁극적인 출발 원리로 삼는 것도 피하지 않으면 안 된다. 인간의 본질은 바로 자아와 비아적 존재자 간의 차이이며, 양자의 관계로서의 반성이라는 점을 잊어서는 안 된다.

이상과 같이 슐츠에 의해 대표되는 반성론의 재평가는 독창적인 해석이라기보다는 후에 서술하는 '반성과 자기의식'의 문제와 더불어 오늘날의 철학 연구들의 성과에 입각하여, 이성과 의식의 문제를 그것들을 넘어선 것과 맺는 관계에서 다시 보고자 하는 현재의 과제와 일치한다. 한편으로 하이데거 철학이 말하는 존재와 존재자 간의 상호의존성이나 차이성의 문제를 의식의 개념으로 다시 파악하고, 다른 한편으로 후설이 말하는 지향성의 이념으로 재차 고전철학의 주관성 개념을 다시 읽고자 하는 현대의 이성의 철학이 주장하는 바와 연결된다.

그러나 자아와 비아적 존재자 간의 상호의존적 차이성이 반성이라고 말할 때, 거기에 지극히 중요한 존재론적 의미가 감추어져 있다고 말하지 않으면 안 된다. 왜냐하면 바로 이 상호의존적 관계로서의 지향성을 그것으로서 노정하고 조명해 가는 것이 이른바 반성작용의 활동이어서, 형식적으로 말한다면, 반성이 그대로 이 최초 의미의 지향적 의식은 아니기 때문이다. 그럼에도 불구하고 반성은 자기 자신의 반성인 한에서 이 상호의존관계로서의 의식의 자기반성이며, 그런 한에서 반성은 자기를 절대화하거나, 반성되는 것으로부터 자기를 분리화해 갈 수 없는 제약 하에 있다. 그리고 이 상호의존관계를 지향성으로서 주제화하기 위한 반성의 방법을 사용하면서, 반성에 붙어다니는 이 상호의존관계 혹은 반성과 세계의식 간의 존재론적 관계가 어떠한 의미를 지니는가 하는 문제로 다가갈 수 있는 것이 현상학이다.

제2절 반성론으로서의 현상학적 환원론

오늘날의 학문론적 상황에서 현상학이 수행하는 역할은 헤아릴 수 없을 정도로 큰 것이지만, 여기서는 '반성'의 문제에 주제를 한정해서, 주로 E. 후설의 현상학이 오늘날의 반성론에 행한 기여를 두세 가지 점에서 추출해보고자 한다. 다만 사전에 한마디로 말하면, 후설의 현상학적 반성은 고전적 반성의 이념을 계승하면서, 이를 방법으로 삼아 실천적으로 사용해 감으로써, 고전적 반성론의 한계에 부닥치게 되는데, 여기에 반성론이 금후 전개해가야 할 새로운 방향을 시사한다고 말할 수 있다.

후설이 논하는 반성의 방법의 원리는 결코 새로운 발견이 아니라 근세철학의 반성의 이념을 계승했다고 말하는 것은, 의식의 자기 자신에 대한 관계인 반성이 데카르트의 에고 코기토의 원리에 입각하여, 의식이 자기 자신에게 의심할 수 없는 확실성을 갖고서 자기를 준다고 하는 필증적인apodiktisch 명증성격을 갖추고 있기 때문이다. 그러나 반성을 방법으로서 구사한다는 것은, 바꿔 말하면 존재자의 자기능여Selbstgebung라는 후설 현상학의 기본사상이 되고 있는 명증이론을 의식의 지향적 분석에 의해 그대로 실천적으로 전개해 간다는 것을 의미한다. 즉 반성은 방법인 동시에 방법이 기초하는 사상事象의 자기전개의 방식이며, 따라서 반성의 철저한 진행은 동시에 의식의 감추어져 있는 전체적 연관의 현재화顯在化의 진행을 의미한다. 그러므로 거기에서 반성의식의 구조 자체가 철저하게 반성의 시선에 노출되게 되고, 반성이론이 사상적事象的으로 자기검토되지 않으면 안 되는 중대한 시련과 마주치게 된다. 지향적 분석론은 반성의 방법에 의해 의식의 지향적 본질에 대해서 분석적 기술을 행하는 것과 동시에 항상 반성 그 자체의 반성적 해명이지 않으면 안 된다. 여기에 후설의 반성론의 철저함이 놓여 있다.

그러나 후설은 반성을 단순히 지향적 분석의 방법으로서만 사용하는 것이 아니라, 이 지향적 분석이 가능하게 되기 위한 장소를 열기 위해, 또 분석의 대상이 되는 의식의 활동이 활동하고 있는 대로의 모습으로 반성의식에 주어지게 하기 위해, 현상학적 환원이라 불리는 방법론적 조작으로까지 반성이론을 구체화하는 것이며, 이렇게 해서 반성은 철학적 반성으로서 그 의미가 근본으로부터 물어지게 된다. 후설에게 현상학적 의미의 반성이란 의식분석의 방법일 뿐만 아니라 철학의 길을 여는, 그 방향을 좌우하는 요체이다.

후설이 수없이 완수하고 수없이 그 생각을 수정한 이 현상학적 환원이론만큼 그가 품었던 현상학의 이념과, 현상학의 분석이 밟아온 길에서 열려져 오는 예기치 않은 성과 간의 갈등과 긴장을 보여주는 것은 없을 것이다. 현상학적 환원은 우리가 일상을 살아가고 있는 자연적인 태도로부터 초출해서, 이 태도로 살아가는 한 도달할 수 없는 존재자로 가는 진정한 가까움을 획득하기 위한 태도변혁Umstellung의 방법이다. 자연적 태도로 살아가는 한, 습관과 전통에 의해 형성된 '선입견'에 의해 지배되고, 사물은 자명적 또는 실체적으로 파악되어 존재자의 존재와 의미로 향하는 통로는 막히게 되기 때문이다. 그런데 후설이 말하는 태도변혁이란, 바깥으로 향하고 있던 시선을 단순히 안으로 다시 향하게 한다는 점을 말하는 것이 아니라, 주관성의 존재방식의 근본적인 변혁, 즉 반성을 실시하는 우리 자신의 자기이해의 근본적 변혁이다. 후설은 이 태도변혁을 초월론적 태도로 향하는 이행이라 말하는데, 이 환원론을 관통하는 두 모티프 중 하나는 실시Vollzug와 중단, 망각과 각성과 같은 이성기능의 반성론적 해명이고, 다른 하나는 존재자의 총체성으로서의 세계로부터 그 구성적 근원으로 향하여 묻는 세계근거에 대한 물음을, 내세계적 주관성에서 세계를 구성하는 초월론적 주관성으로 순화해 가는 주관성의 탈세계화의 방식에서 구하는 세계문제론이다. 두 모티프가 한데 얽혀서 환원론을 조성하고 있다는 점이 그 이해를 다시 어렵게 만들고 있다.

이 환원론의 아포리아는, 초월론적 주관성에 의해 인간주관성을 구성할 때 후에 후설이 주관성의 역설이라고 부르는 것으로 예리하게 노출되게 된다. 즉 세계 내의 객관으로서의 주관성과, 세계에 대한 주관성이라고 하는, 주관성의 자기분열을 해명하는 문제이다. 이를 환원론으로 돌아가서 말한다면, 어떻게 해서 세계 내에서 자연적 태도로 살아가는 주관성이 세계를 구성하는 초월론적 주관성으로 스스로를 순화할 수 있는가 하는 물음이 된다. 그러나 만약 이 역설의 해결을, 두 주관성을 구성적 의미와 구성적 근원으로 분열시켜서 단순히 탈세계화를 세계 외로 초출하는 것이라고 하는 방식으로 해결하고자 한다면, 홀연 재차 관념론의 절대적 반성의 입장으로 되돌아가버리게 될 것이다.[4] 이 경우 절대적 반성으로 성급하게 기울지 못하게 하는 것은 이성기능의 반성론적 해명이다. 즉 자연적 태도로 살아간다는 것은 세계관심을 중단하지 않는다는 의미이고, 구성기능으로서의 이성이 실시태에 있다는 것을 의미한다. 실시태에 있는 이성은 자기망각적이며, 후설은 이를 익명성Anonymität이라는 개념으로 나타내고 있다. 만약 자연적 태도 그대로 자기를 반성해도 익명성은 익명인 채로 머물고, 반성은 이성적 근원을 알아차리기에 이르지 못하고서, 스스로를 내세계적 존재자로서의 주관으로서 이해하는 데에 머문다. 따라서 현상학적 환원을 이해하고자 할 때, 환원이란 세계관심으로 살아가는 것을 중단하는 방식으로 망각으로부터 이성기능을 각성하고, 자기 자신을 투명하게 하고자 하는 활동이라고 하는 면을 충분하게 고려해야만 한다. 그렇다고 한다면, 그런 한에서 현상학적 환원이란 결코 세계 외로 초출하는 것이 아니라 오히려 세계 내에서 활동하는 세계구성적 기능을, 그것이 세계 내에 있다는 사실성을 상실하는 일 없이 투명화해 가는 자성自省으로 해석할 수 있게 될 것이다.

이 점에 대해서 후설의 환원이론은 어떻게 말하고 있는 것일까? 무릇 환원이란 존재정립을 판단중지epoché의 상태로 놓는 것이지, 환원에 의해 의식 대상의 존재나 존재의 의식이 반성의 분석의 대상영역에서 제외되는 것은 아니다. 에포케란 존재타당을 금지한다는 것을 의미한다. 그러나 후설이 말하는 에포케에는 아제미센의 연구가 보여주듯이, 존재타당의 물음을 배제한다는 방법적 배제의 의미와, 존재를 배제한다는 형이상학적 배제의 의미가 포함되어 있는데,(5) 지향적 분석론의 방향에서는 전자의 성격이 보전되어 존재의 의식은 명증의 문제로서 조명을 받게 된다. 경험에 대한 지향적 분석이 보여주듯이, 개개의 경험에서 작용하는, 존재의 의식은 대상에 관한 직관적 충실의 작용이며, 직관에서 대상은 원적原的 명증으로 곧 '스스로 거기에' 자기현재적自己現在的으로 주어진다. 이와 같이 명증론에 의거해서 대상의 존재를 말하는 한, 대상의 존재는 의식에 의해 구성된 것으로서 해석되고 있는 것이 아니다. 지향적 분석을 행하여, 지향적으로 사념된 대상의미가 충실하게 되는 방식에서 의식에 주어진다고 말할 때, 이는 대상의 존재가 대상의 소여성의 방식에서만 반성의 기술을 받고 있음에 지나지 않는다는 뜻이지, 대상의 존재가 노에마화되고 만다는 뜻이 아니다. 토이니센이 지적했듯이, 노에시스와 노에마의 지향적 관계가 성립하는 것은 노에마의 중심핵인 지향적 대상이 존재로서 지향되고 있기 때문인데, 그때 대상의 존재는 의식에 보여지지 않는다는 점도(6) 충분히 수긍되는 것이다.

그렇지만 후설의 환원 해석의 래디컬리즘에는 존재를 배제한다는 모티프가 지배적이며, 특히 『이념들』 시기의 환원이론에서는 환원이 실시될 때 세계존재의 인식우유성認識偶有性(세계의 비존재의 가능성)이 우선 배제되어야만 한다는 것이 설명되고 있었다. 이러한 '철저한 세계배제'에 의해서 자아가 세계로부터 순수하게 분리되고, 세계는 의미의 총체성으로서 모조리 노에마화되어 버리고, 대상의 의미뿐 아니라 대상의 존재도 또한 의식에 의해서 구성된 것으로서 해석되기에 이른다. 그러면 환원이란 초월론적 주관성이 익명성으로부터 해방되는 것이라고 설명하는 후기의 환원이론의 경우는 어떠할까? 분명 데카르트적 환원의 수정으로서 등장하게 되는 발생적 현상학에서는 세계의식의 명증성은 현상학적 반성에 의해서만 물어져야 한다는 생각으로 이동하고 있다. 환원에 의해서 세계는 일거에 존재자의 총체성으로 화하여 반성의 대상이 되는 것이 아니라 오히려 의식생이 의미를 구성하는 무한한 생성과정 속에서 해체되고, 세계의 무한성은 초월론적 주관성의 무한성이라는 형태로 나타나기 시작된다는 것이 설시되고 있다. 의미의 역사성이나 지평적 함축성이 의식의 절대적 영역을 설명하는 종래의 환원이론에는 보이지 않는 깊이를 의식에 부여하고 있지만, 역시 의식의 상관물로서의 세계는 의미의 총체성으로서 취급되고 있다. 과연 의식은 세계를 의미적 대상으로서 구성해 가는 구성적 생이고, 일단 대상화된 의미는 재차 의식생 내에 침전하고, 이러한 의미의 전체성은 함축적인 전체로서 의미잠재태가 되어, 현재적顯在的 현재의 의식의 지평을 형성하는 것이리라. 그러나 그러려면 의식이 항상 현재 어떤 방식으로 세계를 곧 세계의 존재를 의식하고 있다는 것이 조건이 되어 있어야 하지 않을까? 이 점을 고려하지 않은 채 환원이론에서는 대체로 구성된 것, 경험된 것의 전체로서 의미의 총체성인 세계에만 주목하고 있다. 이에 반해서 환원이론에서 놓치고 있었던 첫 번째의 방법적 배제의 모티프가 지향적 분석론 쪽에 보전되어 온다. 특히 발생적 현상학의 지향적 분석론에서는 전체로서의 세계가 항상 경험의식에 있어서 수동적으로 신념되는 방식이 채택되어, 의식의 구성기능을 그 심층차원에서 제약해 오는 세계의 존재가 개개의 대상의 지반으로서 언급되고, 의식과 존재의 관계가 예리한 형태로 드러남으로써 세계의 해석이 환원이론에 보이는 그것과 완전히 대립된 형태로 나타나게 된다.

경험의 지향적 분석은 경험의 본질구조의 개시開示와 함께 세계의식의 분석도 포함하고 있다. 왜냐하면 경험의 대상과 함께 세계는 항상 이미 지반으로서 의식에 주어지고 있고, 이와 상관적으로 의식은 세계의 존재를 항상 수동적으로 신념하고 있기 때문이다. 즉 의식은 항상 그 근저에 있어서 세계의식이다. 그러나 이 근원적 세계의식은 결코 세계를 대상으로 해서 정립하는 의식이 아니라, 오히려 세계를 항상 비대상화적으로 의식하고, 개개의 경험을 가능하게 하는 조건으로서 활동하고, 그때그때의 경험의 명증이 성립하는 장소적 성격을 지녔다고 할 수 있다. 후설의 남은 만년의 연구들은 키네스테제적 의식이나 휠레의 분석 등을 포함하여, 이러한 수동적 세계의식의 제반 구성계기나 기능에 대한 분석을 전하는데, 결국 후설은 이 분석의 방식으로 의식이 그 심층차원에서 세계로 향해 열려져 있다는 점, 세계와 자기가 상호 침투하는 불투명한 존재관계에 놓여 있다는 점을 보고 있었다. 이러한 존재관계를 고려한다면, 의미생성의 무한성을 세계로 향하는 구성과정의 무한성으로 다시 보고, 그러면서 그 무한성을, 의미로서 다 구성되는 일이 없는 세계(후설은 이를 Erde라고 부른다)에 의해 지탱되는, 세계와 자기 사이의 상호 교환과정의 무한성, 미완결성으로서 해석할 수 있었던 것이리라. 그렇기 때문에 후설의 분석을 다시 해석하려는 시도가 메를로-퐁티나 란트그라베와 같은 사람들을 필두로 하는 현상학자들에 의해 도모되고, 현상학적 환원의 의의가 이로부터 다시 물어지게 된 것이다. 그러나 후설 자신은 그의 반성적 분석에 의해 인식관계의 근저에서 존재관계가 나타나는 것을 보았음에도, 초월론적 관념론에 바탕을 둔 자기해석 탓에 그의 환원이론에 이 존재관계를 충분히 살릴 수 없었다고 말할 수도 있겠다.

그런데 반성론에 있어서, 반성의 성과는 반성의 자기규정으로서 되살려야만 한다는 것은 전술한 바이다. 그래서 의식이 근저에서는 세계의식이라고 하는 분석을 되살려서 반성의 문제를 검토해보기로 하자. 후설이 이미 『이념들Ⅰ』에서 말한 바와 같이, 반성은 전반성적 의식에 의존하고 이를 전제로 하고 있다. 게다가 반성은 자신이 속하는 의식의 자기전개로서, 반성되는 의식에 깊이 뿌리를 내리고 있다. 그리고 이 전반성적 의식이, 후기의 분석론이 보여주는 바와 같이, 그 심층차원에서 세계의식이라고 한다면, 반성은 이 세계의식에 의존하지 않으면 안 된다. 물론 초월론적 반성은 보통의 반성이 그렇듯 전반성적 의식이 갖는 관심에 수반적으로 관여하는 반성이 아니라, 오히려 그 관심에서 분리된 순수한 무관심적 응시이지 않으면 안 된다. 하지만 후설이 어떤 시기에, 선행적 의식이 지니는 관심을 중단하는 일을 총체적 에포케로서 실시함으로써, 환원의 이념을 실현할 수 있도록 이를 수행한다면 현상학의 지반을 일거에 확보할 수 있다고 말하고자 했음에도 불구하고 결국, 환원을 실시할 때 환원을 '반자연적 하비투스'로서 부단히 계속하지 않으면 안 되는 정신적 금욕의 길이라고 언급해야 해야 했던 것은 무슨 까닭일까? 이는 자연적 태도라고 하는 의식의 본성에 깊이 뿌리내린 자연적 경향이 근절하기 어렵기 때문이기도 하지만, 또 하나의 이유로서 반성이 본래 선행적 의식에 뿌리내리고 있어서 항상 그것에 다시 이끌린다고 하는, 양자의 원리적으로 불가분리한 관계가 근저에 가로놓여 있기 때문이 아닐까? 무관여적 태도가 항상 관심적 생에 위협을 받는다는 것은 반성의 이와 같은 비독립적 계기의 성격에도 기초하고 있다. 따라서 세계관심적 생으로부터 벗어나서 순수한 테오리아로서 자기인식으로 향한다고 할 때, 거기에 선행적 의식에 대해서 어떤 방식으로 반성을 극한적으로 대극화하고자 하는 조작이 시도되고 있지 않으면 안 된다. 그런 의미에서도 현상학적 환원은 전술한 슈츠의 Wegdenken(=사유의 활동주체인 자아를 존재자와 구별하는 일종의 추상 조치)의 성격을 놓쳐서는 안 되는 것이다. 왜냐하면 세계 바깥에 절대적 주관성을 상정하고, 세계를 의미의 총체성으로 하고, 내세계적 주관성을 거기에 포섭하게 된다면, 자아의 자기인식인 반성에 가하는 Wegdenken으로서의 제한이 재차 파괴되고, 비독립적 계기인 반성을 독립시키는 것이 되며, 이렇게 해서 절대적 반성의 길로 되돌아가서 형이상학적 실체화에 떨어지게 되기 때문이다. 생과 반성의 대립과 긴장은, 반성이 의식생의 계기인 한 반성에 의해 지양되는 것이 아니지만, 그렇다고 해서 직접적인 의식생 내로 다시 이끌려 해소되는 것도 아니다. 생과 반성의 대립과 긴장은, 생에 본질적이기 때문에 반성의 철저화는 도리어 반성과 의식의 불가분리성을 보여주는 제반 현상을 역설적으로 노정하는 것이며, 거기서 반성에 흡수될 수 없는 의식 존재의 불투명성의 문제도 나오게 된다. 그렇기 때문에 여기서 경험뿐만 아니라 경험의 조건도 현재화顯在化하고자 할 때 반성의 한계가 문제가 되는 것이다. 왜냐하면 의식의 존재론적 제약이 되는 차원에 대한 반성이 과연 의미를 발생사적으로 소급하는 방법으로서 실시될 수 있는가 하는 의문이 일어나기 때문이다. 즉 불투명한 조건을 투명화하고자 할 때, 바꿔 말하면, 현상의 조건에 해당하는 것을 현상화하고자 할 때, 그것을 보는 방식에 전환이 일어나지 않을 수 없기 때문이다. 현상학적 반성의 기술적 방법의 한계가 지적되는 것은 이 차원에서이지만, 그러나 역으로 반성이 이 한계로까지 철저화됨으로써, 반성이 생에 내속해 있어서 그 자체 절대화될 수 없다는 점을, 그리고 반성 자체도 그런 한에서 미완결적이라는 점을 반성 자신의 손으로 증시할 수 있었다고 할 수 있다.

이상의 고찰이 보여준 바와 같이, 후설은 반성의 철저성을 환원이론에서는 반성을 절대화하고자 하는 방향에서 정초하고자 하고, 역으로 분석론에서는 반성을 철저히 실시함으로써 반성의 절대화를 부정하는 차원에 마주쳤다고 할 수 있다. 이는 또한 의미와 존재의 차이성 속에서 후설의 사유가 요동하고 있었다는 점을 충분히 이야기하는 것이리라. 후설의 현상학이 지니는 양의성은 이미 현상학자들에 의해 지적된 바 있는데, 예를 들면 구성개념의 애매성을 비롯한 많은 조작개념의 불규정성 등이 이제까지 그 예로서 들어지고 있지만, 특히 세계개념에 보이는 그 다의성은 분석에 의해 세계의 현상을 다층화했음에도 불구하고 이를 적절한 개념으로 다시 파악하지 않았던 데에 그 이유가 있다고 생각된다. 그러나 결국, 골똘히 생각해서 말해보면, 후설의 현상학이 띠는 양의적 성격은 의미와 존재의 차이성의 문제에 귀착하는 것인데도, 후설이 이 차이성을 차이성으로서 주제화하는 대신에 양 극단의 교체 내에 몸을 두고 있었다는 것이 가장 큰 이유가 되지 않을까? 구성의 개념이, 핑크가 일찍이 지적했듯이, 창조와 의미형성 사이를 동요하고 있었다고 하는 것도 이 점과 관련되어 있다고 말해야 한다. 세계를 존재자의 총체성으로 보아야 하는가, 아니면 존재의 총체성으로 보아야 하는가 하는 것은, 철학의 입장을 좌우하는 결정적인 문제이다. 그런데 후설은 존재자의 총체성 곧 의미화된 세계와, 결코 지향적 대상이 될 수 없는 세계의 존재 사이를, 바꿔 말하면, 세계를 구성하는 비세계적 주관성과, 세계에 깊이 뿌리내린 주관성 사이를 어느 것에도 절대적으로 고정시키는 일 없이 그 사이를 왔다 갔다 하고 있었다고 할 수 있다. 헬트는 후설 사상의 양의성을 그 자체로서 승인해야 하며, 대립하는 입장의 교체가 현상학을 추진해 온 것이므로 이를 어느 한 면에 고정시켜서는 안 된다고 말하고 있는데, 이 지적은 당연히 경청할 만한 것이다.[7] 왜냐하면 해석의 양의성은 본래 사상事象 그 자체의 양의성 혹은 의미와 존재의 차이성에서 유래하기 때문이고, 게다가 후설이 이 차이성을 차이성으로서 철학의 주제로 삼는 일 없이 차이성에 의해 열려지는 사상 내에 몸을 던져서, 도리어 차이성을 예리하게 현상하게 했기 때문이다.

제3절 '살아있는 현재'의 의문을 둘러싸고서

앞 절에서 절대적 반성의 문제와 관련시키면서 반성이 의식의 지향성과 어떻게 관련되는가를 현상학적 환원을 중심으로 해서 고찰했는데, 그렇다면 후설은 그의 사유가 심화함에 따라서 반성의 궁극적 가능성을 현상학적 반성의 길을 걸어감으로써 어떻게 캐묻고 있었는가 하는 점을 다음에서 묻고자 한다. 반성에 대한 반성으로서 반성의 본질구조를 묻는 고차의 반성이 가능하기 때문이다. 이 반성의 시도에 의해 후설의 반성론의 아포리아가 현재화顯在化하게 되고, 거기서 비로소 반성이 갖는 정립성격, 대상화작용의 성격을 둘러싸고서, 전통적 형이상학의 반성론에 대해서 현상학이 어떠한 관련을 맺었는가를 보다 심층으로부터 물을 수 있는 것이다.

반성할 때 이루어지는, 반성하는 것과 반성되는 것 간의 관계는 시간적 생의 연관에 있어서 첨예화된 형태로 발견된다. 후설은 1930년대 최만년의 지향적 분석적 연구에서 종래의 현상학적 환원을 수정하는 의미에서 '철저화 된 반성'을 제창하고, 자아의 존재의 원原양태로서 '살아있는 흐름의 현재'[8] 의 분석을 다루었다. 기능하는 자아에 의해 시간성이 노정되는 것을 주제로 하는 이 연구에서, 반성은 순수자아의 동일성의 문제로서 채택되고, 내재적 시간성의 차원에서 규명되게 되었다. 반성은 그것이 순수한 형태에 있어서 자아의 자아자신에 대한 관계로서 파악되는 경우, 반성하는 자아와 반성되는 자아 간의 자기분열을 의미하는 동시에, 이 두 자아가 동일하다는 것을 정립적으로 확인하는 것이기도 하다. 후설은 본래 자아분열과 자아의 자기동 일성의 확인을 이른바 내성적 자아작용으로서의 반성으로 보고 있었는데, '살아있는 현재'의 분석에서는 이러한 반성에 의한 확인은 이미 생기하고 있는 것의 '지나고 나서 알아차림'에 지나지 않는다는 점을 사상事象의 구조 에서 밝혀내고 있다.[9] 반성에 앞서서 반성을 가능하게 하는 반성의 조건으로 서 언제나 이미 전반성적 사태가 발생하고 있어서, 자아분열도 자아합일도 그 안에 속해 있다고 하는 것이다. 반성의 가능적 근거가 되는 이 전반성적 사건이란 '지금' 활동하는 자아의 기능과 함께 생기해 오는 자아의 시간적 존재방식과 다른 것이 아니다. 이미 후설은 일찍부터 의식을 구성해 오는 시간의 흐름에 대해서 연구를 진행하고 있었는데, 최후의 시간론에서는 시간이 '지금' 활동하는 자아기능에 의해서 원초적으로 생기해 오는 방식을 묻는다. '곧'에서 '지금'으로, '지금'에서 '이제 막'으로 간단間斷 없이 유동하 는 이 시간위상들이 '지금' 활동하는 자아의 살아있는 기능에 의해서 하나의 폭을 지닌 '열려진 현재'로 취집되고, 의식직관의 현재장Präsenzfeld을 형성한다. 그런데 자아는 '지금' 기능하는 것인 한, '지금'은 항상 '지금'으로서 정지해 있지만, '지금' 기능하는 자아가 항상 '이제 막'으로 흘러가는 한 '지금'은 항상 흘러가는 '지금'이기도 하다. '살아있는 현재'는 이 정지성과 유동성이 통일된 양의적 사태이다. 그리고 '살아있는 현재' 내에서 '지금' 기능하는 자아는 '이제 막' 활동하고 있는 자아를 파지적으로retentional 보유하면서 그것을 비정립적으로 알아차릴 수 있는 것이며, 두 자아의 분열과 합일은 이 자기현재태에 있는 두 자아의 '흐르는 동시성' 내에서 생기하고 있다. 자아분열은 간단없는 흐름에 의해 자아의 자기 자신과의 거리가 발생함으로써, 자아합일은 이 거리의 가교가 이 항상적 흐름에 의해가능하게 됨으로써, 자아분열과 자아합일은 모두 이미 이 '살아있는 흐름의 현재' 내에서 자아의 시간적 존재방식으로서 속해 있다. 정립적 반성은 이와 같이 이미 선정립적 방식으로 자아분열과 자아합일이 원초적으로 생기하고 있기 때문에 가능하게 되는 것이며, 자아분열을 통해서 자아의 동일성을 확인하는 정립적 반성은 '지나고 나서 알아차림'에 지나지 않는 것이다. "반성은 궁극적으로 기능하고 있는 자아의 전반성적으로 흘러가는 자기현재태의 명확한 분절에 지나지 않는다."(10) 시간화Zeitigung에 앞서는 이 전반성적 원原합일Präreflexive Ureinigung에 관한 후설의 분석은 단순히 반성이 전반성적인 것에 의존하지 않을 수 없다는 점을 지적하는 데 머물지 않고, 의식이 자기 자신을 원초적으로 의식하는 자기의식의 전반성성을 말하고자 하는 것이다. '나뉘어 있음에서 동일함'이란, 전반성적 자아복수성에서만 유일적인 자아와 다른 것이 아니며, 이것이야말로 자기의식을 의미한다. 즉 후설이 '살아있는 현재'의 흐름 속에서 생기하는 자아분열과 자아합일에서 발견하는 것은 바로 자기의식이 정립적 반성과 본질적으로 구별되어야 한다는 점이다.

그렇지만 후설은 이와 같은 전반성적 자기의식을 현상학적 반성이라 불리는 정립적 반성의 방법에 의해 파악하고자 했기에, 스스로 반성론의 아포리아 속으로 휘말려들어가고 있었다. 전반성적인 '살아있는 현재'를 반성에 의해 파악하고자 후설은 반성의 제반 방식을 시도하여, 결국 '살아있는 현재'의 구조를 분절화할 수 있었지만, 단지 그 기능하는 자아의 생동성만은 어떻게 해도 반성에 의해 파악할 수 없는 벽에 마주치게 되었다. 전반성적 사태의 반성 불가능성은, 이 경우 반성이 정립적 반성인 한 반성의 대상은 이미 시간화한 대상이기에, 더 이상 본래의 살아있는 대로의 원초적 사건의 성격을 놓쳐버렸다는 데에 있다. 그런데 반성의 시선으로부터 끊임없이 벗어나 흘러가는 이 생동성은 바로 반성 그 자체의 자아기능의 생동성으로서 대상화될 수 없는 방식으로 거기에서 임현적臨現的으로 활동하고 있다. 이렇게 해서 '살아있는 현재'를 살아있는 모습 그대로 파악하고자 하는 '철저화된 반성'은 끝끝내 절대로 대상화되지 않고, 기능하는 것에서만 자기를 자유自由로 하여 비정립적으로 '나는 할 수 있다'로서 의식하게 되는 자기의식을, 바로 그것이 반성화될 수 없다고 하는 반성의 좌절을 통해서 탐지해 내고 있다. 이른바 '반성의 순환현상'이라 불리는 것, 즉 반성은 설명하고자 하는 것을 전제로 하고 있다고 하는 반성론의 아포리아를, 그 극한에까지 걸어가게 됨으로써, 반성은 자신의 의식 기능의 자기의식을 대상으로서가 아니라 자신의 안에서, 말하자면 자신의 배면에서 발견하게 된 것이다. 만년의 후설의 직제자이자 오늘날 가장 탁월한 후설 연구자 중의 한 사람인 란트그라베는 후설이 ein Ich라고 부르는 이 주관성을 세계경험적 생으로서의 초월론적 주관성과 구별되어야 한다고 말한다. 세계의미와의 구성적 상관관계에서 물어진 주관성이 이른바 현상학적 반성의 영역으로서 무한하게 자기를 개시開示해 가는 생이고 현상학적 반성의 대상영역을 형성하는 데에 반해서, 자유自由인 수행아遂行我, Vollzug-Ich는 어떠한 의미에서도 기술의 대상이 되지 않으며 그 수행遂行에서만 그 자신의 자유를 의식하는 깨우친 자아이다.[11] 이로부터 후설이 『위기』의 환원론에서 이성의 자기책임적 기능에 대해서 말하고, 내면으로부터 소환되고 있는 자기이해로서 환원을 설명하고자 한 점을 다시 한 번 생각해볼 필요가 있다. 후설이 현상학적 환원을 궁극적으로 근거짓고자 했을 때, 분명히 역사철학적 사변에 의해서 그 진의를 확인하기 어렵다고 해도, 더 이상 이제까지의 환원론에서는 보이지 않았던 역사적 자성自省이란 형태로밖에 자기책임적 이성의 자기확인을 말하지 않을 수 없었던 이유를 충분히 생각해야만 하는 것이다(역사적 자성自省에 대해서는 후술한다.)

후설이 존재를 대상과 등치하는 근세 형이상학적 진리규정을 전제로 하고, 반성을 정립적 파악작용이라고 보는 근세적 반성론의 유산을 계승함으로써, 결국 반성과 자기의식을 동일시하고 말았다는 점에 대해서는 란트그라베나 브뢰크만 등에 의해서 지적되고 있지만, 그러나 후설의 이 '철저화된 반성'에서 마주치는 반성의 좌절은 반성의 패배를 의미하는 것이 아니라, 오히려 반성의 자기극복이라고도 말할 수 있는 것이어서, 그것을 통해서만 자기의식의 본질을 발견하기에 이를 수 있었다고도 생각된다. 근세 형이상학과 후설 현상학 간의 양의적 관계를 통해서 후설의 현상학이 수행한 역할의 하나가 여기서 적확하게 간취되는 것이다.

헬트(1936-)는 후설은 이런 의미에서 피히테의 후계자라고 말하는데, 피히테에 대한 최근의 새로운 연구의 다수가 이 점에서 후설의 연구와 교차하고 있다는 것은 극히 흥미로운 점이다. 본장 모두에서 인용한 바 있는 헨리히도 또한 그의 피히테 논에서 피히테(1762-1814)가 만년의 지식학知識學에서 반성에 의해 파악되지 않는 자기의식의 본질을 피히테 자신이 감지하고 있었다는 점을 지적하고 있다.[12] 또한 다른 논문에서 반성과 자기의식 간의 종래의 관계가 역전되어, 반성에 의해 자기의식의 본질이 규정되는 것이 아니라, 역으로 자기의식에 의해 반성이 제어되어야만 한다는 점을 언급하는데, 그 대목에서 그도 또한 자기의식의 본질에 달하는 것은 반성의 자기극복에 기대할 수밖에 없다는 점을 인정하고 있다.[13]

후설의 반성론은 반성의 방법을 철저히 실시함으로써, 한편으로는 비대상적 세계에 관한 근원적 세계경험의 층을 개척하고, 다른 한편으로는 반성의 근거가 되는 반성 불가능한 자기의식의 절대적 사실에 마주쳤다는 점에서 현대의 반성론적 상황의 형성에 크게 기여하고 있다고 말하지 않으면 안 된다. 반성 문제에 있어서, 현대철학의 궁극적 주제의 하나인 지知의 양의성의 문제가 관련되어 있다는 점을, 한편으로는 반성론의 역설에 대한 해명을 둘러싸고서 부정적인negative 방식으로 보여주는 동시에, 다른 한편으로는 양의성이 발생하는 기반을 반성의 근거가 되는 '살아있는 현재'의 원초적 양의성의 사태에서 묘출해보였던 것이다.

제4절 철학적 해석학과 반성의 지평성격

다시 전후 독일철학의 시기 구분의 문제로 돌아가고자 하는데, 1960년에 H. G. 가다머의 『진리와 방법』이 간행됨으로써 독일철학은 또 한 시기를 맞이했다고 할 수 있다. 이 책의 출현은 당시 상당한 범위에 걸쳐서 센세이션을 일으켰다고 전해지는데, 그가 이 저작에서 제창한 철학적 해석학은 그 후에도 많은 공감과 함께 격한 이론異論을 유발해서 독일철학에 하나의 논쟁적polemisch 상황을 창출하고, 그때까지 주로 하이데거 사상의 직접적 영향권에 놓여 있었던 독일철학에 하이데거로부터 비판적 거리를 두는 하나의 기회를 부여하는 역할을 수행했다. 그러나 그것은 본래의 반反하이데거적 사상 진영에 가담함으로써가 아니라, 오히려 그의 철학적 해석학의 기도가 해석학적 문제권을 아득히 넘어, 현대의 학문론에 하나의 새로운 지평을 여는 데에 공헌했기 때문이다. 그 자신이 이 책의 서언에서 "후설이 우리에게 의미를 부여한 현상학적 기술의 양심성, 딜타이가 철학함을 모두 거기에 두었던 역사적 지평의 넓은 폭, 하이데거가 수용하여 관철된 이 양자의 동기"가 그의 철학적 사색의 척도가 되었다고 언급하고 있는데,(14) 나아가 1966년에 발표된 다른 논문에서는 "우리는 후설과 하이데거 덕분에 반성개념에 지워진 그릇된 대상화를 배제해서 보는 법을 배웠다"(15)고 서술하고 있다. 이로부터 관찰되는 바와 같이, 그의 철학적 해석학의 시도를 현대 반성론의 한 전개로 볼 수 있다. 『진리와 방법』 제2판의 서언에서 그의 해석학에 제기된 많은 의문에 답하고자 하는 의도에서, "나의 책이 방법상 현상학의 지반에 서 있다는 것은 맞는 말이다"(16)고 새롭게 다시 변론하고 있는데, 이런 점에서 그는 넓은 의미에서 현상학의 사상을 전개했다고 말할 수 있겠다.(17) 딜타이 해석학의 심리학적 한계를 돌파하기 위해서 하이데거의 철학으로부터 새로운 방법을 도출해서 현상학적으로 그것을 다시 주조하고자 하는 그의 기도는, 그러나 엄밀한 의미에서 의식의 현상학적 분석이 전개되는 선상에 놓인다고는 말할 수 없고, 오히려 현상학의 분석의 성과를 유효하게 되살리면서 주로 하이데거의 『존재와 시간』의 해석학적 방법과 후기 하이데거의 존재역사적 대화의 사상을, 널리 전통이라 불리는 것에 대한 인식의 방법에 구체화하고자 한 시도라고 말할 수 있겠다. 즉 그는 해석학적 현상학에 의거해서 역사적 경험을 반성론적으로 해명하고자 시도한 것이다. 그것은 또한 비정립적 반성의 가능성의 문제나 전통이해로서의 반성의 구조라 하는 것을 둘러싸고서, 매우 주목할 만한 주장이기도 한 것이므로, 이 기회에 그의 해석학적 반성이론에 해당하는 것을 언급해 두고자 한다.

그의 책을 펴서 읽을 때 특히 묘한 느낌을 주는 것은 '선입견Vorurteil의 복권'이라는 어구이다.(18) 일반적으로 철학은 선입견을 철저하게 배제하는 데에서 출발해야만 한다는 것이 종래 학으로서의 철학이 반복해 온 주장이기 때문이다. 그러나 가다머에 의하면 이 상당히 계산된 표현도 실은 하이데거가 해석학적 상황을 해명할 때에 주제의 선행적 이해를 주제화하는 해석학적 순환현상을 지적한 것을 떠올린다면, 그다지 이상하게 여길 만한 것이 아니다. 요컨대 인간의 이해작용이 상황에 구속돼 있다는 점, 상황에서 출발한다는 점을 표현한 것에 지나지 않는다. 이 순환현상은 하이데거에 따르면 현존재 구조에서 유래하는 것으로, 그는 주제가 되는 것을 앞서 가짐Vorhave, 앞서 봄Vorsicht, 앞서 잡음Vorgriff 하기 때문에 그것을 주제로 하여 방법적으로 전개해 갈 수 있다고 말하고 있다.(19) 그런데 가다머의 경우 이 선입견의 복권이 전통의 이해와 관련하여 언급된다. 알기 쉽게 풀어서 말한다면,

어떤 일이 시작될 때는 이미 그 와중에 있어야만 한다는 것이다. 즉 우리가 전통을 이해할 때에도 항상 상황 속에 놓여 있다고 하는 것은 이미 전통 속에 세워져 있다는 것이다. 그리고 이 상황 속에서, 이렇게 말하는 것보다는 이와 같은 상황으로 해서 해석학적 순환현상이, 전통이 우리에게 작용하는 운동과, 해석자가 전통에 대해 이해해 가는 운동 간의 상호 착종된 운동으로서 일어난다.[20] 가다머는 여기서 슐라이어마허가 해석학에 부여한 유명한 모토 "저자를 저자 자신이 자기를 이해하고 있었던 것보다 더 잘 이해하는 일이 필요하다"를 인용하고, 이 모토가 본질적으로 슐라이어마허나 딜타이의 경우와 같이 저자의 심적 체제 속으로 몸을 옮겨가서 본래의 생산행위를 재생산하는 것을 의미한다고 말한다. 또한 텍스트의 의미가 이미 저자를 초출했다는 점을 알아차리지 않으면 안 된다고 말한다. 거기서 역사적 거리란, 단지 가교를 행하는 심연이라는 부정적인 의미를 지니는 것이 아니라, 더 긍정적인 의미, 즉 전통을 우리에게 마주치게 하는 근거의 역할을 수행한다는 의미를 지닌다.

우리가 전통을 향해서 물음을 건네는 것은, 실은 전통 쪽에서 우리들에게 말을 걸어옴으로써 우리의 선입견이 물음의 활동을 하기 시작하는 것이다.[21] 가다머는 종래의 역사인식에서는 이해하는 주체가 자신이 역사적임을 잊고서 역사적 인식의 대상을 대상으로서 고정시켜 왔는데, 이와 같은 역사적 대상은 대상으로서 있을 수 없다고 말한다. 거기에는 이해하는 자와 타자의 관계가 있을 뿐이며, 그는 이 관계를 영향작용사적 의식wirkungsge-schichtliches Bewußtsein[22]이라 부른다. 영향작용사적 의식은 이해작용이 실시되기 위한 중요한 계기로서, 상황의 의식이라고도 말할 수 있고, 역사를 이해할 때의 지평의식이라고도 말할 수 있다. 지평을 갖는다고 하는 것은, 몸 가까운 것에 제한되지 않고 그것을 넘어서 가는 것이다. 역사나 전통의 이해의 경우 이해하는 자가 살고 있는 지평과 그가 타자를 이해하기 위해 몸을 옮겨가는 지평이 서로 닫혀져 있거나 고정되어 있는 것이 아니라, 활동 속에서 서로 융합할 수 있는 것이다. 그러므로 이해한다는 것은 이것들

의 지평융합의 사건이며, 이 지평융합의 방식을 그는 '물음과 답의 변증법'이라고 하고 있다.[23]

그때 그는 경험의 구조가 다른 경험들에 대해서 열려져 있다는 점을 헤겔의 경험개념 비판이나 제반 사례에 의거해서 분석적으로 증명하는데, 해석학적 경험의 개방적 구조란 전통으로 하여금 나에게 무언가를 말하게 한다는 구조의 형태를 지니므로, 경험이 전통에 대해서 열려져 있다는 것과 다른 것이 아니다. 가다머는 이렇게 해서 하이데거의 존재역사적 대화에 보이는 저 말해진 것Gesagtes 속에서 말해지지 않은 것Ungesagtes을 묻는, 예의 진리의 현상現成 방식을 존재에서 전통으로 이동시키고자 하고 있다.[24]

다음으로, 이 물음과 답의 변증법의 구조를 더 구체적으로 고찰해 보자. 우리가 과거에 작성된 텍스트를 현재 이해하고자 할 때, 우선 무엇보다도 텍스트가 우리를 향해서 물음을 걸어온다는 의미에서 우리는 물음이 걸어와 진 자로서 물음에 참가하여, 텍스트의 의미가 그 답인 물음을 재구성하지 않으면 안 된다. 즉 최초의 물음에 대한 답을 탐색하는 '묻는 방식'을 시작하지 않으면 안 되는 것이고, 그래서 이 두 계기가 우리의 물음을 구성하는 계기가 되어, 과거와 현재가 역사적 자기매개의 형태로 만나는 것이다. 재구성된 물음은 더 이상 저자에 의해 말해진 것이 아니라 오히려 저자에 의해 말해지지 않았던 것 곧 그늘의 부분으로 들어가게 되고, 그런 의미에서 이 물음은 결코 대상화적 정립이 아니라 지평의 융합으로서 이제까지 숨겨져 왔던 사상事象, Sache이 새롭게 출현하게 된다. 결국 이해란, 텍스트가 물음을 걸어오는 그 물음을 되묻는 것이며, 텍스트를 하나의 물음의 답으로서 이해하는 것이라고 말해도 좋을 것이다.[25]

과거와 나누는 이와 같은 대화에서, 나라는 개별적 주관은 더 이상 과거를 대상적으로 정립하는 고정적 시점이 아니다. 대화의 주역을 연기하는 것은 오히려 대화 그 자체인 바, 대화가 나와 역사적 현실성인 상대역을 포함하고 있다. 그래서 가다머는 이 동적인 사건에서 유희Spiel의 성격을 읽어내고 있다. 유희의 개념은 오늘날 널리 관심을 끌고 있는 것으로, 철학의 분야에서는 E. 핑크나 I. 하이데만의 연구가 주목받고 있지만,⁽²⁶⁾ 이 개념을 방법론으로 가져온 사람은 가다머 단 한 사람이 있을 뿐이다. 대화가 유희라고 하는 이유는 우선 무엇보다도 대화가 역사적 현실의 동태動態로서 간주되고 있기 때문이다. 유희는 유희 고유의 존재를 자신의 안에 지니는 것이기 때문에, 유희를 유희하는 자Spieler의 주관성에서 이해해서는 안 된다. 오히려 유희는 유희하는 자를 자신 안에 포함하는 것이라고 말해야만 하는데, 그 이유는 유희하는 것spielen은 유희 그것뿐이기 때문이다.⁽²⁷⁾ 이러한 유희가 지니는 몰주관적 성격에 대해서 가다머는 한 논문에서 다음과 같이 말하고 있다. "유희로 향해서 열려져 있다고 하는 탈자적 자기이해는 자기소유의 손실로서 경험되는 것이 아니라 자기 자신의 몸 위로 고양되어 가는 자유로운 가벼움으로서 적극적으로 경험된다."⁽²⁸⁾ 『진리와 방법』에서는 이 유희의 성격을 '거울에 비춤Spiegelung'으로 부르고도 있다.⁽²⁹⁾ 이상과 같이 물음과 답의 교체의 변증법은, 유희로 생기함으로써 말해진 것Gesagtes을 말해지지 않은 것Ungesagtes의 무한성과 함께 의미의 통일로 결집하고, 그렇게 함으로써 말해진 것Gesagtes을 이해하는 것이다.⁽³⁰⁾

하지만 이와 같은 대화를 가능하게 하는, 언어와 맺는 관계가 당연히 거기에서 물어지지 않으면 안 된다. 왜냐하면 대화는 언어를 매체로 해서 성립하기 때문이다. 나아가 언어의 세계관계성을 명확히 하지 않으면 안 될 것이다. 이 점에 관한 가다머의 견해를 추적해 보자. 그에 의하면, 인간의 세계경험은 그 자체로 언어적 세계경험이다. 언어로 다가오는 것은 제2의 현존성을 거기서 손에 넣는 것이 아니며, 존재하는 것은 스스로를 현시하는 것sich darstellen과 일체가 되어 있다.⁽³¹⁾ 그의 이 생각을 보여주는 것은 "이해될 수 있는 존재는 언어이다"⁽³²⁾는 명제이다. 해석학적 경험도 언어적 사건으로서, 세계를 결코 대상화하지 않는 언어적 세계경험이다. 그는 또한 다음과 같이 말한다. "언어로 다가오는 것은 우리의 역사적 전통의 전체를 항상 포함하고 있는 세계경험이다."⁽³³⁾ 그러나 그렇다고 해서 역사적 현실성의 전체가 언어화되는 것이 아니며, 오히려 이해는 항상 도중에 있는 것이고 완결되지 않은 것이다.[34] 다만 배후에 숨어 있는 것을 목전에 가져올 때에 의미의 전체가 현전한다고 말하는 일은 있다. 따라서 이 완결되지 않는 반성의 진행과 함께 과거는 대화의 모태로서 무진장한 것, 다 길러낼 수 없는 것으로 화하게 된다. 이 해석학적 반성의 Ereignis적(=생기사건적) 성격에 대하여 가다머는 드디어 "그것은 의식 이상의 존재이다"[35]고 말한다. 또한 "우리가 무엇을 행하는가 또는 무엇을 행할 수 없는가가 아니라, 우리의 의욕과 행위를 넘어 우리와 함께 무엇이 일어나는가가 물어진다"고도 말하고 있다.

그런데 이상과 같이 가다머가 제창하는 철학적 해석학의 핵심을 형성하는 것은, 뭐라고 해도 하이데거의 존재역사적 대화의 방식을, 존재를 전통으로 대체함으로써 역사이해의 방법으로 다시 주조하고자 한 데에 있는 것으로, 그 점에서는 오늘날 과학적 인식의 그늘에 감추어져 있는 인간의 근원적 세계경험을 역사적 경험의 영역 속에서 역사적 경험 바로 그것으로서 취해내고자 한 시도라고 말할 수도 있는 것이어서, 이 시도는 우리가 우리 자신의 전통과 마주치는 것을 다시 묻고자 할 때에 깊은 시사점을 주고 있다고 말하지 않을 수 없다. 왜냐하면 오늘날 자주 제창되는 객관적 원原사실(또는 원형)로서의 전통 운운하는 것은 어디에도 있을 수 없기 때문이고, 이와 같은 실체론적 전통론은 진리론적으로 파괴되어야 하는 것이기 때문이다.

제5절 반성론의 향후 과제

가다머의 학설은 현대의 전통이해의 방법론에 하나의 가능성을 제시하는 것이지만, 이런 종류의 역사이해의 가능성은 이미 후설의 현상학이 생성하고 심화하는 가운데 준비되고 있었다고도 말할 수 있다. 후설이 「기하학의 기원에 대하여」에서 말한 기원적 의미를 역사적으로 노정하는 방식이나, 『위기』에서 그가 실제로 추진했던 역사적 성찰을 기술하는 방법은 침전된 것, 은폐된 것의 그늘에서 진리를 탐구해내는 방식으로서, 해석학적 반성의 비정립적 성격과 지극히 가까운 것이다. 분명 후설은 『위기』에서 역사의 목적론이라는 것을 말하기 시작해서 궁극적 자각에 이르는 역사적 과정을 더듬어가는 이성의 목적론적 운동을 말하고 있는데, 그런 한에서 고전철학의 역사철학적 주장으로 회귀했다고 볼 수 있다.[36] 그러나 이 목적론의 이념Idee 을 후설이 의식의 분석을 행할 때 본 목적론으로까지 돌아가서 다시 검토하고, 지知의 근원적 발생의 장에서 생기는 목적론적 사건이 가지는[37] 양의적 차이적 성격을 염두에 두고 후설의 역사 서술을 다시 읽을 때, 후설이 말하고자 하는 로고스라든가 원原창설Urstiftung이라는 것은 결코 역사적 사실의 성격을 띠는 것을 의미하는 것이 아니라, 현재의 상황이 개시開示됨으로써 점차로 비추어져 나오게 되는 역사의 근거를 의미한다는 점을 알아차리게 될 것이다.[38] 역사적 현재에서 행하는 궁극적 창설Endstiftung에 의해서 근원적 창설이 무엇이었나가 개시開示되어 온다고 후설이 말할 때, 이 역사적 자성自省은 고유한 내적 진리를 요구하고 있다. R. 뵘은 이 시기의 후설이 스스로 '역사의 로만Roman의 구축'이라 부른 역사철학적 구상을 인용하고, 이 수수께끼 같은 사태로부터, 역사적 자성自省이 역사의 진행에 미치는 Wirkung(=영향작용)이라든가 Wirksamkeit(=영향공능)의 방식, 또는 현재의 역사의식 속에서 역사의 근거의 노정이 완결되는 방식이 거기에 보인다는 점을 지적하고 있다.[39] 단 후설의 경우 기원적 의미를 역사적으로 노정하는 것은 '현재까지 이르는 전통화의 통일'[40]의 그늘에 가려지고 덮여져 있었던 것을 재현재화再顯在化, Reaktualisieren하는 것을 의미하며, 그런 한에서 전통이 '말해진 것Gesagtes'으로서 활동의 역할을 수행하고 있다고 말해도 좋을 것이다. 그렇게 때문에 후설의 통찰은 거기에서 가상화假象化가 발생하는 방식도 동시에 보고 있는 것이며, 전통의 개시開示는 가상을 비판하는 논리가 되고 있다. 이에 반해서 후설과 마찬가지로 과학적 방법에 보이는 세계대상의 추상성을 설명하고 근원적인 세계경험으로 돌아가고자 하는 가다머의 철학적 해석학의 시도에는 유감스럽게도 철학으로서 자기를 주장하기에는 본질적으로 미해결의 문제가 남아 있다. 그것은 철학적 해석학이 어떠한 한도에서 자기를 존재론으로서 주장할 수 있는가 하는 문제라고 말해도 좋을 것이다. 그 자신도 철학적 해석학의 보편성의 요구를 중시하고, 철학적 해석학이 역사적 경험이나 미적 경험의 영역을 넘어 존재론으로 전화한다고 주장하지만, 이런 요구에는 상당히 무리가 있고 그런 점에서 여러 반론을 불러일으키고 있다.

우선 그의 보편성 요구와 관련해서, 해석학적 반성이 모든 영역에 걸쳐서 과연 가능한 것인가 하는 문제가 있는데, 이 점에서 하버마스와 주고받은 논쟁이 널리 알려진 바 있다.[41] 하버마스도 또한 독일관념론의 반성론을 귀중한 유산으로서 평가하는 한 사람이지만, 다만 그의 경우에는 이데올로기를 비판하는 반성의 힘이 설시되고 있다. 그에 따르면, 사회생활의 실재연관은 반드시 언어로만 성립하는 것이 아니라 노동이나 지배기구로도 성립한다. 그 때문에 해석학적 반성은 단순한 문화전통에만 관여할 뿐만 아니라 사회적 과정을 문화전통으로 환원하기도 하는데, 이런 점에서 언어성의 관념론에 지나지 않는다. 그러나 다른 면에서 그는 해석학적 반성이 사회과학 내에 있는 객관주의적 자기이해를 파괴했다는 점에서 이를 높이 평가하고 있다. 하지만 해석학적 반성이 생활실천의 독단론을 뒤흔드는 데까지 이르지 않은 채 권위와 이성의 대립을 꿰뚫어보지 않고서 결국은 권위를 승인하게 된다는 점을 비판한다. 그 하나의 예로서, 또 해석학의 보편성 요구에 대한 반증으로서 그가 드는 것은, 닫혀진 변칙적 의사소통으로서 정신분석에서 행하는 의사와 환자가 나누는 대화의 구조이다.[42] 이 경우의 심층해석학적 반성은 해방적 효력을 지니지만, 해석학적 반성은 이 효력을 지닐 수 없다. 이러한 심층해석학적 반성의 해방적 효력과 유비적이라고 생각되는 것이 이데올로기를 비판하는 이른바 비판적 반성이며, 해석학적 반성은 결국 이데올로기 비판으로 이행하지 않으면 안 된다고 주장한다. 이에 반해서 가다머는 철학적 해석학은 사회적 강제를 의식화에 의해서 해결하고자 하는 해방적 관심과는 전적으로 의도를 달리한다는 점을 분명히 하고, 또 어떠한 사회적 강제를 가지는 사회적 현실성이라 하더라도 언어로 분절화된 의식에 의해 표명되는 것인 이상, 해석학적 반성의 대상이 될 수 있다는 취지를 서술하고, 정신분석적 반성과 해석학적 반성을 혼동할 위험에 대해 언급하고 있다. 여기서 이 논쟁을 자세하게 검토할 생각은 없지만, 서로 상대를 낭만주의자 취급을 하는 이 논쟁은 인식에 관심이 선행한다고 하는 점에서 양자가 일치하지만, 관심의 철학적 의미가 서로 어긋나는데, 특히 하버마스 쪽에 가다머 사상에 대한 오해가 있다고 생각된다. 그러나 이와 같은 반론을 유발한 원인 중 하나로 들 수 있는 것은 가다머 해석학의 보편성 요구가 해석학의 최초의 국면을 확대해 가는 방향에서만 구해지고 있다고 하는 점이리라. 철학적 해석학이 존재론으로 전화하는 것은 바로 앞에서 인용한 "이해되는 존재는 언어이다"는 명제에서 볼 수 있는 바와 같이, 언어적 세계경험의 보편성이 주장되는 한에서이다. 그런데 이 보편성 의 주장은 부정확하며, 아무리 그가 "언어는 이성의 언어이다"고 말할지라도 언어와 이성의 관계에 대한 존재론적 규정이 결여하는 한, 보편성 요구의 철학적 정당성은 인정하기 어려운 것이다.(43) 이 점에서 언어와 이성의 사변적 동일성에 대응하는 존재론이 있어야만 한다는 브라운의 비판은 정당한 것이리라.(44) 또, 이와 관련되는 것이지만, "진리를 대화로서, 부표浮漂 로서 이해해야만 한다"고 가다머가 말할 때 오류의 문제는 도대체 어떻게 되는 것일까? 언어는 보르만이 비판하는 바와 같이, 이성에 의해 형성되기도 하지만 오류에 의해서도 형성되는 것이기 때문이다.(45) 가다머가 제창하는 대화로서의 진리 현성의 사상이 갖는 한계와 약점이 여기서 발견된다고 생각된다. 언어적 세계경험의 보편성 요구가 아니라, 세계경험 그 자체의 보편적 구조를 현상학적으로 해명함으로써 언어적 경험의 근원성을 새롭게 다시 묻는 일이 필요하게 되는 것은 아닐까? 그렇다고 한다면, 진리로 가는 길로서의 Vorurteil(=선입견)의 의미도 재차 소생하게 될 것이다. 나아가 근원적 경험이나 근원적 지知의 발생 방식이 지니는 양의적 구조는 언어 내에서만 일어나는 것이 아니라는 점도 잊어서는 안 된다. 가다머는 하이데거의 존재를 전통으로 대체함으로써 차이성의 문제를 놓치고, 특히 이제까지 현상학의 토론을 풍부하게 또 예리하게 하고 있었던 존재와 의미의 차이성을 둘러싼 물음을 거부하고 말았다.(46) 여기에 관념론으로 회귀했다고 지적되는 근본원인이 숨겨져 있다고 생각된다.

분명히, 이제까지 서술한 바와 같이 가다머의 철학적 해석학에는 존재론으로서 스스로를 주장할 수 있는가 하는 점에서 의문의 여지가 있다. 그러나 현상학이나 존재의 사유에 의해서 열려진 Sache(=사상事象)의 근원성을, 현대의 학문론적 상황으로 가져오고, 전前 과학적 경험의 근원성의 문제에 대해서 광범위한 토의를 가능하게 하기 위한 매개적 역할을 수행했다고 하는 점에서 그의 공적은 간과할 수 없는 것이다. 특히 반성론의 중심주제인 반성의 비정립성,(47) 개방성, 미완결성을 과학적이거나 역사적인 인식 이전의 '살아있는 역사경험'에서 발견하고, 언어작품의 해석을 행할 때 나타나는 '진리와의 만남'의 현상을 몰주관적인 유희Spiel의 운동으로서 설명하여, 전통 이해의 새로운 장면을 열었다고 하는 점은 충분히 평가되어야 할 것이다.

마지막으로, 역사적 반성을 매개하는 일과 더불어 그 자체가 하나의 반성영역을 형성하는 사회적 상호이해Verständigung로서의 반성을 해명하는 문제가 남아 있다. 이 해명은 본래 대화라는 것은 타자성Fremdheit의 이해이므로 우선 타자성을 이해하는 가능성을 정초하는 일을 필요로 하지만, 동시에 또한 나에 의한 타자의 이해와 타자에 의한 나의 이해가 동시적으로 성립하는 상호성을 정초하는 일도 필요로 한다. 이 상호성의 근거는 현상학적으로 상호주관적인 공재Mitsein로서, 근원적인 존재관계에서 발견되지 않으면 안 된다. 상호 정립적으로 대상화하는 차원에서만 인간상호의 교섭관계를 보고자 하는 사상은 대화로서의 상호이해의 가능성을 정초할 수 없기 때문이다. 타자이해를 정립적 의식으로만 한정하는 길은 유아론에 빠지지 않을 수 없다. 후설은 타자이해를 Einfühlung(=감정이입)의 작용으로 보고, 이 Appräsentation(=간접현시) 작용에서 타자성을 이해하는 기저를 자기의 재현전화하는 작용에 나타나는 나 자신의 타자성에서 구했지만, 그의 후기의 분석론은 오히려 사상事象, Sache에서는 이 역의 방향이 성립한다는 점을 시사하고 있다. 즉 나 자신의 타자성은 파생적인 타자경험의 선행적 단계로서뿐만 아니라, 근원적인 우리의 경험이나 너의 경험 이후로부터의 단계로서도 증시되는 것이다. 그 경우 이미 타자를 타자로서 이해하기에 앞서서 타자를 향해 열려 있고 타자와 함께 있는 '우리'로서의 나의 존재가 해명됨으로써 이와 같은 관점의 전환이 가능하게 된다. 헬트는 '살아있는 현재' 내에 '공동-현재'가 포함되고, 자아의 기능이 타자의 기능과 함께 작동하는 원적原的 현상에 대해서 언급하고 있는데, 정립적이든 비정립적이든 사회적 상호이해의 가능성은 우리의 생의 근원에 가로놓여 있는 자아와 세계 간의 개방성이 동시에 타자로 향한 개방성이기도 하다는 점을 명확히 해명할 수 있을 때에 비로소 근거지어지는 것이리라. 오늘날 타자이해의 문제를 축으로 해서 현상학적으로 사회적 존재론이나 사회철학에 대한 시도가 행해지고 있는데,[48] 이러한 연구는 또한 사회적 상호이해의 반성론적 규명에 크게 기여하는 것임에 틀림없다. 상호이해로서의 반성의 현상에 대해서는 다른 기회에 논하고자 한다.

제5장 해석학의 현황

해석학Hermeneutik, hermeneutics, herméneutique이란 명칭이라든가, 이와 관련 있는 '이해'나 '해석'과 같은 개념은 오늘날 철학의 논의에서뿐만 아니라 널리 제반 인간과학의 분야들에 걸쳐서 빈번하게 들을 수 있는 말이다. 오랜 역사를 갖는 해석학의 개념이 이와 같이 넓은 범위에 걸쳐서 쓰이고 있다는 것은 오늘날 학문의 논리나 방법상에 생기고 있는 어떤 큰 변화 또는 동향을 고하고 있다고 생각된다.

오늘날의 해석학을 둘러싼 논의를 급속히 전개하게 한 방아쇠가 된 것은 1960년에 간행된 H. G. 가다머의 『진리와 방법』이다. 이 책이 출현함으로써 해석학은 한때 하이데거 철학 내에 갇혔던 상태로부터 재차 풀려나와 널리 제반 인간과학의 방법으로 퍼져나가게 되었다. 물론 하이데거의 해석학적 통찰을 널리 되살리기 위해서였다. 이렇게 해서 해석학은 당시 이미 화려하게 시작되고 있었던 독일어권에서 벌어진 방법 논쟁에 참가해서, 이 논쟁을 한층 활성화하여 지속하게 하는 데에 공헌했다. 가다머보다 조금 늦게,

리쾨르나 하버마스 등이 프로이트의 정신분석의 심층해석학적 성격을 새롭게 유효한 방법으로서 각자의 관심에 맞게 적극적으로 채택함으로써, 해석학의 사회문화적 기능이 중시되게 되었다. 거기에다 또 후기 비트겐슈타인의 언어게임론이나 오스틴과 설이 대표하는 영미계의 언어수행론이 해석학의 논의와 교류함으로써, 예를 들면 아펠에게서 볼 수 있듯이 해석학은 언어행위론이나 의사소통이론과 결합하고 있었다. 나아가 니체 만년의 '해석'의 사상을 소쉬르의 구조언어학의 기호론적인 전개와 결합해 가는 프랑스의 후기구조주의의 텍스트 이론, 또한 새로운 실용주의(R. 로티)의 해석학을 향한 현저한 접근, 그 밖의 여러 문화해석학의 전개 등이 해석학 논의의 확대화에 한층 박차를 가했다. 이 제반 동향들 간에 점점 토론이나 논쟁이 발생하고, 나아가서는 전통적 해석학의 계보를 이끄는 문헌해석학(또는 문예해석학)이 제기하는 견제적 반론도 더해져서, 오늘날 해석학을 둘러싼 담론Diskurs은 어떤 화려함을 드러내고 있다. 분명 이 제반 주장들은 해석학의 논리의 큰 틀을 공유하지만, 그러나 반면에 각각의 주장이 격화함에 따라 해석학의 의의가 다의화하고, 이렇게 해서 해석학의 성격이 몹시 애매해졌다는 것도 간과할 수 없는 사실이다.

  해석학이란 말의 기원은 본래 언명함, 고지함, 해석함, 통역함을 의미하는 그리스어 헤르메네우에인hermeneuein에서 유래한다고 하는데,[1] 실제로 해석학이 '해석의 기술技術'이라는 방향이 정해지게 되는 것은, 딜타이가 서술한 바와 같이, 중세 때 성서해석을 둘러싼 논쟁 곧 알렉산드리아학파의 우의적寓意的 해석과 안티오키아학파의 문법적 역사적 해석 간의 대립에서 오는 논쟁을 통해서이며, 그 결과 근대계몽기에 해석학은 두 분야, 고전연구로서의 세속적 해석학hermeneutica profan과 성서연구로서의 성스러운 해석학hermeneutica sarca으로 나뉘어 존속하고 있었다.[2] 그러나 오늘날 해석학이라 불리는 학문의 원류가 되는 것은 낭만주의 해석학의 총결산이라고도 할 수 있는 슐라이어마허의 『일반해석학』이다. 그의 해석학에 의해서 해석학은 하나의 자립적 이론, 곧 이해의 기술技術의 순수이론이 되고, 그 후의 해석학의 역사적 전개에 결정적인 출발점을 형성했다.

해석학은 낭만주의 해석학 이래 그 근저에서 부분과 전체의 살아있는 유기적 관계의 논리를 방법화하는 과제를 안게 되고, 이것이 해석학의 기본적 성격의 하나를 형성하고 있다. 따라서 해석학의 흐름은 19세기 말부터 금세기 초에 이르기까지 살아진 경험을 지知의 기반으로 보는 동시대적인 사상의 제반 조류와 서로 접근하고 교류할 운명에 처해 있었다. 예를 들면 초기 독일실증주의(마흐, 아베나리우스 등)가 말하는 순수경험에 정위定位함, 역사과학의 기초이론인 역사이론Historik(드로이젠)이 말하는 인식과정에서 생기는 순환현상, 인식주체와 공동체 간에 생기는 상호귀속관계 등은 해석학의 기본 테제 '부분과 전체의 상호규정'과 사상적事象的으로 깊이 겹친다. 이 동향들에 입각해서 전개된 것이 딜타이의 해석학 이론이다. 딜타이는 해석학을 생의 철학과 일체화하고자 했다. 딜타이의 의도는 정신과학의 기초이론을 확립하는 데 있으므로, 따라서 그의 해석학 이론은 생의 구조를 논하는 이론임과 동시에 과학의 방법론을 정초하는 이론이기도 하다. 이미 여기서는 '이해와 설명' 곧 정신과학의 방법과 자연과학의 방법 간의 대립과 조정에 관한 논의가 등장하고 있으며, 드로이젠의 역사이론과 함께 오늘날의 해석학적 과학론의 하나의 원류가 되고 있다.

그러나 현대의 해석학이 강력한 전개력과 큰 폭을 얻을 수 있었던 것은 현상학과 사상적事象的으로 교차권역을 공유했기 때문이다. 물론 현상학은 세계나 존재의 나타남Erscheinung에 대한 물음이고, 결코 '이해'나 '해석'의 이론을 지향하는 것이 아니지만, 그러나 현상학은 사물이 시간이나 공간 속에서 현출하는 조건, 혹은 상호주관적인 제약 등 많은 면에 걸치는 관점성perspectivity의 분석을 통해서 이른바 해석학적 사상事象이 단지 역사이해나 텍스트 이해에 한정되는 것이 아니라, 이미 우리의 생활세계적 경험의 차원에서 겪는 의미 발생의 방식에서 발견된다는 점을 분명히 했다. 후설, 하이데거, 메를로-퐁티가 남긴 작업 속에는 금후의 해석학이 전개하는 데 필요하고 중요한 많은 분석이 아직 전개되지 않은 채로 남아 있다.

가다머나 리쾨르 이후의 현대 해석학에는 분명 고전적 해석학에서는 충분한 전개를 보이지 않았던 문제들, 특히 언어의 문제에 자리 잡고서 의사소통적 행위, 패러다임의 이론, 텍스트의 구조분석 등이 예리하게 거론되고 있지만, 그러나 전술한 바와 같이, 해석학의 개념이 다의화하고, 때로 해석학적 사상事象을 형성하는 계기 중에서 특정한 계기를 둘러싼 절대성 요구의 갈등 등이 생기고 있다. 해석학의 진영 내에서 이러한 상황에 대한 반성이 생기고, 해석학을 재차 그 역사적 원류를 고려하면서 재구축하고자 하는 시도, 예를 들면 슐라이어마허, 드로이젠, 혹은 니체 등에 대한 새로운 연구의 움직임이 활발해져 가고 있는 데에는 충분한 이유가 있는 것이다. 또한 해석학과 개별과학의 관계를 구체적으로 묻고자 하는 몇몇 시도가 보이는 것도 해석학적 원리의 성급한 보편성 요구에 대한 하나의 반성적인 시도라고도 할 수 있겠다.

그러나 해석학과 관련하여 금후의 풍부한 장래를 손에 넣기 위해서 무엇보다도 중요한 것은 해석학적 사상事象이라는 것이 도대체 무엇인가를 명확히 해두는 일이다. 이는 해석학 자신의 자기비판 곧 해석학의 권한과 그 한계를 획정하는 일과도 연관된다. 그 때문에 현상학적인 사상事象 분석이 무엇보다도 필요하고, 현상학과 해석학의 교차영역을 가능한 한 많은 각도에서 분석해보는 일이 요망되는데, 또한 동시에 개별과학과 관련해서 해석학이 어떠한 형태로 구체적 사상事象에 적용될 수 있는가 하는 점을 하나하나 검토하지 않으면 안 된다.

제6장 해석학의 논리와 전개

제1절 해석학의 논리를 제약하고 있는 것

해석학의 성립을 촉구하는 사상事象, 즉 해석학의 논리를 배태하는 사상이란 도대체 무엇일까? 해석학 자체에 의해 현재화顯在化되어 주제화되는 것이든, 혹은 해석학에 암묵적 전제가 되는 것이든, 해석학의 논리에 사상적事象的 기반이 되고 있는 것은 도대체 무엇일까? 그와 같은 해석학적 원原사실이라 말할 수 있는 것으로 우선 첫째로 들 수 있는 것은 인간의 지知가 원리적으로 면할 수 없는 관점성Perspektivität 또는 시점 구속성Gesichtspunktgebundenheit이다. 둘째로 들 수 있는 것은 이 관점성과 밀접하게 관련되는 것으로, 인간을 살아가게 하는 논리인 '유기체Organismus'의 논리이다. 또 셋째로 들 수 있는 것은 기억을 고정화하는 서물書物, Schrift의 원리이다. 우선 이 사상事象들이 이제까지 어떻게 사상思想의 역사에서 문제화되어 왔는가를 극히 대략적으로 고찰해두고자 한다.

(1) 지知의 관점성. 관점성이란 인간의 지知가 항상 특정한 시점 또는 입장에 구속되어 항상 특정한 각도에서 사물을 본다는 것을 말한다. 역으로 말하면, 인간에 나타나는 사물은 항상 특정한 국면Aspekt, 일정한 모습으로밖에 나타나지 않는 현상성격을 지닌다. 관점성이 인간의 지知의 근본성격을 형성한다는 사상思想은 근세초엽의 쿠자누스의 형이상학에서 이론적으로 형성되고, 그 후 르네상스의 자연철학, 특히 브루노를 지나 17세기에 들어가서 라이프니츠의 모나드론에서 형이상학적 이론으로 정비되기에 이른다.

관점 사상의 핵심을 이루는 것은, 쿠자누스의 경우 절대적 일성一性인 신의 봄이 만물을 일거에 있는 그대로 파악하는 데 반해서, 피조물인 인간의 봄은 결함 있는defizient 봄으로서 사물을 항상 일면적으로, 즉 상적象的으로밖에 파악할 수 없다는 점이다. 인간의 봄은 항상 특정한 시점에서 세계를 비추고 있다. 세계는 절대적 일자인 신이 전개한 상相으로서, 결코 하나의 불변적인, 자체적인, 존재자의 총체가 아니라, 각각의 시점에 대해서 각각 다르게anders 현출하는 것이고, 그런 의미에서 '상위성相違性의 일성一性'이다.[1] 인간의 세계인식은 원리적으로 이러한 상위성, 차별성의 성격을 탈각할 수 없다. 이 점이 인간의 세계인식으로 하여금 결코 완결되는 일이 없는 점진적인, 근사화적近似化的인 과정을 형성하게 하는 것이다. 이와 같은 관점 사상은 근대과학의 인식에 도입된 부정무한不定無限의 사상으로, 오늘날의 현상학이나 해석학 이론에서 볼 수 있는 지평 사상의 선구적 위치를 점하고 있다. 인간 인식의 결함 있는 성격이 역으로 인간의 지知에 동적인 전개를 촉구하는 것이다.

근대 초두의 관점 사상은 르네상스 회화의 투시술에도 구체적으로 나타나는 바와 같이 공간의 현출방식에 중점을 두고 있다. 관점 사상은 그리스도교 사상(특히 부정신학의 지知의 성격)과 근대과학의 수량화 사유가 교착하면서 형성된 '문화적 고안물'[2]의 성격을 지니기 때문이다. 극히 인위적인 것이기에 불안정한 면을 벗어나지 못하고 있었다. 그런 한에서 관점 사상은 수학적 모티프에 의거하는 계몽사상이 전개하는 동안 적절한 위치를 발견할 수 없었고, 자취를 감추지 않을 수 없는 운명에 놓여 있었다. 관점 사상에 대신하여 모든 지知의 확실성의 원천인 주관의 자기확실성에 탈시점적 의식 일반의 기능이 귀속하게 되고, 이렇게 해서 모든 지知는 애초부터 탈관점적인 성격을 띠게 되었다. 이른바 주관과 객관의 인식론적 구도가 지배적이 되면 되는 만큼, 관점 사상은 배경으로 물러가게 된다. 관점 사상에 포함되어 있는 생명 사상이나 의지적 행위의 계기가 재차 지知의 배경에 모습을 나타나 게 되는 것은 훨씬 뒤의 시대 곧 19세기 후반에 일어나는 정신상황에서이다.

(2) 유기체의 논리. 유기적 생명의 사상은 이미 헤르더Herder의 유기체 이론이나 괴테 만년의 색채론에 보이는 형태학의 구상, 나아가 셸링(1775-1854)의 자연철학이나 낭만주의의 자연귀의의 시론적詩論的 철학 등이 반계 몽주의 운동으로서 뉴턴의 기계론적 자연관에 대해 이의를 제기하는 형태를 취하면서 19세기 정신사의 한 구석에 위치하고 있었는데, 얼마 지나지 않아 이 유기체 사상은 19세기 후반에 이르러 과학지科學知의 근저에 놓여 있는 살아진 경험에 대한 착안이나, 자연이나 역사의 내부로 인간이 귀속하는 것에 대한 자각 등에 의해서 돌연 스스로를 논리화하도록 촉구된다. 그 하나가 생명 있는 것Lebewesen에서 이미 지知의 발생이나 지知의 자기구조화 의 기능을 발견해 가는 방향인데, 니체의 만년의 관점주의가 이를 대표하고 있다. 니체에게 유기체의 자기생육自己生肉의 방식은 그대로 '해석'이라는 사건이었으니, 지知가 '끊임없이 다르게anders' 형성되어 간다는 지知의 관점 성이 탐색되었던 것이다.[3]

이에 반해서 유기체의 논리를 정신과학의 방법으로 되살리고자 기도한 것은, 슐라이어마허의 해석학이나 드로이젠의 역사이론Historik이고, 이를 선구적 형태로 해서 철학의 이론 곧 '정신과학의 정초 이론'으로서 전개된 딜타이의 '해석학의 이론'이다. 이 사람들의 '방법에 대한 깊은 성찰'에 의해서 유기체의 논리는, 소용돌이로부터 발동하는 지知에 있어서 불가피한, 부분과 전체가 교호로 제약하는 논리로서 정식화되고, 여기에 이른바 '해석 학적 순환der hermeneutische Zirkel'이라 불리는, 역동적인 지知의 형성 방식이 확정되기에 이르렀다.

　그 후 현상학이 등장하면서 의미론이나 현출론Erscheinungslehre 부문에서 부분과 전체의 교호현상이 지知의 원초적 분절화 기능으로서 파악되어, 이른바 '~로서 구조'의 역동성이 분석된다. 후설이 지평Horizont 현상을 해명하고 하이데거가 현존재의 존재이해의 근원적 선행성을 분석함으로써, 해석학은 현상학과 밀접한 동맹관계를 확립하기에 이르렀다. 가다머에 의하면, 현대의 철학적 해석학의 수립은 현상학과 해석학의 교차관계 없이 생각할 수 없다. 오늘날 이러한 부분과 전체의 유기적 연관의 방법론으로 짜인 지知의 틀은 제반 인간과학의 전역에 미치고, 여러 변이형태Variante를 산출해 가고 있다(해석학적 순환에 대해서는 제2절 참조).

　(3) 서물의 원리. 해석학이라는 학문이 성립하게 되는 문화기반이 무엇인가를 묻고자 한다면, 무엇보다도 서물Schrift의 문화기능을 밝히지 않으면 안 된다. 본래 해석학은 서물이나 텍스트에 관한 학문이기 때문이다. 그런데 서물의 문화기능을 묻고자 한다면, 나아가 기억Gedächtnis이 가지는 '문화의 구조화 활동'에 관한 물음을 진행하지 않으면 안 된다. 기억이란 "문화의 기억이고 토대이다"고 운위되듯이, 바로 그 문화를 형성하는 가장 기반적인 기능이기 때문이다. 일상의 모든 변화나 교체 속에서 우연한 것은 망각하고, 존속해야 할 유의미한 것은 저장하고 보관하는 것이 기억의 활동이다. 기억의 보존기능 덕분에 일상적인 시간역을 넘어선 상징적 의미의 세계구축이 인간의 생활에서 가능하게 된다. 이 점에서 기억은 구조적인 상기想起, Anamnesis의 기능을 수행하고 있다. 이 기능은 야콥슨(1896-1982)이 말하듯이 의사소통할 때 작동하는 언어의 시적 기능, 곧 구전성Oralität이나 시가성詩歌性, Poetität의 기능과 밀접하게 결부해 있다.[4] 예를 들면 축제 동안 가수와 청중이 발어하고 청취할 때 형성되는, 생생한 상호작용의 상황 속에서 보존의 의사소통이 발휘되기 때문이다. 따라서 기억은 상황보존적 기능이지만, 그렇기 때문에 또한 항상 망각에 의해 계속해서 위협을 받는다.

　서물은 이와 같이 망각에 의해 위협을 받는 구전적 전통의 흔적을 수집하고, 그것을 문자로 고정화해서 기억에 남기는 역할을 수행한다.[5] 그런 한에서 서물은 기억의 직접적 보관기능과는 다른, 즉 상황에서 해방되는 활동을 지닌다고 말할 수 있겠다.

서물 없는 문화(문자 없는 문화)는 있을 수 있어도, 기억 없는 문화는 있을 수 없다는 의미에서 기억은 서물보다 분명히 근원적이다. 그러나 서물의 매개를 통해 문화는 중층화되고, 그 발전의 여러 방향이 열리게 된다. 무릇 서물이란 '쓰는' 행위와 '읽는' 행위라는 창조적 사유활동 없이는 있을 수 없기 때문이다. 그러나 또한 동시에 사상思想(생각)을 서물에 고정화하는 일은 그 사상에 대한 오해나 몰이해를 산출할 가능성도 부여한다. 해석학이 성립하게 되는 문화적 이유를 여기에서 발견할 수 있다. 해석학은 규준Kanon이 되는 텍스트를 전제로 해서 의미를 갱신함으로써 형성된 정식화定式化를 보관하는 역할을 수행한다.[6] 예를 들면 성서해석학에서 볼 수 있듯이, 해석학이 교전敎典을 주석하는 학學이었던 것도 이와 같은 사정에 말미암은 것이다. 또한 오늘날의 해석학을 둘러싼 논쟁의 하나, 즉 한편으로 생생한 말Rede을 근원적인 것으로 보고 서물은 그 대상물代償物로 보는 주장과, 다른 한편으로 서물의 고유한 구조를 중시하여 말이나 대화의 직접성을 이차적인 것으로 여기는 대립 주장 사이에 벌어지는 논쟁도, 그 근저에서 기억과 서물이라는 등가적이지 않은 문화기능의 문제를 사상적事象的 전제로 삼고 있다(서물 및 텍스트의 문제에 대해서는 제3절 참조).

이상과 같이 대략적으로 서술한 관점성, 유기체의 논리, 서물의 원리에 기초해서 해석학 고유의 여러 근본문제가 전개된다. 이하에서 순서대로 고찰해보겠다. 그리고 최후에 이러한 해석학의 논리와 방법의 사정권에 들어가지 않는 또 하나의 다른 지知의 차원에 대해서 시사적이지만 언급해두고자 한다. 이 방향에 관한 물음 속에서 현상학은 재차 해석학에서 벗어나 독자적인 길을 개척하지 않으면 안 되기 때문이다.

제2절 해석학적 순환 철학적 해석학의 전개

이미 제1절에서 서술한 바와 같이 해석학적 순환의 현상에 대한 관심의 깊이는, 한편으로는 이 현상에 표현되는 인간의 지知의 기본적 구조에 대한 철학적 고찰을 촉구함과 더불어, 다른 한편으로는 이 현상의 방법론적 검토를 통해서 해석학을 여러 방향으로 전개하고 확대할 가능성을 부여하게 되었다. 먼저 이 현상에 관한 해석학이나 현상학의 대표적인 사람들을 일별하고, 그러고 난 뒤 이 현상을 축으로 한 해석학의 현대적인 전개의 의의에 대해서 논하고자 한다.

우선 이 순환의 활동이 지견知見, Kenntnis을 학문으로까지 끌어올리고자 할 때 필요하다는 점, 그리고 특히 텍스트의 독해Lesen를 행할 때 생기한다는 점을 최초로 정식화한 사람은 슐라이어마허(1768-1834)이다. 그는 다음과 같이 말한다.

> "어떠한 경우에도 완전한 지식知識은 이 원환 내에 있다. 즉, 개개의 특수한 것은 그것이 부분을 이루고 있는 일반적인 것으로부터만 이해될 수 있고 또 그 역도 성립하는 원환 내에 있다. 그리고 어떠한 지식知識이든 이와 같이 형성되는 경우에만 학문적이다. 그러므로 해석되어야 하는 것은 한 번에 이해됨으로써가 아니라, 오히려 어떠한 생生도 선행적 지견知見, Vorkenntnis을 풍부하게 함으로써 비로소 보다 좋은 이해를 가져올 수 있다. 중요하지 않은 것의 경우에 우리는 한번 이해된 것으로 충분하다."(Hermeneutik und Kritik, S. 95).

슐라이어마허에 의하면, 이 순환은 의미전체를 예상하는 이해작용divinatorisches Verstehen과, 개개의 인식을 충실하게 하고, 비교하고, 연관짓고, 세부에 걸쳐서 해석해 가는 이해작용komparatives Verstehen이 함께하면서 상호 보완적으로 작동하는 방식으로 일어나지만, 전자 곧 예상적 이해는 후자 곧 비교하는 해석작용에 대해서 조건이 되고 선도적 고려의 역할을 수행함과 더불어, 후자에 의해 비로소 확인되거나 정정되거나 확대되거나 심화되거나 한다. 이와 같은 전체와 부분의 교호규정의 활동은 낭만주의 철학의 입장을 나타내는 '유기체의 논리'를 이해의 생성과정에서 보고자 한 것이며, 슐라이어마허 자신이 "유기적 활동이 없는 사유는 존재하지 않는다"고 말하고 있다. 슐라이어마허 이후 일어나는 해석학의 철학적 전개는 이 순환의 논리가 협의의 텍스트 이해를 넘어서 인간 이해작용의 전역에 걸쳐서 어떠한 형태로 생기하는가를 탐구하려는 시도라고 해도 좋을 것이다.

해석학적 순환의 학문적 역할을 적극적으로 발견하고 있었던 사람은 딜타이다. 딜타이는 정신과학의 정초를 처음에는 심리학적 기술의 입장에 서서 '체험작용'의 직접성 곧 의식의 활동과 의식되는 대상이 일체가 되고 있는 직접지 ― 데카르트는 이것을 내적 알아차림Innewerden이라 부른다 ― 에서 구하고 있었는데, 뒤에 가서는 체험이 일단 표현되고, 이 표현을 매개로 해서 이해가 성립한다고 하는 해석학적 구조를 말하게 되었다. 생의 자기이해는 생의 자기표출을 매개로 해서야 비로소 성립한다는 면에서 정신과학의 기초를 발견한 것이다. 이 체험과 표현과 이해의 원환구조에 이른바 해석학적 순환이 일어나는데, 이 경우 이른바 텍스트 이해에 해당하는 것은 '작품으로부터 그 배후로 몸을 옮기는 것'으로서 규정된다. 최초에 소여의 배후에 숨겨져 있었던 것이 이해에 의해서 점차 나타나게 된다는 것이다. 딜타이에 의하면, 이 숨겨져 있는 전체적인 것은 개개의 작품 이해의 경우에는 그것을 창조한 인간의 창작활동이나 표현영역의 전체, 혹은 그 인간이 속한 시대의 전全 작용연관 등에 해당하는데, 결국 표현의 배후에 있는 생의 전체적인 연관과 다른 것이 아니다. 그렇지만 이와 동시에 표현을 이해하고 해석하는 작용 속에도 생의 전체적인 작용연관이 이미 작동하고 있는 방식으로 순환이 일어나게 된다. 즉 순환은 방법에서뿐만 아니라 해석자가 생에 귀속되는 방향에서도 발생하게 된다. 딜타이는 나아가 특정한 시대의 역사적 서술이 이루어질 때에 보편사적 전체에 대한 개관이 작동한다고 하는 면에서도 순환의 사건을 발견하고 있다.[7] 어느 것이 되었든 딜타이는 순환이 생의 외화外化를 매개로 한 생의 자기이해의 여러 방면에서 필연적으로 발생한다는 점을 통찰하고 있었던 것이다. 유기체의 논리는 이렇게 해서 텍스트 이해뿐만 아니라 역사이해의 논리로 확대되게 되었다. 이뿐만 아니라 딜타이는 순환현상을 학學 일반에서 발견하게 됨으로써,[8] 자연과학과 정신과학의 기본적 대립을 극복해 가는 해석학적 학문론의 방향으로 길을 열고 있다.

해석학적 순환이라 불리는 전체와 부분의 교호규정의 활동을 경험의 차원에서 발견하고 이것에 정교한 분석을 가한 것은 후설의 현상학이다. 후설은 한편으로 지각을 대상을 직접 주는 직관의 원적原的 명증성으로 보지만, 다른 한편으로 지각을 '해석작용deuten'으로 보기도 한다. 이는 일견 모순되고 상충하는 규정처럼 보이지만, 사실 후설의 지향성 규정에는 방위성方位性의 계기나 명증성의 계기와 더불어 의미적 차이성의 계기가 포함돼 있다는 점을 고려한다면, 이는 결코 모순된 것이 아니다.[9] 의미적 차이성이란 지향성이 무언가를 무언가로서 사념思念하는 의미규정의 작용이라는 점에 기초하고 있다. 바꿔 말하면 의미와 의미되는 것 간에 일어나는 차이화의 활동이다. 후설은 그것을 '현출자와 그 현출' 간의 동일성과 차이성의 문제로서 파악하고 있다. 1920년대에 착수된 지평Horizont의 현상학적 분석은 바로 이 차이화 즉 지知의 의미론적 관점성에 대한 철저한 고찰이고, 현상학과 해석학의 교차영역을 나타내는 원형적 현상에 대한 해명이다. 지평이란 대상이 주제적으로 규정될 때에 수반되어 생기하는 규정가능성의 연관의 것이다. 대상은 결코 그때마다의 규정에 의해서 다 규정되는 것이 아니어서, 그것에는 끊임없이 잉여가 남게 된다. 주제적 규정작용과 동시에 이 '보다 이상의 것Mehr'으로 향해서 초출이 활동하는 것이며, 이 활동이 지평지향성이다. 지평지향성은 결코 단순한 기대지향과 같이 특정한 규정의미를 예료하는 것이 아니라, 오히려 항상 '무규정적 일반성' 또는 '유형적 일반성'이라는 '의미의 틀'을 기투한다. 이와 같은 의미의 익명인 전체성을 기투함으로써 대상을 주제적으로 규정하는 작용지향성의 활동의 장Spielraum이 형성된다.

이와 같은 익명적인 의미의 전체성을 향한 비주제적 기투를 후설은 수동적 기능으로서 분석하고 있다. 후설의 지평현상의 분석에는 미완결적이고 개방적인 과정으로서의 경험의 진행 과정, 영역적 지知(무규정적 일반성)의 복수성, 그리고 그것들 상호 간의 교체가능성 등의 사상이 포함돼 있다. 나아가 대상의 완전한 소여성은 실현 불가능하지만, 경험의 진행이 그것으로 향해서 근사화近似化해 가는 목표 곧 규제적 이념으로서 파악되어, 이로부터 경험의 과정이 관점화와 탈관점화의 긴장관계로 간주되고, 경험의 진행 속에서 과학적 사유의 성립을 촉구하는 운동이 일어나고 있음이 탐색되고 있다.[10] 딜타이와는 다른 방식으로 과학의 성립에 대해서 순환현상이 수행하는 적극적 역할이 발견되었던 것이다.

현상학과 해석학은, 리쾨르도 지적한 바와 같이, 상호 전제가 되는 상호보완관계에 있는데, '의미 전체성의 선행적 기투'라고 하는 지평의 현상은 양자가 겹치는 교차영역이며, 그 현상의 존재론적 규정에 정면으로 맞붙어 씨름하는 것이 하이데거의 해석학적 현상학이다. 하이데거에 의하면, 해석학적 순환이야말로 '가장 근원적인 인식의 적극적 가능성'을 포함하는 것으로서, "이해 일반의 근본법칙'이고, '임의의 인식이 그 속을 움직이는 공전空轉이 아니라 오히려 현존재의 실존론적 선-구조Vor-Strutur의 표현이다."[11] 이 구조가 의미적 차이성을 나타내는 '로서-구조Als-Struktur'[12]를 지닌다는 것도 명확히 규정되어 있다. 의미란 어떤 것이 어떤 것으로서 거기로부터 이해될 수 있는, 사전에 기투된 전체적 연관의 것이며, 미리 가짐Vorhabe, 미리 봄Vorsicht, 미리 잡음Vorgriff에 의해 구조화된 어디에로Woraufhin이다. 하이데거에 의하면, 의미 전체성의 선행적 기투는 요컨대 '세계-내-존재'인 현존재의 개시성開示性이고, 인간현존재의 근본적 존재방식이다. 이렇게 해서 현존재가 존재론적 순환현상을 가지기 때문에, 존재일반의 의미를 묻는 바로 그 존재론적 물음은 이미 최초에 막연한 존재일반의 이념에 이끌려서 시동한다. 나아가 또한 실재적 사유의 자기이해가 자신의 역사성을 모두 사유한다는 방식으로도 이 순환이 생기게 되는데, 이 통찰은 예의 딜타이가 말하는 해석자의 역사귀속성의 문제를 실존론적으로 다시 파악한 것이다. 하이데거가 존재이해의 존재론적 구조분석을 기도한 데 반해서, 가다머의 철학적 해석학은 바로 이 역사이해에서 일어나는 순환현상을 텍스트와 나누는 대화적 의사소통의 방식으로 발견하고, 해석학의 학문론적 전개의 가능성을 열어놓았다. 가다머의 입장을 나타내는 것은 "이해될 수 있는 존재는 언어이다"고 하는 기본적 테제로 운위되는 언어적 세계경험의 보편성이다. 이에 반해서 지각차원에서 작동하는 순환현상 곧 지평의 기능을 게슈탈트 이론에서 연구한 상figure과 지반ground의 호환현상을 비판적으로 도입하면서 신체적 실존의 세계개시의 방식으로서 구체적 분석을 시도한 사람은 메를로-퐁티이다. 현상학과 해석학은 이와 같이 순환현상을 여러 각도에서 파악하고 있다.

이제까지 서술해 온 것에 의거하여 해석학적 순환의 현상을 구성하는 계기를 이하에서 추려본다면, 우선 첫째로 중심적 위치를 점하는 계기로 들 수 있는 것은 의미의 선행적 기투라고 하는 존재론적 계기, 한마디로 말해서 의미의 장소성의 계기이다. 둘째로, 유의미한 것을 배경으로부터 부각시키는, 보통 게슈탈트라 불리는 구조적 포치성布置性, Konfiguration의 계기. 셋째로, 생성하면서 자기를 수정해 가는 과정성Prozessualität 계기. 넷째로, 상황 속에서 이해가 발동하게 된다는 의미의 선행성Vorgängigkeit의 계기 등을 들 수 있다. 나아가 이 동태적 과정이 상호주관적인 의사소통 작용에 들어있는 것이 해명됨으로써, 해석학적 순환은 오늘날의 제반 인간과학의 전역에 미치는 강력한 방법의 논리로서 적용되기에 이르렀다. 인식과 관심을 둘러싼 사회과학의 방법론, 설명과 이해를 둘러싼 방법 논쟁, 과학사의 패러다임 이론, 행동의 유형론이나 역할을 둘러싼 사회이론 등에서 볼 수 있는 바와 같이, 해석학적 지知의 이론이 타당한 권역이 현저하게 확대되고 있다.

제3절 텍스트의 개념 문헌해석학의 입장

해석학에서 텍스트 개념은 이해나 해석의 개념에 못지않게 중요한 개념이다. 해석은 텍스트의 해석이기 때문이다. 그러나 텍스트란 도대체 무엇인가 하게 된다면, 반드시 오늘날의 해석학이나 텍스트이론에서 일의적 규정이 부여되는 것은 아니다. 그러나 일단 다음과 같이 말할 수 있을 것이다. 즉 텍스트란 쓰여진 것이고 읽혀지는 것이고, 따라서 문자언어에 의해 형성되고 또 독해되는 것, 즉 서물Schrift에 의해 대표되는 인간의 제작물Ergon, 작품Werk, œvre이라고. 텍스트란 용어는 어원적으로는 texere에서 유래한 말로서, 편물編物, Textur, 또는 직물Gewebe의 의미를 지니고 있다. 따라서 조직組織, Ordnung, 직사織絲, Faden, 형型, Stil이란 말이 그대로 규칙, 범형, 문체 등의 말로 되살아나고 있다.[13] 텍스트란 인간에 의해서 부단히 직성織成됨으로써 완성되는 작품이며, 그것을 직철織綴하는 행위가 바로 쓰는 일이다. 텍스트의 이러한 성격을 명확히 규정한 사람은 슐라이어마허이다. 슐라이어마허에 의하면, 텍스트는 행해진 사실事行, Tat-sache이며, 의미를 창설하는 인간의 행위로 그 현실의 존재를 짊어지는 사태이다.[14] 이 행위는 쓴다는 방식 Schreib-weise에 따르는 언어행위이다. 그러므로 텍스트란 문자언어로 엮여진 곧 쓰여진 작품이다.

텍스트는 쓰여진 언어작품으로서, 문법적 규칙, 종적種的, generisch 규칙(장르) 등의 보편적 규칙들에 의해 질서지어진 구조체이며, 오늘날의 기호론적 텍스트이론에서 본다면 텍스트란 기표signifiant의 산정 가능한 시스템이다. 그러나 텍스트는 동시에 하나의 뭉쳐진 의미의 통일체이기도 하다. 의미의 형성체로서의 텍스트는 세계부착성Welthaftigkeit을 갖는 것으로서, 그때마다 다른 것으로 교환될 수 없는 '현現에 있음Da-sein'이라는 고유한 개별적 성격을 지닌다. 따라서 텍스트는 구조체로서 지니는 보편적인 계기 즉 반복 가능한 성격을 지님과 더불어 개별적 통일성으로서 반복 불가능한 일회성의 성격을 지닌다. 이 둘의 계기가 계합됨으로써 텍스트는 상징성의 성격을 띠게 된다.

상징은 해독되지 않으면 안 된다. 즉 텍스트는 끊임없이 독자의 해독을 촉구하는 것이며, 그런 의미에서 텍스트와 함께 '결정 불가능한 유희공간 Spielraum'(15)이 부여된다. 인가르덴은 이것을 텍스트의 '무규정적 장소'라고 부른다. 텍스트는 구조적으로 의미의 보충을 필요로 하는 것이고, 해석을 통해서 비로소 존재하는 것, 혹은 구체화하는 것(인가르덴)이다. 한마디로 말하면, 텍스트는 해석을 필요로 하는 형성체이다.(16) 쓰여진 텍스트는 읽는 것이 가능할lesbar 뿐만 아니라 읽는 것을 필요로 한다.

그러므로 해석의 다양성, 의미의 다양성은 텍스트의 구조 그 자체에서 유래한다고 생각할 수 있다. 여기에서 의미충족의 다양성인 해석의 복수성이라고 하는, 텍스트에 고유한 관점성이 기능한다. 텍스트가 지니는 관점성은 지각물의 관점성과는 차원을 달리한다. 해석은 작품 외로부터 부가되는 잉여가 아니라, 작품이나 텍스트의 구상構想 그 자체에 필연적으로 포함되는, 결여를 보완하는 잉여이기에 작품 내로부터 촉구되는 것이다.

마찬가지로 '저자(작자)'라는 개념도, 작품이나 의미형성체와 관련되기에 작품에서 의미 창설자의 위치를 점하고 있다. 그러나 이는 낭만주의 해석학이 강조한 특정한 저자의 의미로서가 아니라 작품의 불가결한 구성계기로서 그러하다. 적어도 오늘날의 텍스트 해석에서는 저자 개념이 이와 같이 이해되고 있다.

그런데 텍스트나 텍스트 해석을 둘러싸고서, 오늘날 가다머로 대표되는 철학적 해석학과, 문헌해석학philologische Hermeneutik 또는 문예해석학literarische Hermeneutik 간에, 나아가 이야기이론Erzähttheorie 간에, 그리고 다른 각도에서 보아 후기구조주의 텍스트 이론 간에 격한 대립이 발생해 왔다. 가다머의 철학적 해석학은, 딜타이와 같이 비언어적인 것을 포함한 문화형상과 관계되는, 혹은 현상학 계통의 해석학과 같이 넓게 의미적 소여성과 관계되는 해석이론과 달리, 언어적 세계경험을 기본주제로 삼고 있고, 따라서 언어작품의 해석을 재차 해석학의 중심위치에 놓고 있다. 그럼에도 불구하고 생의 철학이나 현상학의 전통을 잇는 가다머는 언어작용의 생동성Lebendigkeit을 중시한다. 가다머는 과거의 작품을 이해할 때 서물을 '정신의 흔적Geistesspur', 혹은 '소외된 말Rede'로 보고 있다. 작품 혹은 텍스트는 어디까지나 '쓰여진 말'이어서 '말해진 말'이 아니기 때문이다. 그러나 가다머는 '쓰는 것'과 '읽는 것', '말하는 것'과 '듣는 것'이라는 두 짝의 언어작용의 구별에 그다지 구애되지 않으며, 오히려 전자를 후자로 환원하고자 한다.

가다머에 의하면, 텍스트를 이해한다는 것은 우리(해석자)가 텍스트가 그 답인 물음을 재구성한다는 것이다. 텍스트를 이해한다는 것은, 우리가 우선 텍스트에 의해서 물음을 받는 것이고, 이어서 텍스트로 향해서 우리가 되묻는 '물음과 답의 변증법'의 생생한 운동 속에 놓인다는 것이다. 물론 텍스트의 배후에 특정한 저자를 상정하는 일은 엄격히 거부된다. 가다머의 경우 텍스트의 이해란 텍스트와 해석자 간의 살아있는 상호이해Verständigung 의 근원적 생기와 다른 것이 아니다. 이와 같이 대화를 모티프로 하고 있는 한, 텍스트는 "상호이해라는 사건이 수행될 때의 한 위상"[17]에 지나지 않는 다. 따라서 해석에서 문제가 되는 것은 "말해진 것Gesagtes이며, 서물에 고정된 근원적 고지Kunde를 올바르게 이해하기 위해 '고정된 텍스트를 재차 말하게 하는 것'이 해석자 또는 독자의 과제가 된다. 틀림없이 가다머의 입장은 서물을 '살아있는 언어의 그림자'(플라톤 『파이드로스』)로 간주하는 서구의 한 전통에 입각해 있지만, 동시에 모든 이론화나 고정화에 앞서는 살아진 경험에서 진리로 가는 통로를 발견하고자 하는, 현상학적 반성의 정신을 되살리고자 하고 있다. 그러나 가다머의 경우 일체를 融解하는 대화적 생동 성, 곧 '지평융합'에 근원적 생기의 성격이 부여되기 때문에 그 생동적 전개 자체를 가능하게 하지만, 결코 그 속으로 융해되지 않는 타자성의 계기에 대한 통찰을 결여하고 있다(해석학적 사유의 한계에 대해서는 제4절 참조).

그런데 대화를 모티프로 하는 한, 가다머의 이와 같은 논지에 대해서, 당연한 것이지만, 문헌해석학의 진영으로부터 이의가 제기된다.[18] 물론 진리론에 중점을 두는 철학적 해석학과, 문헌해석의 규칙을 제안하는 문헌해석학을 동열에 놓고서 논의를 전면적으로 전개하는 것은 위험한 일인데, 적어도 텍스트 개념을 둘러싼 양자의 대립은 반드시 불모의 적대관계로 끝나는 것이 아니라, 양자의 대립을 조정해서 통합적 이론을 구축하는 일이 가능하다고 생각된다. 왜냐하면 가다머의 이른바 영향작용사적 장면을 대화 모티프로부터 해방시켜서, 쓰여진 작품의 고유한 개방공간으로 도입하는 일이 가능하기 때문이다.

이와 같은 의도를 품은 몇 비판적 시도를 들 수 있다. 예를 들면 손디Péter Szondi나 프랑크 등은 슐라이어마허의 해석학을 재평가하면서 가다머가 거부한 방법적 추상에서 오히려 적극적 의의를 발견할 수 있다고 하고 있다. 이와 극히 가까운 견해로서 이야기이론(독일어권에서는 역사이론 분야의 사람들 사이에서 논의되고 있다) 측은 이야기된 세계, 서술된 역사가, 살아진 경험의 장면에서 단절됨으로써 구축되는 고유한 대상세계라는 점을 논하고 있다. 즉 가다머가 간과한 것은 가령 바움가르트너Baumgartner가 비판한 바와 같이 작품이라든가 텍스트가 성립하기 위해 필요한 반성계기 혹은 구축성의 계기이다. 그렇지만 구축된 언어형성체도 또한 장래의 이야기행위에 의해 다시 말해지거나 확대화되거나 할 여지를 남기는 것이며, 이런 의미에서 미완결적 구조를 지니고 있다.[19] 따라서 가다머의 영향작용사가 말하는 해석의 미완결성이나 무진장성도 '작품의 열려져 있음'이라는 작품 고유의 구조, 즉 텍스트 고유의 관점성을 고려하고서 그 유희공간Spielraum의 차원을 다시 본다면, 충분히 되살릴 수 있게 된다.

물론 이러한 논의는 어디까지나 텍스트를 문자로 고정시킨 서물에 한정하는 한에서 발생하게 되는 논의이어서, 만약 "해석된 것은 모두 텍스트이다"라든가, "주어진 것은 모두 텍스트이다"라든가 하며 텍스트 개념을 확대한다면, 다른 형태의 대립관계가 발생하게 된다. 즉 인간의 모든 행위를 '말하다'와 '듣다'로 환원하고자 하는 보편성 요구와, 역으로 '쓰다'와 '읽다'로 환원하고자 하는 보편성 요구 간에 발생하는 대립이다. 생동성을 나타내는 대화 모티프를 텍스트 이해로 가져오느냐(말Rede의 존재론화), 서물 모티프를 생으로 가져오느냐('쓰다'의 존재론화) 하는 대립이라고 말해도 좋을 것이다. 그러나 이 대립은, 이미 제1절에서 서술한 바와 같이, 등가적이지 않은 것을 동일한 장면에 놓고자 하는 한, 불가피하게 발생하게 되는 대립이다. 나아가 또한 다른 견지에서 본다면, 이러한 대립은 다음 절에서 논하는 바와 같이 해석학의 논리의 사정권에 들어가지 않는, 해석학의 성립조건이 되는 것을 그릇되게 해석학의 안으로 가져옴으로써 생기는 혼란의 일종이라고 말하지 않을 수 없다.

제4절 헤르메스와 안티헤르메스 양 축의 교차와 발산

해석학의 논리가 지배하고 해석학의 방법이 효력을 발휘하는 장소는, 글자 그대로 지평적=수평적horizontal인 봄視이 활동하는 공간Spielraum이다. 인간의 지知의 부단한 생성 속에서 지知는 그때마다 정정되기도 하고 보다 정확해지기도 한다. 혹은 부적절한 지知가 적절한 지知로 교체되기도 하고, 전체의 틀이 다시 짜여지기도 한다. 직선적인 운동이든, 중층화된 복합적인 운동이든, 인간의 지견知見이나 학지學知가 중단되는 일이 없는 생성 속에서 지知의 폭Weite은 한없이 확대해 간다. 설령 중점이 의식에서 행위로 이동하여 지知의 형성과정이 상호행위에 의해서 성립하고 의사소통적 전개의 형태를 취한다고 하더라도, 이 점은 달라지지 않는다. 또한 대화행위의 장면뿐 아니라 텍스트 해석의 장면에서도 그와 같은 관점적 공간의 변용의 운동은 한없이 계속해 간다.

그러나 지평적 생기가 인간의 지知에 한정되지 않고, 나아가 지知의 생성이나 증폭, 변용 등의 운동방식을 해명하는 철학의 이론적 정초까지도 지평적 생기라고 말한다면, 바꿔 말해서 해석학 논리의 절대성 요구가 관철된다면, 해석학으로 하여금 해석학이게 하는 해석학의 본질 즉 해석학적 봄視을 성립하게 하는 더 근원적인 사태가 망실되지는 않을까? 이와 같은 절대성 요구가 관철된 초월론적 해석학의 전형적 형태를 우리는 하이데거의 전기 사유가 다다른 경지에서 발견할 수 있다. 하이데거는 『근거의 본질에 대하여』에서 초월론적으로 발생하는 근거짓기Gründung로서 '세계기투', '존재자 속에서 파악되고 있음', '존재자의 존재론적 정초'를 들고 있는데,[20] 이 철학적 정초는 필연적으로 지평적 초출의 형태 곧 '내던져진 기투geworfener Entwurf'의 형태를 취하게 된다. 존재자의 존재에로의 끊임없는 초월 Transzendenz에 존재론적 기투가 터 잡고 있는 것이다. 오늘날의 해석학 전반에 걸치는 철학적 비판 기능을 자리매김하고자 하는 시도도, 가령 가다머의 철학적 해석학이든, 아펠의 초월론적 언어수행론이든, 영향작용사가 작동하는 장면이나 초월론적 비판기능이 성립하는 장면을 지知의 생성 과정이라는 방면에서만 발견하고자 하는 한, 이와 동일한 논리의 틀에 머물고 있다고 말하지 않으면 안 된다. 지知의 정초를 이와 같은 초출과정으로 환원하고자 하는 시도는 일단 불가피하다고 볼 수 있을지도 모른다. 분명 우리가 언어행위를 통해서밖에 진리로 가는 통로를 발견할 수 없다는 의미에서는 그러하다. 그러나 인간의 언어행위를, 곧 지知의 초출과정을 가능하게 하는 사태가 그 자체 반드시 이 초출과정으로 환원 가능하게 되는 것은 아니다.

그 이유는 이와 같은 초월행위를 가능하게 하는, 그런 의미에서 이 근원적 계기가 되는 것은 이러한 수평적 방면에서는 결코 모습을 나타내지 않기 때문이다. 해석학의 논리대로 한다면, 불가시不可視의 것(=보이지 않는 것)은 무언가의 방식으로, 즉 중점을 비켜놓거나 틀을 바꾸거나 함으로써 가시화可視化되는 것(=보이는 것)이리라. 그러나 이러한 틀이나 지평이 생기하는 것을 가능하게 하는 활동은 결코 지평의 방면에 나타나는 일이 없는, 오히려 지평현상으로부터 물러나는 방식으로만 일어난다. 그렇다고 해도 결코 가시적인 전체성의 배후에서 그런 일이 일어나는 것이 아니라 오히려 지평이 그림자인 듯 그로부터 물러나며 일어나는 것이다. 그와 같은 활동이 일어나는 차원은 의식이나 사유, 일반적으로 인간의 개시성을 위한 타자das Andere, 즉 주관성의 활동인 규정작용이 가능하기 위해 전제가 되는 비주제적인 타자, 결코 '다르게 있음anders sein'이 가능하지 않은 근원적 타자가 주관성과 관계 맺게 되는 차원이다. 이 근원적으로 타他인 것과 맺는 관계 속에서 관점적 지知의 공간이 성립하는 근거가 되는 원原관점이 생기한다. 타자와 맺는 관계는 후에 서술하는 바와 같이 부정성을 지니는 관계이기 때문이다.

이 차원은 대상을 향한 봄視으로부터 스스로 물러나는, 비대상적 계기가 기능하는 차원으로서, 말하자면 깊이의 차원Tiefe-Dimension이라고도 할 수 있기에, 그 차원으로 향하는 철학적 사유는 수평적 봄視으로부터 탈각해서 수직적vertical 방향으로 방향을 전환해야만 한다. 그렇다고 해도, 대상으로 향하는 봄이 자기 자신으로 반성적으로 봄을 전환해서 자기 자신을 주제화하는 방법(21)에 의해서는 이 원原생기적 사태를 파악할 수 없다. 반성의 봄도 일종의 대상화작용에 머물기 때문이다. 사유가 수직적으로 깊이 참입參入해 가는 이 길을 걷는 일이 예사롭지 않다는 것은 이제까지 철학의 사유의 역사에서 이미 적지 않은 사상가들이 모두 니힐리즘——반성의 니힐리즘이든, 존재망각의 니힐리즘이든——과 철저한 대결을 통하여 니힐리즘을 안으로부터 극복하는 방식으로 이 길을 걷고자 한 데에서 엿볼 수 있을 것이다.

본장에서는 더 이상 이 사유의 길에 대해서 상세히 말할 수 없기에, 단지 해석학적 사유와 같거나 다른 점, 혹은 상호 관계를 염두에 두고서 네 가지 중요한 사항에 대해서 시사적으로 언급하는 데 머물고자 한다. 우선 첫째로, 이 깊이의 차원에서 인간의 사유는 더 이상 부분과 전체의 교호규정의 현상으로서가 아니라 대상지對象知에 숨겨져 있는 차원이 스스로를 지知에로 송부하는 원적原的 장으로서, 그 자체 수용적인vernehmend 역할을 수행한다. 게다가 그와 같은 수용적 사유의 구조는 한 항이 다른 한 항을 현현하게 하면서 스스로를 숨기는 매체구조Medium-Struktur를 지니고 있다. 매체란 두 서로 부정하는 항이 바로 그 부정성Negavität을 사이에 넣어서 서로 의속依屬하는 차이성 구조를 지니는데, 이 부정성은, 지知로부터 물러나는 것이 자신을 지知에게 고시하기 위해서 그 자신에 지니는 균열이며, 이 근거의 균열Grund-Riß이 생기하기 때문에 모든 것이 윤곽Um-Riß을 부여받고 정돈되는 것이다.

둘째로, 이와 같은 원原차이성Urdifferenz의 차원은 프라이부르크계의 현상학의 사유에 의해서 심화하고 있었음에도 불구하고, 그 후의 현상학자들에 의해서 그 함축이 지니는 의의가 이해되는 일 없이 간과되고 말았다. 이 원적 사태는 단지 하나의 문제의 장으로서 전체적 시야 속에서 위치지어져 이해되는 사항이 아니라, 사유 자신의 수행의 깊이 속에서만 사유의 현장에서 만나게 되는 것이기 때문이다. 후설의 유고군에 등장하는 선자아적 익명성Anonimität이라든가, 하이데거 후기 사유의 의미에 의거한 존재와 존재자의 존재론적 차이성, 메를로-퐁티의 유고 '보이는 것과 보이지 않는 것'에 나오는 교착chiasme 등과 같은 말은 각각의 사유의 깊이 속에서 만나게 되는 초월론적 매체에 해당하는 것을 표현한 것이라고 말할 수 있다.

초월론적 매체는 다름 아닌 살아지는 매체로서, 차이항이 자립화함으로써 생기는 여러 가상假象에 대해 비판적 척도를 제공하는 심급審級, Instanz으로서 기능하는 것이지 않으면 안 된다. 니체의 영원회귀의 관점Perspektive도 또한 많은 세계 관점 중 하나의 관점이지만, 결코 스스로를 상대화하는 일이 없는 긍정적 관점인 것은 이 관점에 의해서 모든 관점을 가능하게 하면서 또 비판하는 하나의 척도가 부여되기 때문이며, 그런 의미에서 매체의 심급적 역할을 수행하고 있다. 영원회귀라는 세계 관점은 어떻게 해서든 다른 세계 관점과 동일한 이론적 진리가 아니다.

셋째로, 깊이의 차원을 철학적 사유가 말하는 것은 말할 수 없는 것을 말하고자 하기 위해서이다. 말할 수 없는 것을 말하고자 할 때 사유는 매체적이고 수용적인 사유로 스스로를 전환해 간다. 그렇지만 말할 수 없는 것을 메타포를 통해서 말하고자 할 때, 철학적 사유는 새로운 위험에 위협을 받게 된다. 하나는 말할 수 없는 것을 무언가로서 명명함으로써 생기는 위험이고, 또 하나는 철학적 사유가 한없이 예술적 창조나 종교적 귀의로 다가감으로써 이것들에 무매개적으로 동화해 간다고 하는 위험이다. 철학적 사유와, 이것들의 지위가 서로 가까워진다고 해도, 서로의 가까움은 어디까지나 심연을 격한 가까움이고, 양자 간에도 부정성을 통한 상호귀속의 매개 관계가 성립하고 있다는 점을 잊어서는 안 된다. 그렇기 때문에 상호 간에 번역이 가능한 것이다.(22)

넷째로, 깊이의 차원에서 작동하는 매체의 기능은 해석학의 논리를 활성화하는 것이지, 결코 그것을 가상假象이라 하며 배제하는 것이 아니다. 가상이라 해서 해체되어야 하는 것은 오히려 해석학의 논리에서 발생하기 쉬운 절대성 요구를 내거는 논리이다. 만약 해석학의 논리를 절대화하여 깊이의 차원으로 가는 통로를 망실한다면, 지知의 풍부함은 깊이를 상실한 '얕음'에 계속해서 머물게 될 것이고, 역으로 해석학의 논리를 가상이라고 여긴다면 이로 인해 깊이의 차원이 방기되어 '좁음'의 영역에 스스로를 가두게 될 것이다. 인간의 지知를 실천지實踐知로서 구조화하고 있는 것의 정체를 추적하기 위해서는 exoterisch한 것(=공공적인 것)과 esoterisch한 것(=비의적인 것), 비량적比量的으로 공공적인 학지學知의 권역과 거기로부터 물러나는 비대상성의 경역 이 두 영역을 이전처럼 쓸데없이 서로 배제하고 고립시키는 별개의 것으로 보지 말고, 근저에서 양자가 부정을 통하여 의존관계에 있다는 점, 따라서 필연적으로 상보구조를 형성하고 있다는 점을 새롭게 다시 지켜보아야 한다.(23) 이런 의미에서 우리에 의해 살아지는 세계란 수평축과 수직축의 다중교차에 의해 다차원적으로 우리에게 현출하고, 우리를 그 속에 귀속시키며 그물코 모양으로 스스로를 엮어가는 세계라고 말하지 않으면 안 된다.

제3부

•

현상학의
근대 비판

제7장 하이데거의 기술 비판

제1절 존재의 진리와 형이상학

오늘날 인간의 현실을 요동치게 하고 있는 여러 동인動因으로 눈을 향할 때 기술의 세계지배의 문제를 회피할 수 없다는 점을 누구나 알아차릴 수 있다. 인간이 생존하기 위한 수단이었던 과학기술이 역으로 생존에 대한 위협으로 화하고, 자연에 대한 인간의 지배적 지위가 어느 사이에 전도되어 자연개발의 기술적 장치에 인간이 봉사하는 이와 같은 여러 징후가 닥치고 있기 때문이다. 기술시대에 놓인 인간의 본래 지위와 그 진정한 역할을 발견하는 것은 오늘날의 사상에 부과된 근본문제인데, 이러한 과제와 씨름하는 많은 사상가 중에서 M. 하이데거의 현대비판은 지극히 이채를 발하고 있다. 그 이유는, 현대에 대한 그의 발언이 서구 사유의 본질적 운명을 결정하는 차원에서 행해지고, 오늘날의 인간이 상실하고 있는 근원적 경험을 되찾고자 하는 시도를 이 차원으로부터 끌어오기 때문이다. 만년의 후설이나 메를로-퐁티 등은 근대과학의 근저에 숨어 있고 이제까지 감추어져 있던 근원적 경험을 재발견하는 길을 걸어갔는데, 하이데거도 그들과 동일한 사상 동향에 속해 있었다고 할 수 있다. 다만 하이데거는 경험의 근저로 내려가서 근원적 경험을 탐색하는 것이 아니라, 인간의 경험을 성립시키고 있는 쪽에 서서 근원적 경험을 향해 돌아가는 길을 개척하고자 했다.

하이데거의 사상이 진행하는 도상에서 1930년대에 전회라고 불리는 사건이 일어났다는 것은 잘 알려져 있다. 『존재와 시간』에서 시도된 현상학적 존재론 형태의 기초적 존재론의 구상이 점차 그 본래적 의도인 「존재의 물음」의 실현을 둘러싸고서 모습이 변해 가면서 형이상학의 정체를 밝혀내는 중 마침내 존재의 사유라는 독자적인 경계가 열리게 된 것이다. 그간의 사상의 변천을 추적하여 그 의미를 길러내는 것이 당면과제는 아니지만, 그러나 이 하이데거 사유의 변천이 그가 서양 형이상학에 대해 어떤 확정을 지었다는 것과 깊은 연관이 있다는 점만은 간과할 수 없을 것이다. 형이상학의 본질을 확정지음으로써 하이데거는 서양의 역사를, 나아가서 근대 또는 현대의 정체를 꿰뚫어볼 수 있게 되었기 때문이다. 시대에 대한 비판이 형이상학을 최종적으로 판정함으로써 성립했다는 것이 자못 기이한 감을 품게 할지 모른다. 그래서 우선 하이데거가 말하는 형이상학이란 도대체 무엇인가, 또 형이상학이 형이상학으로서 성립하는 근본경역根本境域이란 무엇인가에 대해 언급해둘 필요가 있겠다.

하이데거는 본래 존재자와 존재의 근본적 구별을 철학의 기본적 주제로 보고 있었다. 그의 철학적 사유는 이 구별을 철저하게 캐묻는 것이었다고 해도 좋을 것이다. 그런데 하이데거에 의하면, 형이상학은 이 구별을 사용하기는 하지만 이 구별이 무엇에 기초하는지 알지 못한다. 형이상학은 존재자를 그 존재에 있어서 묻지만, 존재자가 있다고 할 때의 그 '있음'의 진정한 의미를 묻는 일을 하지 않은 것이다. 형이상학은 존재자로 하여금 존재자이게 하는 근거를 물으면서도 존재자의 존재를 '부단히 현존하고 있는 것'으로서 규정했는데, 이때 그 '항상적 현존'은 존재자를 그 보편성이나 일반성에서 규정하는 존재자성이고, 또 존재자를 그 전체에서 규정하는 최고의 신적 존재자였다. 즉 형이상학은 존재-신론onto-teologie의 기구機構에 입각해서 존재자의 존재의 파악을 행하는, 존재론임과 동시에 신론神論이었다. 이 존재론적 파악에는 분명 존재자와 그 존재자성의 구별이 사용되고 있지만, 그러나 이 구별이 구별로서 성립하는 토대적인 근거는 알려져 있지 않다.

하이데거는 이미 『존재와 시간』에서 이 구별을 존재론적 차이라고 이름하고, 그것을 존재자에서 그 존재에로 초출하는 현존재의 초월에서 발견하고자 했다. 이윽고 구별이 구별로서 현성해 오는 운동을 존재의 근본동향으로서 사유하게 되는데, 이러한 존재 사유에서 구별은 존재와 존재자의 이중의 주름zweifalt으로 파악된다. 구별이 구별로서 이루어져 가는 것은 곧 이 이중의 주름이 스스로를 전개해 가는 것이다. 무릇 존재자란 말은 존재를 의미함과 동시에 존재자를 의미한다. 존재자와 존재는 따로 분리된 것이 아니라, 서로 속하고 의존해서 동적으로 통일되어 있기 때문이다. 존재는 존재자를 존재자로서 있게 하는 운동이고, '존재가 존재자를 있게 하는 것'과 '존재자가 (존재를 통해) 있게 되어 있는 것'은 동일하다. 이중의 주름에 따라서 존재자는 존재 속에서 나타나고, 존재는 존재자의 존재로서 나타난다. 하이데거는 존재의 이 운동을 자주 빛에 의탁해서 표현하고자 하고 있다. 존재가 스스로 밝힘은 존재자가 존재의 밝히는 장소에서 빛남Scheinen이다. 그렇지만 존재는 간단없이 밝히는 것이면서도 그 자체는 '빛나지 않는 것unscheinbares' 으로서, 빛나는 존재자의 그늘에 몸을 숨기고, 이렇게 해서만 스스로를 시현示現하고 있다. 이것이 존재의 비밀이라 불리는 존재의 진리의 근원적인 현성 방식이다. 존재는 존재자를 은닉된 상相에서 은닉되지 않은 상相으로 운반하는 운동이며, 은폐성Verborgenheit에서 비은폐성Unverborgenheit으로 간단없이 이탈하는 운동이다. 이 이탈함에서 나타나 옴이 탈은폐함Erbergen이다. 인간은 존재의 탈은폐하는 운동 속으로 이끌려 들어오고, 은폐성에서 비은폐성으로 향하는 운동을 자신의 사유로 하여, 존재자가 그 존재에서 나타나게 하기 위해 존재를 언어로 가져온다. 인간의 사유는 존재자를 존재로 도래하게 하는 발어發語이고, 이 시작적詩作的 사유에 있어서 존재자가 그 이름을 불리게 되어 말에 나타나 온다. 이 사유는 존재의 비밀을 비밀로서 수호하고, 파수하고, 존재의 현출함을 수용하는 사유이다. 이와 같이 인간은 존재가 언어로 다가오기 때문에, 존재에 강요되어 존재의 밝히는 장소로 열려져 나가서 서는 탈자적-존재Ex-istenz이다. 하이데거는 이상과 같이 존재자와 존재라는 이중의 주름이 전개해 가는 운동을 존재의 진리의 현성으로서 사유하고 이를 여러 가지 기본어를 통해 말하고자 하고 있다.

　그렇지만 존재자를 존재자로서 탈은폐함으로써 존재자가 빛나는 것, 나타나는 것으로서 존재의 빛에 비추어질 때 빛나던 존재자가 그 외양으로 보여지고, 존재로서 고정되게 된다. 빛나는 것 자체는 빛나지 않는(눈에 띄지 않는) 것이 되고, 빛나던 것의 외양이 취해져서, 빛이 알아차려지지 않게 된다. 그렇게 되면 존재자와 존재의 상호 의속하는 이중의 주름은 닫혀지고, 비밀은 비밀로서 지켜지지 않은 채 비밀 그대로 스스로를 은닉하고, 모든 것은 존재의 은폐성으로, 선先보류 속으로 은폐되고 만다. 존재자와 존재의 구별은 현성하지 않은 채 존재자와 존재는 분리되어 존재자와 존재자성의 관계로 대치된다. 존재의 빛남을 받아들이는 사유의 수용성은 존재의 운동으로부터 분리되어 자립적인 것으로 변하고, 존재자를 대립적으로 바라보아 존재자에 의해서 존재자를 규정하는 태도가 거기에 성립하게 된다. 이렇게 해서 '보여진 것'과 '보는 작용'만이 남게 되고, 주관-객관-관계라 불리는 것의 원초적 발생이 거기에 생기하게 된다. 여기에서 형이상학이 형이상학으로서 성립하는 근본경역이 바로 존재의 이중 주름의 사건으로서 현성하고 있다고 할 수 있다. 형이상학적 사유는 존재자를 봄見에 있어서 규정해 가는 자립적 사유이며, 모든 것을 '보여진 것'으로서 사유하기 때문에, 존재자 전체의 존재근거를 특정한 존재자에 의해서 대치하고, 이것을 존재로서 사유하지 않을 수 없게 된다. 플라톤의 이데아에서 비롯되는 존재의 망각은 이렇게 해서 형이상학으로서 생기하고 있는 것이다.

　형이상학이 형이상학으로서 성립하는 근본경역은 형이상학적 사유에 의해서 파악될 수 없다. 존재망각은 본래 존재의 진리가 항상 스스로를 이중의 주름을 여는 방식으로 보여주는 데에서 유래한다. 존재망각은 존재가 존재자를 있게 하면서 그 자신은 스스로를 은폐하는 데에 기초해서 발생한다. 즉 형이상학의 성립구역이 존재의 역운에 의해서 지배되고 있는 것이다. 존재는 존재의 사유에서든, 형이상학적 사유에서든, 스스로를 역운적으로 조절하는 것이지 사유의 자립성에 좌우되는 것이 아니다. 오히려 사유의 자립성이 역운적으로 생기해 온다. 하이데거는 형이상학이 존재의 명운으로서 생기하는 데에 시대획정의 근거가 있다고 말하고, 근대역사학이 행하는 시대구분이나 연대측정은 본래 역사학 자체가 형이상학적 사유에 기초하는 것인 이상 존재망각을 나타내는 것에 지나지 않을뿐더러 일체를 비역운적, 비역사적인 것으로 화하게 하는 것이라고 서술하고 있다. 형이상학으로서 생기하는 존재의 역운이 시대획정의 근거가 된다고 한다면, 근세라는 시대를 획정하고 근세를 근세로서 규정하는 근거는 근세 형이상학의 본질 속에 은폐되어 있다고 말하지 않으면 안 된다.

하이데거에 의하면, 근세 형이상학은 주체성의 형이상학이다. 본래 존재자의 대상화적 고정은 형이상학에서 발단하는 것이지만, 근세 형이상학은 모든 존재자를 대상으로 해서 자기 앞에 놓는 작용에, 즉 대상을 대상으로서 성립하게 하는 주체 쪽에 눈을 돌리고 주체의 주체성을 궁극적 존재자 곧 기체로서 사유함으로써, 주체성의 형이상학으로서 생기해 왔다. 모든 것은 '나는 생각한다ego cogito'는 활동에 의해 만들어져서, 앞에 놓여진(표상된) 것이 되고, 더 이상 의문의 여지 없이 확실한 것으로 간주되어 지知에 현존하게 된다. 근세 형이상학에서 이 대상들의 성립을 위한 가능성의 제약으로서 존재론적 표상작용의 최초의 객체가 되는 것은 주체이다. 그 자신 모든 대상을 대상이게 하는 근원적 대상성으로서, 주체의 주체성은 존재자의 존재자성 곧 '항상적으로 현존하는 것'으로서 사유된다. 이 점은 데카르트에게서 이미 자아는 표상된 것을 표상작용에게 보증하는 확실성이었다는 데에서 엿볼 수 있는 것이리라. 이 확실성이야말로 근세 형이상학에 보이는 진리의 규정이다.

그런데 주체성의 형이상학에서, 처음에는 가려져 있지만 점차 드러나게 되는 것은 의지에의 의지라는 주체성의 본질이다. 일체의 지知의 근저에 놓여 있는 무제약적인 것은 자기 자신을 의지하는 의지이며, 주체성이 의지로 해서 자기를 관철하는 것이 형이상학을 완결로 이끌고, 이 완결된 형이상학이 기술인 것이다. 이와 같이 하이데거는 기술이 형이상학이라고 하는, 일견 기이하다고 여겨지는 견해를 내리고 있지만, 이 통찰은 표상작용이 그 본질에 있어서 의지작용(의욕)과 결부해 있다는 점을 이해한다면 그다지 이상한 것은 아니다. 이미 라이프니츠에게서 perceptio(=지각)와 appetitus(=욕구)가 vis(=힘) 개념에서 통일되고, 이 통일 속에서 상호 의속하고 있었는데, 이러한 지知와 의지의 상호의속성은 헤겔이 논하는, 의지로서의 정신이라는 절대지의 형이상학에서 주체의 주체성으로서 사유되기 시작하고, 그의 형이상학에서 형이상학의 완결이 개시開始된다. 그리고 니체의 힘에의 의지 교설에서 의지가 궁극적인 것으로 사유됨으로써 형이상학은 철학으로서 최종형태에 도달하게 된다. 그러나 형이상학은 더 이상 형이상학이라고는 말할 수 없는 기술에서 완결된다. 기술은 철학으로서의 형이상학이 제기하는 '존재자란 무엇인가'란 물음을 더 이상 묻지 않는다. 그럼에도 불구하고 기술이 완결된 형이상학이라고 말하는 것은, 기술에서는 의지가 지知와 결합하여 의지에의 의지로서 자기를 관철하게 되기 때문이다. 이를 하이데거는 "의지에의 의지가 완결된 형이상학에 나타나는 세계의 무역사적인 것 속에서 스스로를 조정하고 견적하는 근본적 출현형식이 정확히 기술이라 불리는 것이다."고 말하고 있다.

제2절 기술과 그 본질

현대는 완결된 형이상학으로서의 기술의 시대이다. 그러므로 기술적인 것과 기술을 동등시하는 기술론을 아무리 논의해보았자 기술의 본질을 조금도 다루는 것이 아니며, 그 자체 기술적 사유에 기초하는 이러한 견해에 의거해서는 오늘날 규탄되고 있는 기술 위기의 정체를 꿰뚫어볼 수 없을 뿐만 아니라 오히려 점점 위기를 심화해 갈 뿐이다 하는 것이 하이데거의 경고이다. 기술을 형이상학이라고 하는 데에는 다음과 같은 두 가지 의미가 포함돼 있다. 하나는, 기술의 본질은 인간학적 규정에 의해서 표상되는 것이 아니라, 본래 테크네란 말이 의미하고 있었듯이 기술 그 자체도 하나의 산출함hervorbringen이며, 변질된 테크네로서 존재자를 그 존재에로 탈은폐하는entbergen 한 방식이라는 점이다. 또 하나는, 완결된 형이상학으로서의 기술에서는 의지에의 의지가 자기를 관철함으로써 형이상학으로서 생기하고 있었던 존재망각이 그 극에 달하고, 존재의 공소화空疎化가 최고의 위기를 가져온다고 하는 점이다.

보통 기술의 본질을 인간학적으로 규정할 때 기술은 목적에 대한 수단이고, 따라서 인간의 행위로 간주된다. 왜냐하면 인간이 목적을 설정해서 그 목적에 달하기 위해 수단이나 장치를 완성하기 때문이다. 목적을 위해 수단을 사용할 때 거기에는 인과성이 작동한다. 그런데 인과성이라든가 원인이라든가 하는 것은 본래 플라톤과 아리스토텔레스의 사유에서는 유인誘因을 일으키는 여러 방식이 서로 함께 작용하는 것으로서 정의되고 있었다. 유인을 일으킨다는 것은 아직 현존하지 않는 것을 현존으로 도래하게 하는 것이고, 은폐성으로부터 비은폐성으로 꺼내놓는 것이다. '~로부터her ~로vor 가져옴bringen(산출함)'은 은닉돼 있는 것이 은닉돼 있지 않은 것으로 도래함이고 탈은폐함이다. 이 산출은 수작업적 공정이나 예술가의 시작詩作 등을 의미할 뿐만 아니라, 퓌지스가 스스로를 여는 운동도 하나의 산출이며, 포이에시스란 말의 본래의 의미가 거기에 있었다. 예를 들면 꽃이 피어나는 그 개화의 영위營爲는 자연이 스스로 열려 나타나는 자연 그 자체의 산출과 다른 것이 아니다. 자연도 예술도 모두 산출이고 탈은폐이다. 기술이란 말의 원어인 테크네는 자연과 같이 그 자신 속에서 탈은폐를 가지는 것이 아니라 다른 것 속에서 가령 직공이나 예술가 속에서 가질 때 사용되고 있었다. 근대기술도 역시 하나의 탈은폐이다. 그러나 물론 근대기술은 포이에시스란 의미에서 탈은폐가 아니라 테크네란 의미에서 탈은폐이다. 하지만 본래의 테크네와는 완전히 다른 방식의 탈은폐이다.

그렇다면 기술은 어떠한 탈은폐의 방식을 갖는 것일까? '근대기술을 관철하는 탈은폐는 도발한다는 의미에서 닦아세우는 작용Stellen의 성격을 갖는다.' 예를 들면 농부의 행위는 본래 논밭을 일구고, 자신과 자신의 행위를 대지와 그 키우는 힘에 맡기는 것이었던 데 반해서, 근대 농산업은 오래된 경작지를 도발적인 '닦아세우는 작용'으로 억지로 끌어들인다. 기술에서는 닦아세움이 주문요청함Bestellen이 되며, 모든 것이 편리를 제공하는 것으로 편성된다. 기술에 의해서 대상Gegenstand은 용상用象, Bestand으로 화하고, 표상하는 인간에 대립한다는 의미의 대상적 성격조차 상실하고 만다. 용상은 존재자가 편리를 제공하는 것으로서 자기를 내보이는 비은폐성에 대한 명칭이다. 이와 같이 존재자가 용상이 되고, 탈은폐하는 것이 편리를 제공하는 것이 되었을 때 도발적인 '닦아세우는 작용'은 마치 존재의 근원적 운동이 존재자를 그 존재로 취집하는 것이었던 양 하나의 취집으로서 결말을 보게 된다. 하이데거는 이것을 기술 속에서 현성하고 있는 기술의 본질인 몰아세우는 것Gestell이란 말로 표현하고 있다. 기술의 본질은 비은폐성이 생기하는 하나의 방식이며, 그런 의미에서 형이상학의 본질이 현성하는 형이상학의 근본영역으로부터 사유되지 않으면 안 된다.

이 편리를 제공함은 의지에의 의지로서 의지의 의욕작용이거늘 의지의 의욕작용이 어떻게 해서 표상작용과 관련되는 것일까? 자연인식은 어떻게 해서 의지의 의욕작용과 결부되는 것일까? 보통 기술을 이론과학의 응용이라고 말하지만 이는 억견에 지나지 않는다. 이론적 자연인식은 그 본질에 있어서 이미 기술적인 것으로부터 기술로 향하는 실천적 전개가 가능하게 되었던 것에 지나지 않는다. 즉 자연인식은 생산의 법칙을 포함하는 인식이었던 것이다. 자연인식이 경험에 호소하는 일 없이 개념적으로 표상된 사상事

象이 성립하는 가능성을 증명할 수 있는 것은 정의에 의해 사상을 규정하는 일에서이다. 정의가 사상의 생산을 스스로 포함하는 인식의 예로 수학적 인식을 들 수 있다. 가령 원의 수학적 정의는 그 원의 생산(구성)의 법칙을 스스로 포함하고 있다. 이와 같이 자연인식은 이론적 정의를 행할 때 과학적 인식으로서 완결되지만, 이때 일찍이 인간 자신의 손에 의해 산출된 것의 영역에 국한돼 있었던 테크네의 의미는 변질되고, 우리가 완성하게 된 것은 우리가 존재자에 대해서 갖는 지知 속에서 근거를 지니게 된다. 자연과학적 인식은 자연의 사물을 합법칙적으로 생산하는 인식인데, 자연이 합법칙적 작용의 인식대상이 될 때 이 자연법칙은 인간의 이성에 의해서 표상되기 때문이다. 즉 자연은 인간 이성에 의해서 표상된 법칙에 따라서 작용한다. 그리고 이 법칙의 표상에 기초하고, 그것에 이끌린 작용이 의욕작용이다. 이미 칸트는 의지의 의욕작용에 대해서 다음과 같이 정의하고 있다. "자연의 사물은 모두 법칙에 따라서 작용한다. 이성적 존재자 하나만이 법칙의 표상에 따라서 행위하는 능력 또는 의지를 지닌다." 인간의 의지 행위는 이미 자연법칙을 알고 나면 자연을 뜻대로 하고자 한다. 그런데 이전에는 의지가 관계하는 것이 인간의 손에 의해서 완성된 것이었을 뿐인 데 반해서, 자연인식이 합법칙적인 것이 되고 법칙이 인간이성에 의해서 표상되어 자연이 이 법칙에 따라서 작용하게 되면, 자연의 작용이 의지의 작용의 가능성으로 전화하기 시작한다. 의지가 자연의 작용이 따르는 제약에 자신을 결부시켜서 자연의 작용을 수중에 넣어 그것을 뜻대로 조작하고, 나아가 그것에 의해서 작용의 제약을 스스로 창출하고, 이제까지 자연이 스스로 수행할 수 없었던 작용조차 발생시키게 된다. 즉 인간이 자연의 작용을 뜻대로 조종하여 극도의 활동성으로까지 자연을 해방한다고 하는 형태로 한없이 자연에 도발해 가게 되는 것이다. 존재자는 더 이상 표상된 것이 아니라 유용하게 된 것으로서, 하나의 새로운 질서체계의 메커니즘 속에서 편성되고, 의지는 존재자의 질서의 '남김 없는' 보증을 위해 '존재자 전체를 보증하는 계획적 산정'의 역할을 인간에게 요구하게 된다.

의지의 주체는 인간이 아니라 의지 그 자체이다. 존재의 진리의 원초적 현성이 현-존재로서의 인간을 필요로 한 바와 같이, 의지에의 의지도 또한 의지지배의 복무자로서 의지지배의 주체의 역할을 인간에게 명하고 인간을 의지에 봉사하게 한다. 의지의 주체는 본래 의지 자체이며, 의지는 의지에의 의지로서 자기 자신의 주인이 되고, 일체의 것을 뜻대로 하고자 한다. 인간은 이 의지지배를 근거짓고 정비하고 구축하고 관철하는 것을 의지로부터 위탁받고, 이 위탁이 인간에게서는 기술사유로서 작동한다. 인간은 모든 것을 원료로 이용하는 기술에게는 가장 소중한 원료가 되는 것이다. 용상을 확정하고 이용하기 위한 질서체계 메커니즘의 정비는 모든 분야에 걸쳐서 계획되며, 인간의 지성은 무제약적 수지 결산을 위해 어느새 고도의 본능으로 화하고 만다.

모든 탈은폐함 곧 비은폐성의 현성은 양의적이다. 은폐성으로부터 비은폐성으로 현출하는 존재의 운동은 현출한 것의 그늘에 스스로를 은닉하기 때문이다. 그런 의미에서 모든 탈은폐하는 것은 위험을 가져온다. 그럼에도 불구하고 하이데거는 기술이야말로 최고의 위험이라고 말한다. 그 이유는 기술의 탈은폐는 그 자체가 지니는 자기위장뿐만 아니라 동시에 다른 모든 탈은폐의 가능성을 구축驅逐하고 자신의 유래를 숨김으로써 포이에시스로서의 산출을 역운적으로 막아버리기 때문이다. 기술은 이런 의미에서 이중의 위장을 지닌다. 기술이 가장 위험하다는 것은, 기술이 겉보기에 위험이 없어 보이는 옷을 차려 입고, 이렇게 해서 깊이 스스로의 본질을 숨겨 모든 것의 역운을 망실하여 무역사적인 것으로서 경화硬化하게 된다는 점에 있다. 이렇게 해서 존재의 망각은 존재의 방기로서 결정적 양상을 드러내기에 이르고, 존재의 공소空疎 때문에 모든 것이 구별과 위계를 상실해서 등형성等形性을 띠게 된다. 이를 하이데거는 "의지에의 의지의 지배 하에서 대지의 모든 인류의 무제약적 등형성은 절대적으로 정립된 인간 행위의 무의미를 노출하게 한다"로 말하고 있다.

이 무의미는 의지지배가 고조됨으로써 생기게 되는 목표상실성과 더불어 의지의 자기위장에 의해 숨겨져 있다. 의지의 의욕작용은 분명 그때마다 목표를 지니지만, 목표가 의지를 규정할 수 없고, 역으로 목표설정이 의지에 지배되어 목표가 의지를 섬겨서 목표표상이 자유롭게 대체될 수 있게 된다. 의지지배는 근본적으로 목표로서의 목표를 배제하고 무목표성을 그 기본적 조건으로 하는 것이므로, 의지지배의 고조는 동시에 목표상실성의 만연을 의미한다. 그렇지만 의지는 목표 없이 아무것도 의욕할 수 없다. 목표상실은 의지의 의욕작용을 위협한다. 그래서 의지에의 의지는 목표상실성을 전경에 내세우는 것을 극도로 싫어해서 목표상실성을 숨기려고 한다. 이와 같이 의지는 자신의 본질을 은닉하는 방식으로 우리의 생활을 지배하고 있다. 의지가 자신의 본질을 은닉하는 것이므로, 현실에 생기하고 있는 기술의 전체적 짜임새의 배후를 엿볼 수 없으며, 오늘날의 기술 하에서 영위하는 생활은 불안에 놓이게 된다. 기술이 하나의 탈은폐성으로서 지니는 비밀의 유지가 오늘날의 불안의 원천이 되고 있는 것이다. 그리고 그 비밀로서 보전되고 있었던 것이 목표상실성이고 무의미이고 무인데도, 이 공허한 무를 아는 일 없이 거기로 향해서 자기를 관철하고자 하는 것이 또한 섬뜩한 무서움이다. 여기서 니힐리즘의 완결적 현출형태가 기술의 본질과 관련해서 완벽하게 간파되고 있다고 말하지 않을 수 없다.

제3절 사유의 길

기술의 지배는 대지를 황폐하게 하고, 존재의 진리가 원초적으로 현성하는 구조인 세계는 닫혀서 비세계로 화하고, 대지는 혼미한 별이 되었다. 하이데거는 다음과 같이 말한다. "하나는 대지를 그저 이용하는 것이고, 다른 하나는 대지의 축복을 수용하고 이 수용의 결정 속에 거주해서 존재의 진리를 지키고, 가능한 것(원하는 것)이 범접하기 어려운 것을 망보는 것이다." 대지의 축복을 수용하는 일은 우리에게 닫혀 있지 않다. 하지만 그것은 어떻게 우리에게 열려지게 되는 것일까? 말할 나위도 없이 기술적 세계에 맹목적으로 반항하거나 기술적 세계를 악마의 소행이라고 저주하는 것은 기술의 지배에 대해 무력함을 이야기하는 것일 따름이다. 더구나 기술적 장치를 통제하고 제어하는 새로운 기술적이되 인간적인 수립에 대해 말하는 것은 그 자체 기술에 봉사하는 것일 따름이리라. 하이데거는 기술의 두려움은 기술의 산물이 인간의 생존을 파괴로 이끄는 데 있는 것이 아니라 오히려 인간이 기술의 본질에 대해서 아무 사유도 하는 일 없이 세계의 이 전화에 대해서 아무런 준비도 하지 않는 데 있다고 말하고 있다. 이와 같이 "오늘날의 인간은 사유로부터 도망가는 도상에 있다"는 것이 기술의 두려움이다. 기술 지배 하에 그 극에 달한 존재망각에 놓여서 아무런 사려思慮도 하지 않음이 가장 큰 두려움인 것이다.

그런데 존재망각은 본래 존재가 자기를 은닉하는 데에서 유래한다. 기술은 비은폐성의 한 존재방식이고, 하나의 역운으로서 역운이라는 것을 스스로 은닉하고 있다. 그러나 기술은 그 본질에 있어서 역운이고 은폐와 탈은폐의 배치配置라는 것을, 즉 존재망각의 유래를 은폐하고 있다. 기술이 비은폐성인한, 존재의 진리가 현성하는 근본경역으로 가는 길은 막혀 있지 않다. 하이데거는 "위험함이 있는 곳에 구원함도 자란다"고 하는 횔덜린의 시구를 인용하면서, 기술 지배가 고조되는 가운데에 구원함이 생겨 자라고 있다고 말한다. 기술을 그 본질에 있어서 경험하는 일, 기술의 본질을 위험한 것으로 받아들이고 기술의 편의를 제공하는 작용이 유일하게 탈은폐하는 방식이 아님을 경험하는 일, 여기서 바로 구원함이 자라온다. 이것은 또한 형이상학에 은닉돼 있는 형이상학의 본질로 귀향歸向하는 길, 사유의 길이기도 하다고 하이데거는 말한다. 기술의 본질에 대한 얼핏 봄Einblick은 이윽고 번쩍임 Einblitz이 되어서 인간을 비은폐성의 세계로 데리고 들어가는데, 그것은 해이하지 않은 경건한 사유의 걸음을 부단히 걸을 때 가까이 다가오는 것이다.

기술의 시대에 살아갈 때 기술적 대상을 싫든 좋든 사용하지 않을 수 없다는 것은 분명하다. 기술적 대상을 긍정하면서도, 이 대상에 독점되어 자신의 본질을 왜곡하는 일을 거부하고 부정하는 것, 이 긍정과 부정은 모순되지 않는다고 하이데거는 말한다. 기술세계 속에서 새로운 근거와 지반이 인간에게 증여되어, 상실된 오래된 토착성 대신에 새로운 토착성이 뿌리내리는 것이야말로 기술시대에 살아가면서 기술에 휘말리는 것으로부터 해방되는 유일한 구원이다. 하이데거는 기술적 세계 속에서 기술적 대상을 사용하면서 사물을 기술적인 것으로 보지 않고, 기술적 세계에 대해 이제까지와는 다른 관계형태를 맺는 것을 '사물들에게 초연히 내맡김 Gelassenheit'이라는 용어로 부르고 있다. 이 태도는 기술적 세계 속에 은닉돼 있는 것을 향해 우리 자신을 해방시키는데, 이는 부단하게 의연한 사유로부터만 성장해 올 수 있는 것이다. 이 사유는 하이데거가 스스로 준비적 사유라고 부르는 사유의 귀향歸向적 자세를 보여주고 있다. 하이데거가 현대를 꿰뚫어보는 발언도 또한 존재의 사유를 통해 존재로 불려 들어가게 되는 이 사유의 길을 걸어감으로써 행해진 것이다.

제8장 후설의 과학 객관주의 비판

제1절 과학과 경험과 생 19세기 후반의 학문적 상황

19세기 고유의 정신 상황은 특히 독일에서는 헤겔의 죽음(1831)으로 상징되는 괴테 시대의 끝과 더불어 시작된다고들 말한다. 그러나 이제까지 19세기 정신 상황은 극히 혼미함으로 가득 차 있는, 예측하기 어려운 것으로 간주되어 그 충분한 해명을 볼 수 없었다. 기껏해야 헤겔학파의 동향에 자리 잡고서 제2차 세계대전 전후의 사상(특히 마르크스주의나 실존철학)의 원류를 탐구하는 이와 같은 시점視點에서 행해진 기도, 예를 들면 K. 뢰비트를 위시한 두세 사람들의 작업이 주목되고 있었을 뿐이었다. 그러나 1960년대에 시작되는 과학론적 관심이 고조되면서 현대 과학을 둘러싼 문제들의 기본적인 해명을 위해서는 19세기 후반에 일어난 과학의 변혁 상황을 탐색하는 일이 어떻게든 필요하고 불가결하다는 인식이 심화하고, 최근 점차 본격적인, 19세기에 관한 정신사적이고 학문사적인 연구가 착수되게 되었다. 이 연구들에 의해서 산업혁명 후의 사회구조의 급속한 변화와 더불어 시작되는 과학의 제도화Institutionalisierung의 문제가 새롭게 다시 주목받게 되고, 제도화에 의해 과학 연구의 상황뿐만 아니라 과학의 구조 자체에도 변화가 이끌려 일어나게 되는 사정이 여러 각도에서 해명되게 되었다.[1]

일체의 우유성, 특수성, 개별성을 소멸하게 하는 인과결정론의 완전한 지배를 표현한 표어, 뒤부아-레몽이 명명하는 바의 이른바 '라플라스의 악마'[2]란 말로 상징되는, 19세기 뉴턴 물리학적 세계관의 극점에 도달하는 운동은 동시에 그 이론 우위의 틀의 해체를 야기하게 되었다. 무릇 인식에는 완전성이라는 것이 있을 수 없다. 과학의 합리성은 오히려 살아진 현실을 전도시키는 것은 아닌가 하는 의심이 점차로 만연하게 되고 그 자체로 하나의 반과학적 사상의 형성으로 이끌리게 되는데, 동시에 과학이나 철학을 '이론'이나 불변의 '사유'로부터 해방시켜서 살아진 경험으로부터 역동적으로 다시 파악하고자 하는 운동도 또한 일어나게 된다. 그리고 이제까지 '이론'이나 '사유'에 의해 구축驅逐되고 있었던 '경험'이나 '생'의 개념이 새로운 의의를 갖고서 등장하게 된다. 오늘날의 생활세계론의 선구가 되고 있는 이 동향을 즉각 아래에서 탐색해 보도록 하겠다.

1. 경험 개념과 '유기체 모델'

경험을 인식의 주요기능으로 간주하는 과학의 경험화Empirisierung 또는 경험과학으로서의 과학의 성립은 아래에서 드는 바와 같은 몇 기본적인 견지에 의해 지탱되고 있다. 예를 들면 (1) 직접 주어진 것은 기술된 현상일 뿐이라고 하는, 실증적인 방법의 정신이 그것이다. 사유의 구축에 앞서서 주어지는 것은 주어지는 대로 그것을 충실하게 기술함으로써만 모든 학문적 지식의 기반 역할을 수행할 수 있다. 이러한 견해를 대표하는 것이 실증주의의 선구자 E. 마흐의 사유경제론이다. 감각일원론의 이론가인 마흐에 의하면, 사물이나 주관으로 불리는 것은 모두 감각들로 이루어지는 복합체에 지나지 않으며, 양자의 구별은 등질적인 요소를 함수화할 때 나타나는 구별에 지나

지 않는다. 음이나 색 혹은 시간이나 공간과 같은 요소로 이루어지는 복합체로서의 현상을 최소의 사고로써, 할 수 있는 한 완전하게 기술한다는 기술경제적記述經濟的인 사유의 법칙은 기술의 충실성을 설시하는 격률이다.[3] (2) 경험은 주어진 세계와 나누어지기 어렵게 하나가 되어 작동하고 있다. 특히 아베나리우스는 주관-객관의 이원성이 대립하기 이전의 순수경험의 세계를 기술할 때, 자연적 세계die natürliche Welt란 말을 쓰고 있다. 이 통일태로서의 세계는 투입Introjektion에 의해서 주관과 객관, 내계와 외계로 분열하게 된다.[4] 이 점에서 예를 들면 로크가 말하는 감각과 반성의 구별에 보이는, 외계와 내계의 이원론적 구별의 틀은 애초부터 배척되고 있다. (3) 경험은 무시간적이고 불변적인 지성의 인식구조의 추상성과 달리 그 자신 변화하고 생성하고 창조하는 활동을 지닌다. 예를 들어 마흐에 의하면, 등질적인 휠레가 우인적偶因的 충격에 의해 교란이나 편차를 생기게 해서 새로운 상태를 산출하고 이것에 의해 복합체가 형성되는데, 이것이 바로 반복되고 누적되어 가는 과정의 경험이라고 불리는 것이다.[5] (4) 내와 외라는 틀의 배제는 당연히 세계의 경험과 자기의 경험을 상호 제약하는 차원을 경험 그 자체에서 구하고자 강요하는 것이고, 따라서 경험 개념의 변혁은 필연적으로 종래의 철학적 사유를 근저로부터 요동치게 한다.

특히 경험이 갖는 시간성은 과학적 인식에 동적인 과정 성격을 부여하게 된다. 슈내델바흐는 "과학은 경험에 의해서 부단하게 성장하고, 스스로를 변화하게 하는 전체로서, 미래로 향해서 열려진 개방적 시스템일 따름이다."고 말하고 있다.[6] "부단하게 성장하는 전체"라는 사상은 과학적 인식에만 한정되는 것이 아니라, 철학과 예술을 포함하여 무릇 19세기 후반을 지배하는, 공통의 것이라고 말하지 않을 수 없다. 본래 인간 지知의 생성성격이나 인식의 과정성격은 근대 초기의 학문에서 '부정무한不定無限'의 사상으로서 논급되고 있었다. 쿠자누스의 축한縮限, contractio, 라이프니츠의 모나드의 유기적 발전, 데카르트의 상상력 활동 등의 사상에는 시점視點에 구속된 인간 인식의 진행이 원리적으로 최종항이 없는 미완결적 과정이라는 점이 각인되어 있다. 그러나 이 유한적 무한성의 사상은, 한편으로는 신의 참된 무한성을 설시하는 신학적 형이상학의 전통과 절연될 수 없는 계보를 지니기 때문에, 다른 한편으로는 근대인식론에서 논하는 지성의 구축적 자발성의 특권화 때문에, 인식론으로부터 추방되어 배경으로 물러나게 되었다. 고전 철학의 시기에는 고작 유기체로서의 자연의 구조가 갖는 논리의 내측에 갇혀 있었다고 해도 좋을 것이다. 부정무한의 사상이 경험의 개념과 결합해서 재차 활성화해 가는 것은 셸링 및 그를 지지하는 학파의 자연철학의 사변적 성격이 비판됨으로써 '유기체의 논리'가 방법적으로 유효한 모델로서 새롭게 해방되었을 때부터이다. 한마디로 말하면 해석학의 성립에 의해서이다.

19세기 후반부터 말엽에 걸쳐서 '유기체의 모델'이 유효성을 갖기 시작하는 것은 그러나 얄궂게도 두 서로 대립하는 방향에서이다. 하나는 시론적詩論的 자연성화die poetologische Naturverklärung의 방향인데, 여기서는 총체성Totalität 의 의식이 대립성, 중첩성, 쌍극성과 같은 사물의 연관을 비유를 써서 빛나게 하는 언어의 시적 기능과 결합하고 있다. 특히 폰타네Theodor Fontane나 헤켈 Ernst Haeckel 등의 시 작품이나 자연철학은 유비Anologie나 직각, 환유를 통해서 토포스로서의 코스모스나 비유세계의 언어적 창건이 시도되었다.[7] 이 방향은 과학의 인과성, 논증의 연속성에 대한 거부로 관철되고 있고, 낭만주의 이래 미적인 것으로 귀의함이나 초월함이 결국은 역사를 벗어난 자연신앙으로 나아간다는 점을 이야기하고 있다. 즉, 과학과 생은 서로 용납하지 않는 대립으로서 받아들여지고 있다.

이에 반해서 '유기체의 모델'이 지니는 또 하나의 등장 방식은 경험과학으로서 성립해 가고 있었던 역사학 방법론의 수립과 일체가 되어 있다. 원래 독일어의 역사Geschichte란 개념은 이미 칸트가 지적한 바와 같이 '행해진 일res gestae'과 '행해진 일에 대한 기록rerum gestarum memoria'이라는 이중의 의미를 지니고 있다. 바꿔 말하면, 역사에 있었던 행위나 사건과 그 서술이라고 하는 구별을 안에 포함하는 개념이다. 이 구별을 학문적으로 명확화해 가는 것이 이른바 역사학파의 사람들에 의해 수행되고 있었다. 이것은 동시에 그때마다 서술되는 개개의 역사die Geschichten와, 그것들을 통합하는 하나의 총체적 역사die Geschichte의 관계를 명확히 하는 것이기도 했다. 그러나 19세기의 정신 상황은 통일적 역사를 나타내는 오래된 모델, 예를 들면 구원사관이나 발전단계설을 더 이상 유효한 것으로 여기지 않았다. 역사학파에게 집합단수명사로서의 역사는, 예를 들면 이념Idee, 정신, 인류와 같은 개념들, 나아가서는 경험량Empirie과 결합한 국가라든가 제도의 개념으로서 등장해 오는 것은 모두 '유기체 모델'에 기초하는 개념이다. 그러나 또한 여전히 이 개념들은 어떤 형태에서 객관적 실재와 관련되는 표상성격을 벗어나 있지 않다. 역사학파 중에서 드로이젠이 처음으로 근대 역사과학에 포괄적인 방법 규준을 확립하고자 했다. 그는 우선 앞에서 든 역사의 이중 개념 외에 이 양자를 통일하고 자연과학과 역사과학 사이를 구별하는 형식적 기저가 되는 '질료적 예비개념'으로서의 역사개념을 도출하고자 했다. 역사학의 영역은, 자연과학의 영역이 '존재하는 것의 병존관계Nebeneinander des Seienden'인 데 반해서 '생성한 것의 계기관계Nacheinander des Gewordenen'이며, 나아가 이 규정에는 아리스토텔레스의 에피도시스 개념에 보이는, 스스로 반복하면서 고조되고 생육해 간다는 성질이 포함되어 있다. 이 에피도시스와 서로 관련되는 역사학의 방법이 아남네시스 곧 상기의 능력이다. 상기는 단순한 소재를 역사학의 경험량으로 화해 가는 능동적인 반성작용이며, 또한 그 자신 에피도시스적 성격을 지니고 있다. 왜냐하면 생성하는 역사 속에서 역사를 연구하는 것은 그 자체 생성적 성격을 면치 않는다고 하기 때문인데, 드로이젠은 이를 '연구하면서 이해하는 것forschend zu verstehen'이라 부르고 있다. 즉 여기서는 해석학의 방법에 적극적인 의의를 지니는 '전체와 부분의 교호과정'의 방식이 방법상에서뿐만 아니라 연구주체와 그가 귀속되는 인류공동체 간의 관계에서도 제시되고 있다. 이로써 총체성으로서의 역사를 객관적 실재 쪽에서 연구주체 쪽으로 이동시켜서 연구실천을 이끄는 규제적 이념으로서 다시 자리 잡게 하는 방향이 열리게 된다. 그러나 이 실천철학적 패러다임의 문제는 오늘날에 이르러서야 가까스로 현재화顯在化하는 것이며, 1960년 이후의 과학론Wissenschafttheorie 전개 속에서 본격적으로 검토되게 된다.[8]

역사과학의 연구실천에서 이미 감지되고 있었던 이론이성과 실천이성의 상호매개 방식은, 과학 일반에서 즉 자연과학의 연구실천에서도 나타나고 있었던 현상이다. 과학적 인식의 과정화Prozessualisierung는 과학의 현재가 '진전을 보증하는 규칙에 따르는 활동'으로서, 항상 '도상에 있는 것ein Unterweg-Sein'[9]이라는 점을 고하고 있다. 게다가 이 과정은 주기적인 것을 허용하지 않는 가속화되는 과정인 동시에 끊임없이 오류 가능한 것이면서도 또 수정 가능한 성격을 지니고, 항상 혁신Innovation을 촉구하는 과정이다.[10] 후에 후설이 경험의 분석을 통해서 분명하게 했듯이, 나아가 오늘날 칸트의 실천철학이 해석학적으로 다시 파악되어서 새롭게 활성화되어 가는 방식에서도 엿볼 수 있듯이, 진리 자체는 규제적 이념이며, 우리의 인식이나 경험은 그것으로 향해서 한없이 접근해 가는 실천과 다른 것이 아니다. 이미 이 실천철학적 과학론의 성립을 촉구하는 것이 과학의 연구상황 속에서 준비되고 있었다.

2. 생과 인식 딜타이의 과학론

경험개념이 이원론의 틀을 넘어서 가는 방향에서 새롭게 탐구되고 있을 때, 동시에 전통적인 의식개념의 추상성도 또한 생Leben의 개념에 의해서 극복되어 가고 있었다. 그러나 이 극복은 어디까지나 생의 개념을 의식을 제약하는 기능으로서 파악하고, 생성이 한창일 때 일어나는 지知의 근원적 형성을 탐구하면서, 이로부터 인식비판의 작업을 시작한다고 하는 절차와 결합해 있지 않으면 안 된다. 만약 생의 개념을 인식비판의 작업과 분리해서 문화철학 혹은 문명비판으로 직접 되살리고자 한다면, 예를 들어 금세기에 들어와서 여러 형태로 등장한 생의 철학의 속류 형태[11]에 보이는, 극도의 비합리주의에 떨어지게 될 것이다. 이런 의미에서 딜타이의 경우는 철저하게 인식비판을 행하는 철학의 문제설정에 일관하고 있다. 딜타이에게 지[知]의 근원적 형성의 활동은 체험작용Erleben에 놓여 있다. 체험은 '가장 가까이에 주어져 있는 것'이다. 체험의 작용이란 이른바 의식하는 것과 의식되는 것이 분리되지 않고 일체가 되어 있는 활동이며, 동시에 바로 이 직접지가 세계로 향하는 통로가 되고 있다. 딜타이는 이 '의식의 기본적 사실'을 '알아차리는 내적 활동Innewerden, Innesein'이라 부르고 있다. 브레슬라우 완성 원고에는 다음과 같은 유명한 문장이 있다. "설사 어떻게 말하든──다음과 같은 어떤 한 점이 존재하고 있음에 틀림이 없다. 그것은, 거기에서라면 의식내용과 의식작용이 의식에 있어서 따로따로 존재하는 일은 없는, 즉 주관과 객관으로 대립해 있지 않은 그러한 한 점이다."[12] 체험작용은 생의 연관 한가운데에 속해 있으면서 대상관계를 포함하고 있기 때문에, 체험이라는 근원적 소여가 인식비판의 원점이 되고 있다. 물론 체험작용은 결코 표상작용(인식작용)에만 한정되는 것이 아니다. 표상작용은 항상 가치부여(감정작용)나 평가작용(의지작용)과 통일된 방식으로 작동하고 있다. 이 각 작용들은 뒤에 가서 비로소 서로 분리되어 행위유형으로 간주되는 것이며, 심리적인 것과 물리적인 것의 구별도 또한 뒤로부터의 해석에 의한 유형에 지나지 않는다. 딜타이에게 생이란 바로 '의식의 사실'이며, 이것이야말로 일체의 대립에 앞서는 인간의 '사실성'을 의미하는 것이고, 일체의 인식비판을 가능하게 하는 초월론적 인식지반이다.

그렇다면 체험이라는 근원적 소여성으로부터 출발해서 어떻게 해서 객관적 지식인 학문이 형성될 수 있는 것인가? 정신과학의 성립 문제에 한정해서 말한다면, 이 물음은 "생의 내적 자기이해가 어떻게 해서 보편적 지식인 역사경험으로까지 고조되는 것인가" 하는 딜타이 자신이 제기한 물음이기도 했다. 딜타이가, 개인의 내관적 방법에 제약된 기술심리학의 입장으로부터, 만년이 되어 생의 외화로서의 '표현'을 매개로 한 '이해' 작용을 설시하는 해석학Hermeneutik의 입장으로 이행했다는 것은 잘 알려져 있다. 그러나 그렇다고 해서 딜타이에 대한 기존의 해석에 공통되는 견해, 즉 딜타이는 자성[自省]

에 기초하는 심리학에 의해서 정신과학을 기초짓는 입장으로부터 인간정신의 객관태 — 개인이 제작한 예술작품이든, 정신적 객관태이든 — 의 이해 및 그 기술로서의 해석을 설시하는 해석학의 입장으로 전회하고, 심리학적 기술의 입장을 방기했다고 보는 견해가 반드시 합당한 것은 아니다. 본래 체험내용을 표현으로서 파악할 수 있는 것은 체험내용을 통해서 체험이 생의 연관에 감입感入돼 있다는 것을 전제로 하고 있기 때문이다. M. 리델도 지적하는 바와 같이, 『정신과학서론』에서 다루어진 '의식의 사실'에는 역사학적이자 해석학적인 방향의 길이 이미 포함되어 있는 것이며, '이해'란 체험으로부터 그것이 속해 있는 생으로 돌아가는 생의 자기성찰이 심화할 때 발견되는 본질적 생의 기능이다. 심리학적 정초와 해석학적 정초는 서로 배제하는 관계에 있는 것이 아니라 상호 보족하는 두 기본적 절차이다.

이 점과 관련해서 자연과학과 정신과학의 구별에 관한 딜타이의 기존 해석도 크게 변하게 된다. "우리는 자연을 설명하고, 심적 생을 이해한다."[13] 이 유명한 딜타이의 명제는 그가 자연과학과 정신과학의 구별을 '설명'과 '이해'의 구별에 놓고서 양자의 대립관계를 말한 것으로 간주되어 왔다. 자연과학은 한정된 수의 최소요소로부터 현상을 법칙적 연관으로서 구축해 가기에 그 절차가 가설적인 데 반해서, 정신과학은 우선 그 정초에 적절한 심리학에서 이 연관을 비가설적으로, 즉 자기 자신의 체험을 언제나 이미 내측으로부터 투명하게 이해해 가기 때문이다. 그러나 분명히 이 구별은 거기에 포함돼 있는 마흐의 요소일원론에 대한 비판에서도 엿볼 수 있듯이, "당시 19세기 후반의 과학의 특수상황에 제약된"[14] 구별이며, 딜타이 자신이 후에 이와 같은 구별을 문제시하게 되어, "정신은 그 이원성에 고집하는 것이 불가능하다"[15]고 말하고 있다. 체험이 자연과학과 정신과학에 공통된 인식비판의 기반이라고 한다면, 리델이나 슈내델바흐의 해석과 같이 딜타이의 진의를 다음과 같이 해석해야 할 것이다. 즉 자연과학이 주관적 체험작용을 사상捨象하고, 체험내용을 객관화하는 방향을 밟아가고, 공간·시간·양·운동 등 자연의 관계들을 추상화하여 파악하는 데에 반해서, 정신과학은 체험작용 쪽의 빛을 받고서 표현을 매개로 하여 생의 전체적 연관에 미치게 되는 이해작용에 자리를 잡는다고.(16)

이런 의미에서, 이해작용에서 일어나는 부분과 전체의 교호규정의 활동인 해석학적 순환도 과학 전반에서 일어나는 방법상의 순환의 하나의 형태에 지나지 않는다. 딜타이는 모든 과학에서 일어나는 방법상의 순환을 '분류화의 순환Zirkel der Klassifikation'이라 불렀다.(17) 논리학적-수학적 사유를 제한한다면, 경험과학의 방법은 모두 세부의 지知를 보다 큰 틀 속으로 이끌어 넣는 활동을 지닌다. 이 활동 속에서 가설Hypothese은 항상 자기 자신을 수정해간다.(18) 이에 반해서 정신과학 고유의 해석학적 순환은 해석의 확대화 속에서 어디까지나 개별성의 문제를 손에서 놓치지 않는다는 것에 중점이 놓이고 있다. 딜타이는 텍스트 해석학에서 말하는 "예상하는 이해divinator-isches Verstehen"와 "비교하는 이해komparatives Verstehen"의 교호작용이라는 이해의 순환구조의 평면에 머물지 않고, 체험과 생이라는 기초구조로부터 작용연관으로서의 역사적 세계에로 구성될 때에 일어나는 순환, 즉 구성자인 개인과 그 대상을 포함하는 작용연관이 개인의 이해의 방식 속에서 이미 작동하고 있는 구조를 취해내고, 역사이해가 품고 있는 역사내속적 구조의 역동성을 파악하고자 했다.

다음에 인용하는, 세 명제를 포함하는 딜타이의 문장은 위에서 서술한 딜타이의 입장을 집약적으로 표현함과 동시에 그의 구상이 지니는 한계도 보여주고 있다.

"체험 속에 주어진 것을 넘어 우리의 지知를 확대하는 일은 생의 객관태의 해석에 의해서 실시되고, 그리고 이 해석은 그것대로 체험의 주관적 심화로부터만 가능하다. 마찬가지로 개체적인 것을 이해하는 일은 바로 그 이해작용 속에 일반적인 지知가 임재하고 있음으로써만 가능하고, 이 일반적인 지知는 재차 이해하는 일에 그 전제를 갖고 있다. 마지막으로, 역사 경과의 어떤 부분을 이해하는 일이 완전성에 달하기 위해서는 부분의 전체에 대한 관계에 의거해야 하며, 전체에 대해서 보편사적으로 개관하는 일은 전체 속에서 합일되고 있는 부분들을 이해하는 일을 전제로 하고 있다."[19]

무릇 순환의 현상은 인간의 경험이나 인식이 끊임없는 수정이나 배제의 과정을 밟아가면서 그 자체로 생성하고 발전하는 것이라는 점, 따라서 종극적인 지점 곧 절대적 해결을 가져오지 않는 미완결적인 역동과정이라는 점을 단적으로 나타낸다. 그렇지만 위의 인용문 세 번째 명제에서 언급되고 있는 보편사의 구상에는 이 역동성이 역으로 간과되고 있다. 특정한 시대의 서술을 매개로 하여 곧바로 보편사로 가는 길이 열린다는 것은 생의 연속성과 역사서술상의 역사학적historisch 연속성 간의 그릇된 동일시에 기초하는 것이며, 총체성Totalität으로서의 역사의, 실천철학적 위치부여가 충분히 행해질 수 없었다는 점을 이야기하고 있다. 이 보편사의 구상에는 딜타이를 제약하고 있었던 일종의 교양주의적인 사변의 작동을 볼 수 있다.

그럼에도 불구하고 딜타이의 사유가 발전함에 따라서 "그림자놀이와 같은 형태로 보여지는"[20] 세계는, 볼노우가 강조하듯이, 정신과학의 대상인 객관태로서의 주위세계일 뿐만 아니라 바로 우리 인간이 일상적으로 살아가고 있는 주위세계 전체라는 것은 주목할 만하다고 해도 좋을 것이다.[21] 그것은 타자와 더불어 살아가고 있는 공동세계이고, 아이 때부터 영양을 취해서 자라고 있는 문화적 일상세계이다.[22] 딜타이가 생의 표출, 생의 나타남이라고 말하는 세계는 과학의 대상이기 이전에 살아지고 있는 세계인 것이다.

제2절 생활세계와 과학 학문론으로서의 후설 현상학

1. 선술어적 경험의 동태적 구조

금세기 초두에 등장한 후설 현상학을 전술한 19세기 후반에서 시작되는 큰 조류 속에서 자리매김해볼 때, 그 과제가 얼마나 절박했던가가 이해될 수 있을 것이다. 수학자로서 출발해서 이윽고 『논리 연구』(1900-1901)로 논리학의 철학적 정초를 꾀한 후설이 어떠한 사유의 경과를 밟아가며 광범위하게 여러 갈래에 걸치는 방대한 작업을 벌이고 있었는가를 여기서 그 전모에 걸쳐서 깊이 파고들 수 없기는 하겠지만, 적어도 과학과 경험의 관계를 어떻게 해명해서 시대의 과제에 답하고자 했는가를 생활세계의 문제계통에 초점을 맞춤으로써 탐색해볼 수는 있겠다.

그러하기에 우선 후설 현상학의 중심개념이라고도 할 수 있는 지향성 Intentionalität에 대해서 그 고유의 특성을 거칠게나마 묘사해두어야 하겠다. 후설은 경험의 기술을 행할 때 단지 감각여건Hyle만을 집어내는 것이 아니라, 동시에 대상과 관련되는 작용이나 대상적 계기도 집어내어, 이 세 계기에 의해서 구조화된 관계를 기술의 대상으로서 부상시키고자 하고 있다. 지향성이란, 전통적인 인식론이 의식주관과 그 대상이라는 내부와 외부를 우선 상정한 뒤에 양자의 인식관계를 묻는 것에 반해서, 관계항을 처음부터 스스로 거두어들이고 있는 관계, 즉 내와 외가 이미 만나고 있는 장면의 관계를 의미한다. 그런 의미에서 지향성 개념은 데카르트적 이원론을 애당초 타파하고자 하는 경향을 포함하고, 관계항의 한쪽을 다른 한쪽으로 환원하고자 하는 사유의 발생을 미연에 방지하는 착상이었다고 말할 수 있을 것이다. 오늘날 새롭게 다시 후설이 지향성에서 발견한 특성을 그의 텍스트 내에서 탐색해 간다면, 대체로 다음과 같은 세 규정이 언표되고 있다고 생각된다.

(1) 형식적 규정으로서의 방위성Gerichtetheit. 즉 '무언가로 향해지고 있음das Sich-auf-etwas-richten'. 어떤 특정한 작용은 반드시 그것에 상관적인 특정한 대상으로만 향해지고 있다. 그런 한에서 지향성은 한 장면을 확보하고 다른 장면을 배제하는 자장磁場과 같은 기능을 지닌다.

(2) 실질적 규정으로서의 의미적 차이성signifikative Differenz. 혹은 현출자 Erscheindes와 그 현출Erscheinung 간의 동일성과 차이성. 현출이란 현출하고

있는 것(현출자)의 현출로서, 예를 들면 사물의 그때마다의 일면Aspekt으로서, 현출자와는 구별된다. 그러나 현출은 현출자의 '현출하고 있는 상相'이란 점에서 현출자와의 동일성을 보유한다. 즉 현출이란 어떤 것이 어떤 것으로서 현출하는 것이고, 어떤 것이 특정한 의미에서 규정되는 것이다. 동일한 것이 여러 의미규정을 통해서 관점적으로 출현한다. 이에 반해서 이미 규정된 동일한 의미가 어떤 때에는 지각되고, 어떤 때에는 기억되는 경우와 같이 그 주어진 것의 명석성에서도 구별이 발생한다.

자연적 의식은 이 '현출들'이나 '주어진 것들'을 통해서 현출자로 향하고 있는 데도 불구하고, 그것들을 무반성적으로 통과해서 대상에 직접 관여하고 있다. 그러므로 자연적 의식의 자기망각태를 뒤흔들고 그 소박한 확신을 정지시켜서, '현출'이나 '주어진 것'을 새롭게 다시 주제화하는 것이 현상학에 부과된 반성적 작업의 과제이다.[23] 게다가, 관점 개념은 시각적 의미를 한참 넘어서, 모든 것이 의식에 현출해 오는 방식의 전역에 미치고 있다. 그런 한에서 현상학은 관점의 이론이다.

(3) 목적론적 규정으로서의 명증성Evidenz. 명증이란, 대상이 단지 지향되는(사념되는) 것일 뿐만 아니라, 사념된 대상이 실제로 있는 것으로서 직관에 생생하게 주어지는 것이다. 지향성은 이와 같이 현실로 향하는 통로라는 인식기능을 지닌다. 게다가 단지 지향된 것을 확증할 뿐만 아니라 지향성 그 자체가 스스로를 실현하고자 하는데, 이는 후에 '이성의 목적론'이라고 불리게 된다.

그러나 명증에는 여러 구별이나 정도가 보인다. 후설은 근원적 명증을 지각에서 발견하고 있다. 지각의 명증을 원原양태로 해서 기억이나 상상 등의 파생태나 판단이나 이론 등의 정초된 명증이 도출된다. 그런 한에서 지각은 일체의 학문적 인식의 명증상의 기반, 권리원천이 되는 것이다. 그러나 지각의 명증이라 말할지라도 대상을 전체로서 인식할 수 있는 충전적 명증Adäquate Evidenz을 가질 수는 없다. 지각작용에도 이미 관점성이 작동하고 있기 때문이다. 충전적 명증은 인식의 목표에 지나지 않는 것이다.

경험에서의 지향성의 방위성, 의미적 차이성, 명증성이라는 이 세 가지 특성은 1920년대에 성립한 발생적 현상학genetische Phänomenolgie에 의해서 동적으로 통일되어 고찰되게 된다. 지향성의 기능이 전체로서 도중에 단절되는 일이 없는 생성의 연관을 형성하는 것이 분명하게 되고, 현출의 차원이 세계의 현출로 심화되어, 의식은 세계의 현출의 전全 권역으로서 목적론적으로 고찰되게 되었다. 그래서 의식은 의식생Bewußtseinsleben의 이름으로 불리고 있다. 세계의 현출은, 감성적 경험의 단계에서 출발해서 '단계를 따르는 방식으로' 보다 고차의 단계로 진전해 가는 '보편적 운동'의 과정을 형성한다. 또 신체적 주관에 나타나는 각자적je eigne 현출로부터, 상호주관적inter-subjektive으로 구성되는 객관적 세계에까지 미치고 있는 이 세계현출의 과정 전체에 걸쳐서, 모든 인식의 궁극적 목표인 '총체적 세계표상'이 인식실천을 이끄는 규제적 이념으로서 작동한다. 후설 현상학이 묘출하고자 한 세계 현출의 전全 권역, 바꿔 말하면 인간과 세계의 간間, Zwischen을 엮어내는 지향성의 그물코 전체가 한편으로는 감성적 기반으로부터 로고스가 생성하는 방식을, 다른 한편으로는 상호주관적으로 겹겹이 형성되어 가는 객관적 세계 곧 과학적 세계를 포함하는 여러 문화세계가 성립해 가는 방식을 탐구하면서, 나아가 양자의 '관계Verhältnis'를 학문적으로 또 한 번 근저로부터 다시 파악하는 작업을 통해서 점차 풀어내고자 한 것이다.

그래서 이러한 전체적 배경을 고려하면서 감성적 경험(특히 지각)이 가지는 선先과학적인 기반기능을 고찰해보기로 하자. 우선 감성의 장은 세계가 스스로를 주어 가는 최초의 현출의 장으로서, 이미 거기에는 계기繼起라든가 공존의 질서나 원原연합Urassoziation에 의한 의미의 수동적 구조화가 작동하고 있는 '개방적 장소'이다. 더 이상 휠레는 무지향적 소재가 아니라 그 자신 이미 현출한 것이며, 의미의 분절화를 수행하면서 스스로를 통일체로서 주어 간다. 즉 색色이라든가 형形, 붉음이라든가 삼각형과 같은 유형적 일반성이 형성된다. 이 프로토타입prototype 형성의 기능에 관한 분석은 오래전에는 흄의 경험론으로부터, 동시대적으로는 슈툼프Stumpf의 심리학으로부터 영향을 받았음을 알 수 있고, 나아가 이 분석은 오늘날에는 야콥슨의 구조언어학이나 인지심리학 연구에 이어지는 것이기도 하다.[24]

다음으로, 경험의 가장 중요한 기능으로서 현출자와 현출이라는 이중적 사태가 동적으로 생기하는 현상인 지평Horizont의 분석에 주목해야 한다. 대상을 주제적으로 규정하는 작용(방위성으로서의 작용지향성)은 대상의 규정의 연관을 형성하는 활동(지평지향성)을 수반해서 생기한다. 지평의 생기는 지향과 충실 간에 끊임없이 어긋남이 생기고, 대상의 규정이 항상 그때마다의 현출을 넘어서는 것, '보다 이상의 것Mehr'으로 확대해 가는 일과 다른 것이 아니다. 그때 대상은 결코 임의로 충실하게 될 수 없는 '무규정적 일반성'이라는 '의미의 틀'에 의해서, 바꿔 말하면 유형화되어서 예료되고 있다. 예료지향성으로 작동하는 지평지향성이 작용지향성의 활동공간Spielraum을 형성하는 것이다. 이와 같이 결코 대상화되는 일이 없는 '익명적anonym 전체'가 기투됨으로써 개개의 규정이 가능하게 되고, 또한 전체와의 교호작용 속에서 규정은 심화되거나 수정되거나 교체되거나 한다. 이 미완결적인 개방적 과정에 보이는 '지知의 다 길어내기가 힘듦'의 해명을 통해서, 현상학은 해석학의 전통과 서로 교차하고, '전체와 부분의 교호규정'의 현상이 이미 지각에서조차 작동하는 '인간의 지知의 형성기능'이라는 점이 명확하게 되었다. 현상학과 해석학이 서로 교차하는 이 사건에 의해서 지평기능에 대한 폭넓은 적용이나 새로운 전개가 후설 후의 현상학이나 오늘날의 해석학, 나아가 제반 인간과학의 이론 등 광역에 걸쳐서 가능하게 된 것이다.[25]

2. 과학적 사유의 성립

과학적 사유의 성립도 또한 이 지평과정에 의거해서 해명된다. 경험에 이미 과학적 사유의 성립을 촉구하는 경향이 작동하고 있기 때문이다. 앞서 고찰한 바와 같이 인간의 경험은 본질적으로 관점성을 탈각할 수 없다. 그러나 경험을 인식과정으로서 고찰하는 한, 관점성은 탈관점성의 계기와 대립 긴장 관계에 놓여 있다. 왜냐하면 인식으로서의 경험의 진행은 대상의 완전한 자기소유를 궁극의 목표로 삼고, 이것에 한없이 접근해 가는 근사화近似化, Approximation의 과정에 지나지 않기 때문이다. 이 탈관점화의 경향이 과학적 사유의 성립을 촉구하는 계기로서 작동하는 것이다.

『위기』(26)의 과학론은 과학이 본래는 기술적 실천으로서 생에 대해서 유의미성有意義性을 지닌다는 점을 지적하고 있다. 즉 경험에는 유형적 예료가 작동하는데 이 예료는 정도적인 상대적 구별에 지나지 않는다. 그런데 항상 사물을 '보다 자세히' 규정하고자 하는 요구는 근사적인 것을 조정하고자 하는 측정기술Meßkunst과 결합해서 물체개념을 작성하고, 물체의 크기・양・관계・위치・거리 등을 측정해서 물체 간의 관계를 가능한 한 일의적으로 확정하려고 한다. 그러나 측정기술은 능력상에 한계가 있고, 그것이 사용하는 물체개념도 방법상의 규준에 머물고 있다. 그래서 사물을 보다 자세히 규정하고자 하는 정밀화의 관심이 무한히 확대화하는 방향으로, 종래에는 정도적 구별이란 점에서 접근목표에 지나지 않았던 이상극理想極, 곧 수량화의 극한형태(예를 들면 점이나 선과 같은 기하학적 극한형태)를 대상으로 하는 사유가 성립하게 된다. 이런 의미에서 근대과학의 사유는 '이념화Idealisierung'인 것이다. 후설에 의하면, 근대과학은 '전全 자연의 수학화'를 꾀한 수량화적 사유로서 성립했다.

과학적 사유는 경험의 관점성에 반해서 탈관점성의 사유이며, 과학의 대상세계는 모든 인식주체에 대해서 즉 '누구에 대해서도für jedermann' 진리성을 지니는 객관적 세계이다. 이념화의 작업은 타자와의 공동작업, 검증이나 합의를 통해서 수행되는 것이며, 그렇게 해서 구성된 과학적 대상은 상호주관적인 공동세계로서 성립한다. 그러나 과학적 세계는 과학이 원래 이념화의 방법으로서 성립한 것인 한, 어디까지나 기본적인 가설에 머무는 것이어서, 결코 궁극적 진리의 세계일 수는 없다. 후설은 과학이 "목표를 노리는 나머지 기원이라든가 보다 낮은 단계가 지니는 고유한 권한이 망각되어서는 안 된다"(27)고 말하고 있다. 나아가 또한 설사 과학적 세계가 경험의 상대적 명증을 넘어선 고차의 이론적 세계였다 해도, 어디까지나 공동주관에 상관적인 대상세계로서 구성된 것으로서, 항상 역사적으로 생성하는 세계이며, 그런 한에서 과학적 세계는 여러 현출형태를 취하는 역사적 세계, 예를 들면 "사유된 세계, 신화화된 세계, 종교적으로 해석된 세계"[28]와 병존하는 하나의 역사적 세계이다.

3. 생활세계의 현상학

(1) 문화적 세계로서의 생활세계. 1910년대 후반에 후설은 『이념들 Ⅱ』[29]를 위한 초고에서 「정신적 세계의 구성」[30]이라는 장을 보족으로 삼아 덧붙여 쓰고 있다. 여기에 등장하는 것이 이른바 '괴팅겐 시대의 생활세계론'이며, 후기의 생활세계론과 비교하면, 생의 철학에 현저한 접근을 보이면서 극히 구체적으로 문화적 행위의 산물인 생활세계에 대해서 고찰을 진행하고 있다.[31]

후설은 「1907년의 강의」에서, 주위세계에 속하면서 좌와 우, 위와 아래, 앞과 뒤, 가까움과 멀의 구분을 가능하게 하는 정위定位 중심으로서 활동하는 신체를, 사물과 영혼, 외와 내 사이에 위치하며 양자를 매개하는 역할을 수행하는 것으로서 고찰하고 있다. 그때 분명히 아베나리우스의 '투입Introjektion' 이론 곧 체험을 사물 내부에 삽입함으로써 사물이 활성화된 신체, 체험하는 신체로 화한다고 하는 이론을 비판적으로 계승하고 있다. 「1910-1911년의 강의」에서는 자연적 세계와 상호주관성의 문제가 취급되는데, 특히 후자는 정위의 중심인 복수의 주관성으로서 고찰되고 있다. 「1923-1924의 강의 자연과 정신」에서는 종래의 질료적 자연과 동물적 자연(영혼Seele)의 대립을 넘어서 정신Geist의 이름으로 생의 기능이 파악되어, 이윽고 1918-1919년의 괴팅겐 생활세계론의 마무리로 이끌리게 되었다.

정신적 세계의 구성에서 중요한 역할을 수행하는 것은 역시 신체의 기능이다. 그러나 이 경우 신체는 영혼Seele과 맺는 정신물리적 의존관계에서가 아니라 수육受肉된 지향성으로서, 정신의 지향적 작용의 저층부 곧 '어두운 기저'로서 다시 파악되어, '동기부여Motivation'의 담당자 역할과, '표현 Ausdruck'의 역할을 수행하게 된다. 전자의 역할에서는 팬더A. Pfänder의『동기와 동기부여』로부터, 후자의 역할에서는 딜타이의『역사적 세계의 구성』으로부터 영향을 받았다는 점을 분명히 읽어낼 수 있다. 틀림없이 "딜타이와 팬더는 이 현상학자로 하여금 아베나리우스에 의해서 기술된 자연적 세계개념의 세계 속에서 새로운 구조들을 인식하게 했다"[32] '표현하는 신체'는 인격(정신)적 자아의 신체로서, 예를 들면 '유형, 양식, 성격, 습성' 등 바로 생활세계의 소여를 표하는 역할을 수행하는 것이며, 이렇게 해서 '표현'은 더 이상『논리 연구』에서와 같이 낮게 평가되는 일이 없게 되었다. 물론 정신적 의미는 '표현하는 신체'에서뿐만 아니라 문화적 객체 전반에 걸쳐서 발견된다. 일상생활에 쓰이는 도구들, 집, 극장, 신전 등등의 문화적 주위세계가 정신적 세계로 간주되고 있는 것이다. '동기부여'는 자유로운 결단을 촉구하는 이성적 동기부여든, 습관적인 동기부여든 인간 행위의 성립을 촉구하는 활동이며, 인격 간의 혹은 인격과 문화적 대상 간의 상호작용 Reziprozität을 일으키고, 동작, 언어행위, 행동을 관통해서 작동하고 있다.

『이념들 Ⅱ』에 보이는 정신적 세계로서의 생활세계에 관한 기술은 하이데거의 현존재 분석이나 메를로-퐁티의 신체성의 현상학적 분석에 큰 영향을 주고, 널리 오늘날의 현상학적 인간학이나 현상학적 사회이론의 전개에 기여하는 바가 큰 점이 있었다. 이에 반해서 후설이 '세간적 현상학'이라 부르는 이 인간학적 방향은 얼핏 보면 그 후의 초월론적 현상학의 걸음에 의해서 방기되고 만 것이 아닌가 생각할 수도 있겠다. 하지만 그렇지 않으니 『위기』부록에 등장하는 역사적이자 문화적인 세계로서의 생활세계론이나, 유고「전달공동체의 현상학」 등에 보이는 사회적 행위이론은 어떤 의미에서 괴팅겐 시기의 생활세계론을 보다 한층 심화한 것이라고 말할 수 있다.

(2) 초월론적 개념으로서의 생활세계. 『위기』의 과학론은, 과학 발생의 모태이었던 생활세계가 근대과학이 성립하면서 이중의 이념화에 의해 은폐되고 말았다는 사태에서 현대 유럽의 과학문화의 위기를 보고 있다. 이념화

는 우선 '에피스테메로의 상승'으로 나타나 이념적 형성체를 이론적으로 구성한다. 이어서 '에피스테메의 요청'으로 나타나 이념성의 세계에서 직관의 세계로 하강을 꾀하여 본래 다양한 성질을 지니는 세계를 간접적으로 수학화하고자 한다. 이렇게 해서 생활세계는 이중의 이념화에 의해 가려져버리고 망각되어버린다. 이 망각은 곧 이념화가 본래 방법이라는 점을 망각하는 것이기도 해서, 그 결과 과학의 대상을 '자체적으로 참이다'고 주장하는 '과학의 객관주의'가 지배하게 된다. 이렇게 해서 일체의 사상事象을 이념화하는 '보편적 추상'의 내부에서 인식주체인 인간도 함께-이념화되어, 이러한 '보족적 추상'을 통해서 기술적으로 처리 가능한 대상으로 화하고 마는 것이다. 이와 같이 은폐화된 생활세계를 되찾는 길을 초월론적 현상학이 담당하게 되는데, 그러기 위해 필요한 현상학적 환원의 절차는 우선 과학적 대상에서 생활세계로 귀환하고, 다음으로 생활세계에서 그 구성의 기원인 초월론적 주관성으로 물음을 거슬러가는 두 단계를 밟게 된다. 그러나 이는 결코 오직 생활세계만을 주제화하는 것이 아닐뿐더러, 또한 의식주관의 내부로 돌아가는 것도 아니다. 이는 바로 세계의 현출을 과학적 사유의 방식이든, 감성적으로 주어진 형태이든, 그 전全 권역에 걸쳐서 다시 묻고자 하는 것이다. 후설은 과학문화의 위기를 과학에 의한 생활세계의 은폐라는 사태에서뿐만 아니라, 동시에 과학과 철학의 괴리(물리학적 객관주의와 초월론적 주관주의의 불행한 괴리라고 불린다)에서도 발견하고 있다. 후설에 의하면, 위기란 유럽의 정신문화의 이념인 '과학과 생과 철학'의 통일적 연관의 해체와 다른 것이 아니다. 이렇게 말하는 이유는, 철학에는 과학과 생활세계(에피스테메와 독사) 간에 성립하는 관계의 틀을 '세계의 현출에 대한 물음'에 이끌려서 철저하게 명확히 하는 역할이 주어져 있기 때문이다. 이와 같은 전체적인 구도에 입각해서 근대과학의 월권적인 자기주장을 해체하는 일이 기도된 것이다. 물론 근대과학 비판은 현상학에 중요하지만 하나의 과제에 머물고 있다. 왜냐하면 세계현출은 전술한 바와 같이(301-302쪽) 다양한 형태를 취하는 것이며, 과학적 세계구성은 그중의 하나의 형태에 지나지 않기 때문이다.

　이러하므로 『위기』에 등장하는 생활세계는 '직접적인 기술의 대상'으로서가 아니라 '방법적인 목표를 지닌 소급적인 물음의 대상'으로서 여러 문맥에서 다의적으로 언급되고 있다. 과학의 대상의 의미 '기저'로서의 역할, 초월론적 환원으로 향하는 지표의 역할, 나아가 제반 형태를 취하는 역사적 특수세계Sonderwelten의 전제가 되는 하나의 생활세계 등등으로서, 이 여러 소급적 물음의 대상들로서 언급되고 있다.[33] 이 다의성들을 후대의 후설 연구자들은 대체로 다음과 같이 정리하고 있다. (1) '기저'로서의 생활세계. '추상적으로 추출된 세계의 핵' 또는 '의미 기저'로서 '원리적으로 직관 가능한 우주'.[34] (2) 상대적인 특수세계. 특정한 주제적 일반성을 지니는 문화세계 또는 직업세계. (3) 구체적인 보편성으로서의 생활세계. 과학적 인식도 포함한 일체의 목적형상을 아우르는 구체적인 보편세계.[35]

　이와 같이 구분된 생활세계의 상호연관은 상호주관성의 문제계통을 고려함으로써 해명될 수 있는 것이긴 하지만, 여기서는 일단 각 개념이 함의하는 바를 조금 더 상세히 검토해보도록 하겠다. 우선, 첫째의 생활세계 개념은 각자적으로 살아지는 생활세계(이것이 셋째의 생활세계 개념에 의해 표현되고 있다)를 상호 비교 가능하게 하는 보편적인 기저구조를 표현하고 있다. 후설은 이것을 순수한 지각의 상관항인 물체적 세계라고 했기 때문에 많은 비판을 받게 되었지만, 인식작용 또는 인지작용의 기저층이라는 의미로 더 넓게 풀이해서, 선술어적 경험의 세계, 직관적인 감성적 세계로 보아야 할 것이다. 둘째의 생활세계 개념은 상호주관적으로 구성되는 역사적이자 문화적인 세계이고, 끊임없이 '생성했고 또 생성하고 있는' 공동세계를 의미한다. 셋째의 생활세계 개념은 실천상황으로 조감되는 생활세계를 의미한다. 이는 다차원적인 세계현출에 따르면서, 또 여러 수요나 관심이 교체할 때마다 나타나는 다양한 행위유형에 따르면서, 각자적으로 살아지고 있는 구체적 실천상황으로서의 생활세계이다. 후설은 세계현출의 전全 권역 속에서 이 세 가지 생활세계의 기능을 각각 적정하게 자리매김하고자 하지만,

그러나 생활세계 개념은 반드시 충분하게 정리되어 온 것이 아니기에 미해결의 문제를 남기고 있다. 하지만 생활세계의 현상학이 오늘날의 과학론에 미친 영향은 이루 다 헤아릴 수 없는 점이 있다.

제3절 생활세계의 아포리아 그 개시와 은폐의 로고스

오늘날 현상학에 한정되지 않고 철학이나 인간과학 이론에서 생활세계 개념이 분명히 정착하긴 했지만, 그러나 역시 여전히 다의적으로 사용되고 있다. 그 이유는 생활세계 개념이 근본적으로 양의적 개념이라는 데에 있다. 생활세계가 의미기저로서 객관적 과학에 대해서 명증의 원천이 된다는 점에서 생활세계 개념은 가상화나 과도한 이론과 실천에 대한 심급Instanz의 역할을 수행하지만, 그러나 생활세계는 스스로에 대한 비판적 시점을 그 자신 속에 포함하고 있지 않으므로, 그 고유의 권한을 자기 자신 속에서는 입증할 수 없다.(36)

예를 들면 오늘날의 과학론의 경우도 과학적 인식에 주어지는 생활세계의 역할이 또한 이중의 측면에서 파악되고 있다. 하나는, 과학 내부의 규제 Regelung를 생활세계적으로 구성하는 것이고, 다른 하나는 과학 내부의 생활을 규제하는 요인이 되는 것이다. 따라서 한편으로는 선先과학적 행위 속의 인지적 요소가 어떻게 과학으로 고조되는가가 물어져야 하는 것과 동시에, 다른 한편으로는 과학적 인식이 실천적 규범에 어떻게 의존하고 있는가가 물어져야 한다.(37) 이와 같이 과학론에 있어서도 생활세계 개념의 양의성이 그대로 이월되고 있다.

생활세계 그 자체를 주제화하기 위해서는 생활세계의 양의성을 어떻게 풀어내야 하는가가 하나의 관건이 된다. 리쾨르는 생활세계의 역설을 생활세계의 인식론적 기능과 존재론적 기능을 구별함으로써 해결하고자 한다. 생활세계는 근원적 명증성을 가지는 한 존재론적으로 기반기능을 수행하지만, 인식론적 원리는 일상성을 초월하는 학문 고유의 것이기 때문이다.[38] 그러나 일상성을 초월한다는 의미는 결코 전통적 형이상학의 총체성 요구와 같이 생활세계의 외측에서 초월적 차원을 상정하는 것이어서는 안 된다. 분명 생활세계를 주제화하기 위해서는 생활세계에 대해서 어떤 방식으로 거리를 설정하는 일이 필요하다. 이런 이유 때문에 후설은 자연적 태도의 일반정립에 에포케를 실시했다. 그러나 생활세계는 반드시 초월론적 시계 안에서만 취급된다고는 할 수 없다. 후설 자신 '자연적 태도에서 수행하는 생활세계의 존재론'의 창설이 가능하다고 말한 바 있다. 후설의 제자 A. 슈츠는 이 입장을 계승해서 초월론적 에포케를 거부하고, 오히려 자연적 태도에 대한 회의에 에포케를 실시해야 한다고 하며, 일상적 생활세계를 사회적 세계로 간주해서 그 구조의 분석을 기도했다. 이렇게 해서 일상성의 현상학이 제창되어 후설이 남긴 제반 분석들, 예를 들면 지평기능, 유형화, 이념화, 대리현전의 분석, 친밀성과 이타성異他性, 다원적인 의미 영역에 대한 분해 등이 사회적 행위의 장면으로 이동해서, 일상세계의 풍부함이 그대로 왜곡됨이 없이 조직화되기에 이르렀다. 그의 학파 이론이나 민족적 방법론ethnomethodology은 생활세계를 일상세계로서 다시 파악하는 현상학적 사회이론을 전개하고 있다. 그러나 생활세계를 일상세계의 내부에 가둔다면, 이번에는 일상세계에서 일어나는 가치선택의 정당성을 보증하는 기준을, 그때마다의 행위자의 결정에 맡기게 되어 비판적 관점의 상대화를 초래하게 된다.

생활세계에 대해서 거리를 설정하는 일 자체가 생활세계의 구조에 기초해서 가능하게 된다는 점이 입증되어야 비로소 생활세계의 이론은 이론으로서의 정당성을 확보하게 되든가, 적어도 생활세계의 역설의 뿌리를 밝혀내든가 하게 될 것이다. 무릇 지知에는 고유의 거리성이 작동하고 있다. 이 거리성 때문에 가까움(명확함)과 멂(애매함), 친숙함(숙지성)과 서먹서먹함(미지성) 과 같은 관점성이 현상하게 된다. 나아가 지知에는 고유의 운동성이 작동하고 있다. 이 운동은 항상 '보다 자세히', '보다 새롭게', '보다 적절하게' 규정이나 이해를 심화해 감과 동시에, 경우에 따라서는 틀 그 자체를 다시 짜 가기도 한다. 이른바 주제적인 것과 비주제적인 것은 근본적으로 교체할 수 있고, 숨어 있었던 것은 어떤 방식으로 나타나는 것으로 전화할 수 있다. 이러한 지知의 거리성이나 운동성을 적절하게 파악하는 이론은 오늘날의 철학이나 인간과학에 공통된 '지평-모델'에 따른 이론이다. 이 모델은 이제까지 말해 온 바와 같이 현상학과 해석학의 교차에 의해서 형성된 모델이며, 오늘날 널리 예를 들면 과학사의 이론이나 텍스트 이론에 보이는, 극히 동태적인 지知의 형성의 이론을 가능하게 하고 있다.

그러나 지평-모델의 효력은 어디까지나 문자 그대로 수평적인hozontal 장면에 한정되어 있다. 이에 반해서 지평적 운동을 관통하고 그러면서 이 운동을 가능하게 하는 것으로서, 지知가 형성되는 현장에 있어서 즉 우리 인간의 모든 행동의 수행태에 있어서 지평적으로는 현상해 오지 않는 다른 활동이 생기고 있다. 이 활동은 수직적vertikal인 방향에서만 탐색되어야 하는 것이며, 부분이 전체로 귀속되는 지평적 의미의 활동과는 완전히 다른 활동이라고 말할 수 있다. 이 활동은 우리의 경험의 근저에서 언제나 이미 기능하고 있는 매체Medium의 활동이다. 매체란 스스로를 숨김으로써 다른 것을 나타나게 하는 역할을, 이른바 '은폐隱蔽'와 '개시開示'의 활동을 동시에 수행하는 기능을 지닌다. 매체의 활동에는 두 기능이 서로 공속해서 통일적인 사태를 형성하고 있다. 매체는 상호 부정하면서 공속하는 두 차이항 Differenten으로 이루어지는 차이성Differenz으로서 기능한다.[39] 이러한 원原현 상은 우리 인간 경험의 심층에 있는 차원귀속성Dimensionszugehörigkeit을 나타 내고 있다.

인간 경험의 근저에는 자기와 타자와 세계에 의해서 구조화된 '사이 Zwischen' 곧 세계로의 열림Weltoffenheit이 가로놓여 있다. 그러나 이 구성계기 들은 결코 고정된 선험적인 초월론적 조건이 아니다. 각각이 상호 매개하는 방식으로 '사이'나 '열림'을 구조화해 갈 따름이다. 우선 첫째로, 자기와 세계(주위세계)를 매개하는 것은 말할 나위도 없이 신체성Leiblichkeit의 기능이다. 신체는 한편으로는 물체Körper로서, 즉 '많은 사물들 중의 하나의 사물' 로서 주위세계에 속하면서, 다른 한편으로는 그 자체 현출하지 않으면서 주위세계를 현출하게 하는 활동을 하고 있다. 둘째로, 자기와 자기 사이를 매개하는 것은 시간성 또는 시간의식의 활동이다. 후설의 후기 초고 '살아있 는 현재lebendige Gegenwart'의 문제계통은 시간 흐름이 어떻게 생기하는가, 즉 시간 흐름의 근거가 근원적으로 생기하는 방식을 묻고자 하고 있다. '살아있는 현재'는 한편으로는 흐르면서 흘러가는 현재임과 동시에 다른 한편으로는 흐름에 앞서서 계속 서 있는 현재이며, 양 계기가 서로 나뉘면서 공속하는 통일적 사태이다. '살아있는 현재'는 한편으로 '많은 지금 중의 하나'로서 흐름에 속하면서, 다른 한편으로 어떠한 시간계열에도 속하지 않으면서 흐름을 흐름으로서 가능하게 하는 활동을 한다는 점에서 시간을 의식화하는 매체의 역할을 하고 있다. 셋째로, 자기와 타자 사이를 매개하는 활동은 '기능하는 우리fungierendes Wir'의 활동이다. 나와 타자는 모두 기능하 는 자아인 한에서 양자 사이는 '비-동일성Nicht-Identität'이라고 하는, 상호 배제하는 작용이 활동하며, 적어도 대상화의 장면에서 타자의 타자성을 확정하고자 하는 한, 자타관계는 하나의 역설을 야기하게 된다. 그러나 타자는 결코 자기의 투영이 아니다. 자기와 타자가 상호 배제하면서 상호 의속依屬하는 관계는 대상화에 앞서서 내가 '타자들 중의 한 사람'이면서 타자와 교환할 수 없는 유일적einzig 자아를 살아가는 '우리임Wirheit'의 기능 속에서 발견할 수 있다.

신체성, 시간성, 우리임과 같은 매체는 부정성Negativität 혹은 무Nichts를 통해서 차이항의 공속관계가 동적으로 전개될 때 이미 언제나 기능하고 있다. 매체의 이 기능은 거리화Distanzierung로서 성립하는 모든 인간 지知의 가능성의 조건으로서, 공간적 사상事象의 이해 나아가 자연인식 전반을, 시간적 거리화 나아가 역사적 인식 전반을, 간間인간적 상호이해 나아가 사회적 인식 전반을 성립하게 하는 근거가 됨과 더불어, 차이항의 자립화에 서 생기는 여러 가상假象에 대한 비판적 척도Maß를 제공한다. 차이항의 자립화는 방법적 추상으로서는 허용되지만, 진리 주장으로서는 허용되지 않기 때문이다.

그러나 매체의 기능에서 가장 중요한 의의를 가지는 것은, 매체의 활동의 주체가 인간의 자립적 의식 혹은 사유가 아니라 자연・역사・간間인간성과 같은 이름으로 불리지만 그 자체 이름붙이기가 어려운 제반 차원들의 장소성 Ortschaft이다. 차이의 차이항을 구별하는 '무'의 활동은 실은 장소성이 스스로를 고지하기 위한, 장소성에 속하는 균열Riß이다. 그런 한에서 경험은 그 심층에 수용적受容的, vernehmend인, 차원귀속적인 활동을 지닌다. 하지만 이 활동은 항상 자기로부터 세계로, 자기로부터 자기로, 자기로부터 타자로 역전逆轉해 가는 '확인작용Identifizieren'과 일체가 되어 생기한다. 이렇게 해서 매체의 기능은 우리의 경험의 근저에서 언제나 이미 생기하고 있는 심층기능이며, 결코 수평적인 방향이 아니라 수직적인 방향에서만 발견할 수 있는, 우리 인간의 세계귀속성 또는 존재귀속성의 활동이라고 할 수 있다. 이 수용적vernehmend 기능이 언제나 이미 활동하기 때문에, 우리는 여러 자립적 사유뿐만 아니라, 초월론적 자성自省조차 가능하게 하는 사유의 활동공간을 확보할 수 있는 것이다. 그리고 또한 생활세계 자체가 근저에서 '은폐와 개시'의 로고스에 관통되고 있기에 생활세계로부터 유리되는 일 없이 생활세계를 개시開示하는 일이 가능하게 되는 것이다.

후기 하이데거의 사유도 또한 사유의 존재귀속성을 말하고 있다. 하이데거는 그의 철학에서 본래 언급했던 물음인 존재의 진리에 대한 물음을 애당초 '존재론적 차이성ontologische Differenz'에 대한 물음으로서 제기했었다. 하이데거도 또한 이른바 전기 사유에서 '지평-모델'에 따라서 존재자에서 그 존재에로 초출해 가는 '초월Transzendenz'에서 이 차이성을 발견하고 있었지만, 이윽고 이 지평론적 존재론은 막다른 골목에 부딪치고, 그의 니힐리즘 체험과 표리일체가 되어 좌절로 이끌렸다. 그의 후기 사유는 그런 의미에서 수직적 방향에서 존재론적 차이성을 다시 파악하는 것이라고 말해도 좋을 것이다. 예를 들면 '이중의 주름Zweifalt'이란 말로 표현되는, 존재자를 나타나게 하면서 스스로를 퇴거退去시키는 존재의 운동이, 존재자와 존재라는 차이 항들의 상호 부정적인 공속관계相屬關係가 스스로를 전개해 가는 운동으로서 파악되고 있다. 존재의 사유란, 존재를 사유하는 차원Dimension에, 존재가 사유하는 차원성Dimensionalität이 현현하는 것이다. 그런데 존재자를 '그것 고유의 존재방식Eigenheit'으로 가져오고, 존재자 전체를 적정하게 정돈하는 einrichten 이 사유의 운동은 존재에 속하는 언어의 산출력이라 말하고 있다. 언어의 은유적 창조력이 존재자를 은폐태로부터her 현현태로vor 가져오는 bringen 산출함Hervorbringen의 운동이 되고 있다. 사유의 존재귀속성은 존재의 언어에 의해 창조된다고 하는 방식으로 자기 자신을 증証한다. 하이데거의 사유에서는 셸링으로부터 발한 19세기 후반의 시론적詩論的, poetologisch 자연 성화自然聖化의 사상계보가 역력히 읽혀지는 것이다. 이 자연철학에는 동양의 종교적 사유로부터 받은 영향이 현저해 보이는데, 하이데거의 사유에도 그러한 면이 보인다. 그의 이른바 '사유의 길'은 서양 형이상학의 자립적 사유가 간과하고 있던 수용적 사유vernehmendes Denken의 차원을, 사유로 하여금 포이에시스의 기능으로 한없이 가까이 가게 함으로써 발견하고자 하고, 인간 사유의 깊이의 차원을 전하는 것이지만, 그러나 이 깊이는 동시에 좁음이 되고 있다. 여러 형태를 취하는 자립적 사유나 우리 경험의 착종된 구조에 대한 물음이 배경으로 물러나고, 때로 '기술'의 이름으로 불리는 '존재망각의 극한형태' 속으로 모든 것을 일의적으로 가두고자 하고 있기 때문이다. 그것은 K. 뢰비트가 예리하게 지적했듯이, 하이데거의 사유가 사용하는, 오이디푸스극에서 간취한 '비극-모델'에 기인한다고 말할 수 있을 것이다.(40) 존재의 진리에 대한 물음은 우리 인간이 피할 수 없는 사유의 한 차원이지만, 그러나 어디까지나 많은 사유 차원들, 여러 형태를 취하는 세계현출들 중의 한 차원에 머문다는 점을 잊어서는 안 되겠다. '은폐와 개시'의 로고스에 대해서도 이를 숙명적인 사관史觀을 사변적으로 구축하는 논리로 전용하는 유혹을 물리치고서, 어디까지나 인간의 경험의 근저에 언제나 이미 생기하고 있는 심층기능으로서 탐색해야 하지 않을까?

이 절도 있는 사유의 길을 걷는 일이야말로 다층적인 현실의 구조를 해명하는 경우에 특히 소망되는 것이라고 생각된다.

제9장 후설의 목적론과 근대의 학지學知

제1절 지향성의 기본특성 목적론적 규정의 자리매김

후설의 현상학은 "존재자에 관한 모든 지知의 여러 시작으로 데려가는 기초학"[1]이라는 의미에서 지知의 궁극적인 근거를 탐색하는 학문이라 할 수 있다. 이 지知의 궁극적인 근거 또는 지知의 원형에 해당하는 것은 비록 막연한 방식이긴 하지만 현상학의 출발점에서 이미 미리 구상되고 있었고, 그것이 점차로 현상학의 사유가 전개됨에 따라서 '사상 그 자체'에서 또 '사상 그 자체'로서 참된 정체正體를 부상시키게 되었다. 그와 같은 지知의 원형을 현상학의 출발점에서는 지향성Intentionalität 개념으로 표현하고자 하고 있었다. 지향성 개념 자체는 예부터 철학의 역사에 등장하고 있었지만, 그러나 이 개념이 현대철학에서 예상하지 못했던 역할을 한껏 발휘하게 되는 것은 잘 알려져 있듯이 F. 브렌타노에 의해서 심리작용의 분류를 위해 쓰이면서부터이다. 하지만 지향성을 지知의 원형구조로서 철저하게 그 기능이나 역할에 대해서 묻고자 한 사람은 말할 나위도 없이 바로 후설이다.

물론 후설의 경우에도 그가 지향성에 관해서 최초로 행한 형식적 규정은 극히 불충분한 것이었고, 또한 마찬가지로 지향성의 본질에 관한 모든 통찰이 반드시 '지향성'의 이름으로 서술되었던 것도 아니다. 예를 들면 『논리연구』의 시기에 지향성에 관한 어떤 중요한 본질적 통찰은 '의미 이론'에서도 발견된다. 그래서 본고의 주제의 전개를 위한 준비작업으로서, 지금 서술한 바와 같은 의미의, 지향성의 본질에 관한 후설의 몇 통찰을 다음의 세 가지 규정으로 정리해서 고찰해보고자 한다.

(1) 지향성의 형식적 규정으로서, '어떤 것으로 스스로를 향하고 있음das Sich-auf-etwas-richten'. 이 규정은 잘 알려져 있는 것이며, 이미 브렌타노의 경우에도 이 의미에서 지향성의 상관성격이 포착되고 있었다. 이 규정은 지향성의 방위성격을 보여주는 규정이다. 어떤 의식이 특정한 방향을 갖는다는 것은 반드시 의식이 자신에 상관적인 특정한 대상과 관계를 맺는다는 것이다. 예를 들어 지각작용은 지각된 것과만, 기억작용은 기억된 것과만 관계를 맺는다. 이 방위성격은 두 중요한 점을 고시하고 있다. 하나는, 상관관계는 그때마다 하나의 특정한 장면성만을 형성하고, 다른 장면을 배제하고 있다고 하는 점이다. 다른 하나는, 이 장면성이란 그 자체에 나타나고 있는 다음과 같은 기본특성이다. 즉 지향성이란, 전통적 인식론이 인식의 틀로서 전제하는 주관-객관 관계와 같은, 의식(내부)과 대상(외부)의 존재를 우선 전제한 뒤에 양자가 어떻게 관계를 맺는가를 묻는, 이원론적 발상을 토대로부터 타파하는 관계이다. 지향성이란 관계항을 애당초 이미 내에 거두어들이고 있는 관계이고, 내와 외가 이미 만나고 있는 장면이다. 그러므로 당시에 논리학을 인식론적으로 정초하는 작업을 지배했던 심리학주의Psychologismus와 같이 이념적인 논리학적 대상을 실재적인 심리과정에 의해서 정초하는 작업의 배리를 지향성의 원리에 의해 해소하고자 했다. 이와 같은 지향성이 지니는 장면 성격은 그 자체로 주관성의 본질을 결정하는 것과 더불어 객관적인 것의 본질도 결정해 가는, 말하자면 방향조정Ausrichtung의 활동을

하고 있다.(2) 이른바 주관과 객관이 비로소 거기서 상관관계를 형성할 수 있는 활동으로서, 지향성은 스스로를 분극적分極的으로 구조화하는 '사이 Zwischen'의 기능과 다른 것이 아니다. 따라서 지향적 분석의 상관적 연구, 예를 들면 『이념들 I』의 노에시스와 노에마의 상관적 분석론은 종종 전통적인 주관-객관의 대립적인 틀을 답습한 것으로 해석되는 일이 있지만, 그러나 상관적 연구는 지향성의 두 측면을 기술하기 위해 '사이'를 방법적으로 분극화해 가는 작업이다.

(2) '현출자와 현출의 동일성과 차이성'으로서의 지향성의 구조 지향성이 내와 외의 '사이'의 성격을 지니는, 즉 내와 외의 대립을 전제하지 않고 이미 그 대립을 거두어들이고 있는 관계라고 말하는 것은, 내와 외를 단지 등질화하고 융합화하고 있는 관계를 의미하는 것이 아니라, 오히려 내와 외의 '차이'에 의해서 구조화되고 있는 관계를 의미하는 것이다. '사이'란 바로 내와 외의 차이로서의 '사이'이다. 그런 의미에서 지향성 구조의 가장 중요한 특성을 말하고 있는 것이 다름 아닌 '현출론Erscheinungslehre'이다.

『논리 연구』 제5연구에서 후설은 당시 인식론의 공통된 용어인 대상 Gegenstand, 내용Inhalt, 작용Akt 등의 개념을 쓰면서, 현출에 관한 고찰을 행하고 있다. 현출Erscheinung이란 대상이 의식에 현현하고 있음이고, 의식에 주어지고 있는 대상의 상相, Aspekt이다. 따라서 대상이란 현출하는 것(현출자 Erscheinendes)이지만, 그러나 현출자는 의식작용에 초월적이라는 의미에서 지향적 대상 또는 '지향적으로 사념된 대상'이지, 결코 의식의 외부에 자립해서 실재한다는 의미에서 대상은 아니다. 후설은 지향적 대상을 이념적인ideal 통일 또는 의식의 관념적인ideell 계기契機라 부르고 있다. 그런데 의식에는 대상적 계기 외에 의식작용이나 아직 지향적이지 않은 계기로서 휠레Hyle(감각여건)가 속해 있다. 후설은 이것을 의식의 내실적reell 계기라 부른다. 그렇다면 '현출'이란 도대체 어느 쪽의 계기에 속하는 것일까? 현출이란 현출자의 현출로서 대상과 맺는 관계방식에 속한다. 따라서 후설은 전술한 개념틀 중 '내용'의 개념을 사용해서 '대상'도 아니고 '작용'도 아닌 그 중간의 독자적 위치에 '현출'을 놓고자 한다. 즉 작용이 휠레를 '대상의 현출', '~에 관한 현출' 또는 '~의 현시顯示, Darstellung'로서 파악함으로써, 대상과의 지향적 관계를 수립한다는 사고방식을 행하고 있다. 따라서 작용은, 휠레를 활성화beseelen해서 대상의 현출로 화하게 하고, 다양한 현출들을 통해서 대상을 동일한 대상으로서 통일해 가는 통각Apperzeption이라고 불리기도 한다. 이와 같이 현출은 한편으로 휠레의 신분을 벗어나지 않은 채 의식의 내실적reell 계기에 머무는 것과 동시에 다른 한편으로 통각에 의해서 대상의 현존성Anwesenheit을 나타내는 역할을 수행한다. 이상과 같이 『논리 연구』에서는 휠레와 통각이라는 계기를 들여오고 있는 통각이론 또는 대리이론 Repräsentationstheorie의 틀 내에서 현출의 위치가 논해지고 있다. 따라서 휠레라는 무지향적인 계기를 소재Material로서 작용에 선행하게 하기 위해서는 역으로 대상의미의 구성이 체험된 내용보다 그것의 규정조건으로서 논리적으로 선행한다는 모순이 발생하게 되어,[3] '현출'의 위치부여가 극히 불철저하게 행해지고 있지만, 그러나 현출이 지니는 중간적 성격이 이미 모습을 나타내고 있다고 말할 수 있을 것이다.

현출자와 그 현출에 대해서는 『논리 연구』의 이미 널리 알려진 후설의 문장이 상기될 수 있을 것이다. "사물의 현출(체험)은 현출하는 사물이 아니다. …… 의식의 연관에 속하는 것으로서 우리는 현출을 체험한다. 현상적 세계에 속하는 것으로서 사물이 우리에게 현출한다. 현출 그 자체는 현출하지 않는다. 그것은 체험되는 것이다'(LU. II/ I , S. 350). 현출이란 현출자의 현출인 한에서 현출자와 동일성을 보유하지만, 현출자가 아니라는 점에서 현출자와 구별된다. 바로 이 현출자와 그 현출의 동일성과 차이성의 구조에 대한 해명이 현상학의 중심과제가 되고 있다. 그리고 자연적 의식 혹은 의식의 수행태와 그 반성이라는 두 의식의 장면이 구별되어, 전자에서 후자로 가는 이행을 위한 현상학의 방법의 문제가 이 동일성과 차이성의 문제계통과 관련해서 전개된다. 즉 자연적 의식은 거기에 실제로 있는 대상으로 향해서 작동하고 있다. 자연적 의식은 현출 또는 상相, Aspekt 쪽으로 향해 있는 것이 아니라, 상相을 통해서 대상 쪽으로 향해 있다. 종종 즐겨 인용되는 후설의 문장에 의하면, "나는 색감각을 보는 것이 아니라 색이 있는 어떤 사물을 본다. 음감각을 듣는 것이 아니라 가수의 노래를 듣는다"(*LU.* II / I , S. 374). 자연적 의식은, 현출을 통해서 현출자와 관계를 맺는데도 불구하고, 현출을 무반성적으로 그냥 지나쳐서 대상으로 직접 향한다. 현상학적 반성이 최초로 자연적 의식의 소박한 직접성을 방기하고 '현출'로 눈을 돌려서 현출자와 그 현출의 차이성의 구조를 주제화할 수 있게 된다.

그렇다면 현출이란 말로 표현되고 있는 것은 도대체 무엇일까? 후설은 통각에 의해 사념된 것은 '무엇으로서als was' 규정된 대상이라고 말한다. 작용으로 하여금 특정한 대상으로 향하게 하고, 작용이 대상을 사념하는 방식을 규정하는 것은 작용에 속하는 작용질료Aktmaterie이다. 작용질료란, "작용이 그때마다의 대상성을 통일적으로 파악하는 것을 규정할 뿐만 아니라, 작용이 그것을 '무언가'로서…… 통일적으로 파악하는 것을 규정하는"(*LU.* II / I , S. 416) 작용의 특성이라고 말하고, 제2판에서는 통일적 파악 의미Auffassungssinn라 부르고 있다. 현출을 통해서 현출자와 관계를 맺는다는 것은 바로 대상을 의미Sinn에 있어서 규정한다는 것과 다른 것이 아니다. 즉 '현출'이란 어떤 것이 어떤 것으로서 현출하는 것이고, 어떤 것이 특정한 의미에서 규정되는 것이다. 우리가 무언가를 보거나 듣거나 하는 것은 반드시 어떤 것을 무언가 어떤 것으로서 사념하는 것이다. 후설은 『논리 연구』에서 '지향되고 있는 대상Gegenstand, welcher intendiert ist'과, '지향되고 있는 상相에 있어서의 대상Gegenstand, so wie intendiert ist'을 구별하고 있는데(*LU.* II / I , S. 400), 『이념들 I 』의 노에시스-노에마론에서 후자는 '노에마적 규정의 상相에 있어서의 대상Gegenstand im Wie der noematischen Bestimmtheiten', 전자는 '일체의 술어를 사상捨象한 순수한 X' 곧 여러 기술적記述的 노에마의 담지자이자 기체로 표명되고 있다. 노에마적 의미란 이 X가 내용적으로 규정된 것, 즉 '~로서' 규정된 대상의 것이다. 이른바 외계의 실재로도, 외계로부터 분리된 의식내재로도 환원될 수 없는 지향성의 '사이' 성격이 바로 이 '로서' 기능에 각인되어 있다고 해도 좋을 것이다. 발덴펠스는 '그 배후로 돌아갈 수 없는 의미론적 차이성'을 나타내는 이 '로서'는 "인간의 행동과 세계적 현실이 상호 매개하는 선회점旋回点, Drepunkt, 축점軸点, Angelpunkt"을 의미한다고 말하고 있다.[4]

이와 같이 현출자와 그 현출의 동일성과 차이성의 구조를 주제화하는 일이 현상학적 반성의 주요과제가 되고, 이 작업은 지향성의 상관관계에 대한 분석적 기술로서 수행되게 된다. 후설이 '현상'이라 부르고 있는 것은 바로 이 현출자와 그 현출이라는 이중의 사태와 다른 것이 아니다. 후설 자신이 후에 다음과 같은 말을 하고 있다. "현상이란 말은 현출하는 것과 현출자 사이의 본질적인 상관관계Korrelation를 통해서 이중의 의미를 지닌다. 파이노메논이란 본래 현출자의 것이지만, 그러나 실제로는 주로 현출에 대해서, 즉 주관적 현상(이 조잡한, 심리학적으로 오해되기 쉬운 표현이 허용된다면)에 대해서 사용되고 있다"(Hua. Ⅱ, S. 14). 그러나 이 현출자와 현출의 이중성을 주제화하려는 시도는 많은 어려움에 직면하고, 후설은 그것을 주제화하기 위한 현상학적 반성의 여러 길을 평생 계속해서 생각하게 되었다.[5] 헬트는 이와 같은 사정에 대해서 다음과 같이 서술하고 있다. "이와 같이 이해된 '현출'에 편입돼 있는 대상이 '현상', '현출'이다. 그러므로 '현상학'의 근본주제는 대상의 세계와, 그것이 주관적으로 상황적으로 주어지는 방식 간의 상호관계 곧 상관관계이다. 이 상관관계의 서로 분리될 수 없는 두 측면이 노에마 곧 그때마다의 주어지는 방식의 상相에 있어서의 대상과, 노에시스 곧 이 대상이 의식에 현출해 오는 많은 '노에시스적' 수행의 다양성이다. 1896년경의 『논리 연구』를 마무리할 때의, 이 상관관계의 발견이 후설이 『위기』의 어떤 대목에서 고백하고 있는 바와 같이 그가 이후 그의 전 생애에 걸쳐서 이 상관관계의 연구에 몸을 바치기에 이르렀을 정도로 그를 깊이 요동치게 했다."[6]

(3) 명증성으로서의 지향성(목적론의 원형). 후설은 지향성에서 인식작용

으로서의 역할을 발견함으로써, 지향성이 단지 의미를 사념하는 활동일 뿐이 아니라 사념된 의미를 직관적으로 충실하게 함으로써 대상을 실제로 거기에 존재하는 것으로서 파악하는 활동을 지닌다는 점을 주장하고 있다. 게다가 이 충실작용은 후에 사념작용에 더해지는 것이 아니라, 대상을 사념 하는 작용이 그 자신에 있어서 항상 충실로 향하는 경향을 지니고 이 경향을 충족해 가는 것이다. 지향된 의미가 충실하게 된다는 것은 대상이 실제로 있는 것으로서 주어진다는 것, 즉 대상이 스스로 주어진다는 것=자기소여성 Selbstgegebenheit이고, 작용 쪽에서 말한다면 대상의 자기능여Selbstgebung이며, 후설은 이를 명증Evidenz이라 부른다. 명증 개념에 상관적인 개념은 진리 개념이며, 진리란 사념된 것과 직관된 것의 일치를 나타내는 동일성의 것이 다. 이와 같이 사념된 것을 충실하게 하고자 하는 경향은 지향성에 갖춰져 있는 동성動性이며, 후설의 사유가 심화함과 더불어 점차로 강하게 주장되어 가는 목적론적 사상의 선구적 형태, 말하자면 목적론의 원형이라고도 할 만한 것이 이미 여기서 발견된다.

여기서 후설이 명증 또는 직관, 일반적으로 봄見, Sehen을 왜 중시했는가, 또 명증의 문제계통에는 어떠한 것이 포함되어 있는가에 대해서 대강 고찰해 둘 필요가 있다. 우선 첫째로, 후설이 지향성이라 부르는 기능은 바로 이성의 다른 이름이라는 점이 주목되어야 한다. 직관의 개념에 대해서 후설이 서술 하고 있는 유명한 명제 "직관은 일체의 이성적 주장의 궁극적인 권리원천이 다"는 이 점을 표현하고 있다. 왜냐하면 존재자 곁에 거주하고 있다는 것이 그대로 존재자에 대한 지知의 통로가 되고 있다는 것, 또 직관의 이름으로 불리는 근원적 통로가 되고 있다는 것이기 때문이다. 핑크가 말하는 바와 같이, 후설은 '인간 인식의 원초적 상태의 이념'을 기투함으로써 '존재자에 대한 지知의 근원적인 통로'를 열어서, 존재자에 관한 인식과 지知 일반의 가능성의 조건을 묻고자 했다. 이 '지知와 존재자의 시원적 공재共在'의 사상 에 대해서 핑크는 다음과 같이 극히 적절하게 말하고 있다. "존재자에 관한 본래적인 지知가 무릇 가능해야 한다고 한다면, 이 지知는 본래적 존재자가 자기를 현현하는 것, 근원적 자기를 내보이는 것, 현출하는 것에서만 자기 자신의 근거를 떠맡을 수 있는 것이다. 존재자의 자기능여라는 이념은 지知 일반의 가능성의 조건이다. 존재자를 그것의 자기-자신을-내보이는 것에 있어서 규정하는 것, 이것은 곧 **현상성**現象性**으로서의 존재자를 철학적 자성 自省의 근원차원으로 삼아 가는 것이다. 그때 존재자의 현상성現象性은 '자체 존재'와, 그것과 관계를 맺고 있는 지知의 가능성에 대한 모든 결정을 행하는 지평이 되어 온다. '현상성'이란 개념은 존재자의 단순한 외관을 표현한다거나, 자기를 존재하는 것으로서 가장하는 것의 비본래성을 의미한다는 것과는 동떨어져 있다. 현상성이란 존재자가 진실眞實하게 있는 것이며, 현상학은 존재자의 자기능여로 돌아가면서 인간의 지知를 몸소 근거짓는 시도이다.'[7] 진실하게 있는 것은 존재자 곁에 의식이 거주함으로써, 존재자가 그 자체로서 자기 자신을 주어 옴으로써만 확정된다. 여기서 후설 자신의 언어를 인용해두고 싶다. "명증은…… 자기능여의 지향적 능작能作이다. 자세히 말하면 (명증은) '지향성' 곧 '어떤 것에 대한 의식'의 탁월한 형태로, 이 형태의 지향성에서 의식된 대상적인 것은 그 자체로서 파악된 것, 그 자체로서 보여진 것, 즉 의식 내에서 대상적인 것의 곁에 있는 것으로 의식된다'(Hua. XVII, S. 166). 후설은 이 명증 또는 직관의 개념을 감성의 직관뿐 아니라 모든 의식의 원原양태로 확대한다. 이는 다음에 고찰하는 바와 같이 명증 개념에 부과된 중요한 역할과 관련되게 된다.

즉 둘째로, 명증의 문제는 의식의 전全 연관을 체계적으로 개시開示하는 지향적 분석의 원리적인 가능성을 준다. 후설은 명증의 정도성 또는 단계성 이라는 사상思想을 마음속에 품고 있었다. 즉, 원原명증인 본원적 의식을 원형(원原양태)으로 해서, 여러 비본원적 의식을 이 원형의 파생태(변양태)로 보았다. 그런 한에서 지향성이란 "명증의 지시태로서의, 어떤 것에 대한 의식Bewußtsein-von-etwas als Verweisenheit auf Evidenz"[8]이다. 이 지시태는 노에마적 의미에 각인되어 있다. 노에마는 "목적론적으로 통일적인 의식형성의 전적으로 일정한 체계에 대한 지표"(Hua. III, S. 357)이며, 이 지표를 통해서 소급적 반성이 파생단계의 계열을 다시 밟아가며 원형에 도달한다. 그런 의미에서 지향적 분석은 명증 문제의 전개이다. 핑크는 재차 다음과 같이 말하고 있다. "명증의 문제가 진행해 가는 가운데 의식의 전체가, '원原양태'의 여러 지향적 파생태라고 하는 모습으로 원양태의 숨겨진 내적인 합리적인 질서를 동반하며, 주제가 되어 온다."[9] 지향적 분석론은 그런 의미에서 '은폐를 제거하며 규정해 가는 것'이며, "명증 문제는 거의 무한하다고 할 수 있는 문제로 전화한다. 이 과제는 아직 꿰뚫어보지 않은 채 폐쇄되어 있는 일체의 함축태에 걸쳐 있는 의식의 통일적 전체를 해체하는 것이며, 존재자를 명시하는 힘을 그 가장 깊은 곳까지 추적해 가는 것이다."[10] 이와 같이 명증은 "지향성의 전全 의식생에 관한 보편적 존재방식"(Hua. XVII, S. 168)을 나타내는 개념으로서 의식의 전全 연관의 체계의 노정을 이끄는 역할을 담당하고 있다.

그러나 셋째로, 본원적 의식이 지니는 원原양태적 명증 그 자체에 문제가 숨어 있기에, '직관' 개념이 종종 오해되어 온 바와 같이 직관주의적인 의미에서 이해되어서는 안 된다고 하는 점이 주의되지 않으면 안 된다. 분명히 명증 특히 원原명증의 개념은 존재자가 실제로 거기에 있다는 것, 즉 존재자에의 근원적 가까움을 보여주는 개념이다. 그러나 이는 예를 들면 본원적 의식인 지각의 경우 대상이 그 전체로서 **통째로** 주어진다고 하는 점을 의미하는 것은 아니다. 대상의 전적인 파악을 의미하는 충전적 명증은 지각의 경우 성립하지 않는다. 이는 대상이 항상 일면적으로밖에 주어지지 않는다고 말하는 것이지만, 그러나 이 일면성은 전연 공간적 형태에 관해서만 말하는 것은 아니다. 후에 고찰하는 바와 같이, 지각은 어떤 특정한 부분계기나 고유성질에 의해서 대상을 규정하거나, 혹은 이 특정한 규정의미를 새롭게 다시 주제화하거나 하는 것이기도 하다. 그러나 어떠한 경우에도 대상이 **전체로서** 규정되는 일은 없다. 만약 대상이 일면적으로가 아니라 전면적으로 일거에 규정되는 일이 있다고 한다면, 이는 대상의 관점적인 현출이 극복되고, 따라서 현출자와 그 현출의 차이가 지양된다는 것을 의미한다. 그러므로 이와 같은 충전적 소여성은 원리적으로 불가능하다고 말하지 않으면 안 된다. 후설은 통각을 부가적 통각으로서ad-perceptio, 끊임없이 대상 규정의 여지가 남아 있는 것, 따라서 소여로의 과잉이라는 것을 말하고 있기에, 일면적 소여성은 항상 직관 속에서 불투명성 또는 매개를 가져오는 것이다. 그렇다면 자기지각의 경우는 어떠할까? 후설은 반성의식이 지니는 명증을 필연적 명증apodiktische Evidenz이라 말하고 있다. 이 반성의 역할을 담당하는 자기(내부) 지각을 적어도 『이념들』 시기까지는 충전적 명증과 동일한 것으로 보고 있었다. 반성의 대상인 체험은 사물과 같이 현출하지 않기 때문이다. 그런데 만약 반성의식이 충전적 명증을 지닌다고 한다면, 의식은 절대적 존재 곧 '완결된 존재연관'으로서 일거에 파악되는 것이 되고, 전술한 바와 같이 이미 수행된 체험으로 '지표'를 통해서 우회하는 소급적 반성이라 하는 방법의 사상思想과 상통할 수 없게 될 것이다. 후설은 점차로 단적인 직관의 우위성을 받쳐주는 충전적 명증에 대한 견해가 변화를 보이기 시작한다. 충전적 명증은 존재와 지知가 완전하게 일치하는, 지知의 말하자면 이상형태이다. 충전적이지 않은 현실의 의식의 제반 형태들의 경우 이 궁극적 명증이 어떻게 위치부여되는가 하는 것, 또한 필증적 명증이라 하는 것이 그 자체 어떠한 구조를 가지는가 하는 것이 후설의 목적론이 해결해야 할 그 후의 과제가 된다.

이상으로 지향성 개념에 포함되는 방위성, 차이성, 목적론적 동성動性에 대해서 고찰해보았는데, 현상학적 환원이란 지향성의 이러한 기능들을 주제적으로 구조화하는 방법적 조치이다. 후설은 그렇게 하기 위해 여러 길을 탐색하면서 사상事象에 적절한 방법을 발견하고 있었는데, 위의 규정들에 관해서 말하면, 현출론의 전개에 따라서 명증 이론에 변화가 생기고, 명증 문제 속에 숨어 있는 목적론이 점차로 명확히 그 구조를 부상시키게 된 것이라고 말할 수도 있을 것이다. 아래에서 이 목적론에 초점을 맞춰서 후설 현상학이 씨름하고 있었던 전체적 사상事象이란 무엇이었는가를 추적해보도록 하겠다.

제2절 의식의 내재적 목적론 명증의 구도

 1920년대 중반 무렵에 사상事象에 적절한 방법이 발견되고 동시에 종래의 정태적 분석의 틀이 깨져서, 새롭게 다시 의식의 지향적 기능의 전全 연관의 해명으로 나아가는 발생적 현상학genetische Phänomenologie이 성립하게 된다. 발생적 현상학의 성립에 관한 제반 사정들에 대해서 여기서 상세하게 파고들 수는 없지만,(11) 다음의 두 면에서 종래의 지향적 분석론의 틀이 극복되었다는 점은 언급할 수 있겠다. 하나는, '현출'에 대한 물음이 개개의 사물이나 여러 종류의 대상뿐만 아니라, 그것들의 현출의 근저에 있는 세계 현출의 차원으로 심화되었다는 점, 또 하나는 의식분석의 방식에 시간성의 차원이 들어와서 의식이 의식생意識生, Bewußtseinsleben으로서 파악되어, 지향적 기능의 연관 전체의 발생적 과정이 탐색되었다는 점이다. 의식생이란 세계현출의 전全 권역, 즉 세계의 초월이 생기하는 장소이고, 또 세계의 의미가 구성되어 오는 생성 과정이다. 이렇게 해서 이와 같은 의미의 세계와 세계구성적 생에 관한 상관적 분석이 현상학의 기본주제가 되었다.

 여기서 의식생이라는 개념의 구성계기인 생의 개념이 이중의 의미로 서술되어 있다는 점을 간과해서는 안 된다. 한 의미는 의식이 '헤라클레이토스적 흐름'이라 불리는 '간단이 없고 중단이 없는 근저의 유동'으로서 내적 연속성을 지니는 생성을 가리킨다. 다른 한 의미는 의식은 내가 그것을 살아가는 바의 것이라는 점, 즉 자아가 단순한 작용극에 머무는 것이 아니라 현세적顯勢的, aktual인 지향성의 수행태라는 점을 가리킨다. 이 수행태를 나타내는 자아의 생동성Lebendigkeit에 대해서 후설은 30년대 초에 '살아있는 현재 lebendige Gegenwart'란 이름을 사용하며 연구주제로 삼고 있었다. 이 의미의 생은 바로 수행遂行의 현장을 현장이게 하는, 타자에 의해서 대체될 수 없는 자기 자신의 개별적인, 각자적이je-meinige 생을 표현하고 있다. 게다가 이 두 의미의 생은 서로 밀접하게 얽혀 있다. 단순한 유동은 흘러가고 사라져 가는 것에 지나지 않고, 단순한 그때마다의 자아 생기에는 자아의 대상관계에 대한 동기부여가 결여되어 있기 때문이다. 흘러간 체험은 소실되는 것이 아니라 현재에 속하는 과거의 지평으로 침전하고, 현재에 수행되는 동일한 대상의 구성에 임해서 끊임없이 환기되어 그것을 동기부여하는 것이다.

'스스로 발전하는 주관의 생성'인 의식생은 체험들의 단순한 순서관계가 아니라, 합법칙적인 일종의 역사적 연관을 형성하고 있다. 이 자아의 역사를 내재적으로 규정하고 있는 내재적 합법칙성을 후설은 목적론Teleologie이라 부른다. "이 역사는, 의미의 형성을 단계를 따르면서 구성해 가는 내재적 목적론에 완전하게 지배된 구성의 운동"(Hua. XI, S. 219)이다. 물론 그것은 '내재적 목적론'이라 불리고 있을지라도, 세계와 분리된 의식내재의 의미에서 그렇다고 말하는 것이 결코 아니다. 의식의 내재적 목적론에 대한 반성적 고찰은 그대로 '세계의 목적론적 고찰'이 된다. 그런 의미에서 목적론은 후에 "초월론적 주관성의 보편적 존재를 존재론 형식으로서 결정하는 것"(Hua. XV, S. 378)이기에 "모든 형식의 형식"(Hua. XV, S. 380)이라 명명되고 있다.

후설의 목적론이 철학적 의미에서 어떤 성격을 지니는가를 물을 때 세계의 주어지는 방식에 대한 고찰에, 특히 초월론적 감성론transzendentale Ästhetik에서 '감성적 세계의 로고스'가 어떻게 파악되고 있는가에 우선 눈을 돌려볼 필요가 있다. 후설은 초월론적 감성론에 대해서 다음과 같이 말한다. "새로운 의미의 초월론적 감성론이 기초단계로서 기능한다. 그것은 고차적 의미의 모든 학문에 선행하는 '순수한 경험'의 세계, 어떤 가능한 세계 일반의 형상적 문제를 다룬다. 그러므로 보편적 선험 없이는 단순한 경험에 있어서 또 범주적 활동에 앞서서 통일적으로 객체가 현출하거나, 자연의 통일 곧 세계의 통일이 수동적인 종합적 통일로서 구성되거나 할 수 없는 바로 그 보편적 선험의 형상적 기술을 다룬다"(Hua. XVII, S. 297). 후설이 여기서 세계의 보편적 선험이라고 말하는 것은 시간이나 공간 나아가 여러 세계의 원原질서Urordnung의 것이고, 일반적으로 '감성적 선험'이라 불리는 것인데, 이것들은 애초부터 형상적 대상으로서 주제적으로 주어져 있는 것이 아니라,

오히려 그것에 앞서서 감성적 경험에서 세계가 주어지는 그 주어지는 방식 속에서 경험을 가능하게 하는 것으로 작동하고 있다. 이 선험이 비주제적으로 작동하는 그 현장을 붙잡는 일 없이는 이 선험에 대해서 말할 수 없다. 그러므로 세계의 통일적 구성을 가능하게 하는 세계의 선험을 세계의 주어지는 방식 속에서 탐구하는 일은 곧 목적론의 성립 조건을 탐구하는 것이 된다. 아래에서 (1) 목적론의 전제로서의 절대적 사실성, (2) 지평의 목적론적 기투, (3) 규제적 이념과 명증의 목적론적 기도에 대해서 순서대로 고찰해보고자 한다.

(1) 목적론의 전제로서의 절대적 사실성.　세계는 개개의 사물이 주어질 때, 언제나 이미immer schon 미리 앞서서im voraus 주어져 있다. 세계는 전체로서 결코 주제화되는 일 없이 개개의 경험에 수반해서 항상 비주제적으로 즉 암묵리에 주어져 있는데, 후설은 이와 같은 세계의 주어지는 방식을 '세계지평' 또는 '세계지반'이라는 개념으로 제시한다. 엄밀하게 말하면, 세계의 현출에 관한 전술 권역을 고려하여 양자는 구별되지 않으면 안 된다. 여기서는 지반Boden으로서의 세계가 주어지는 방식이 물어져야 한다. 세계를 지반이라 말하는 것은, 세계가 "일체의 것이 거기로부터 우리를 촉발하는 지반"(*EU.* S. 25)으로서 기능하기 때문이다. 후설이 촉발의 지반으로서의 세계가 주어지는 방식을 분석하고 있는 것은, 『수동적 종합의 분석』에서 지각의 현재장에서 촉발이 어떻게 해서 일어나는가를 기술하는 대목이다.[12] 지각의 현재장 곧 '살아있는, 흐르는 현재' 속에서 가장 원초적인primitiv 단계로 생기해 오는 의미화의 대상이 분석되는데, 여기서 근원인상인 휠레는 더 이상 기존의 분석에 보이는 내실적reell이고 무지향적인 소재가 아니다. 휠레는 이미 의미로서 구조화된 통일체를 형성하고 있다는 점, 그런 한에서 애당초 세계를 포함하고 있는welthaftig 성격을 지닌다는 점이 상세하게 분석적으로 기술되고 있다. 내재적 여건은 직관의 장에서 대상으로서의 동일성(개체로서의 대상성)을 수동적 방식으로 구성하고, 다수 개체의 공존이나 계기라는 근원적 질서 하에서 현실성의 연관을 형성한다. 즉 위치성의 체계system인 시간이

나 공간이 개체화의 원리로서 기능하는 현장이 직관의 현재장이다. 이에 반해서 근원적 의미에서 개별화된 여건은 그 의미내용의 질서를 스스로 형성한다. 후설은 수동적 종합의 방식을 원原연합Urassoziation이라 불렀다. 의미는, 등질성의 경우에는 서로 융합Verschmelzung을 일으키고, 이질성의 경우에는 서로 대조Konstrast를 형성한다. 예를 들면 붉은 삼각형과 붉은 다른 도형(구체球體)은 붉다는 점에서는 서로 동등하지만 모양으로 보아서는 서로 다르다. 즉 붉다는 점에서 서로 융합하고, 짝짓기Paarung를 형성함과 동시에 도형이란 점에서 대조화를 야기해서 색色과 형形이 구별되게 된다. 공통되는 것은 개별에 즉해서 명확화되고 상이한 것은 분리되는 방식으로 친근성과 소원성에 의해서 의미의 구조화가 행해지고, 동시에 자아로 향한 촉발이 생기게 된다. 결코 촉발에 앞서서 구조화가 생기고 있는 것이 아니라 구조화가 그대로 촉발이 되어 오는 것이다(Vgl., *Hua.* XI, S. 164). 이렇게 해서 여건을 의미화하는 '세계의 선험'이 기능하는 현장이 세계가 주어지는 방식 속에서 발견된다. 후설은 다음과 같이 말한다. "의식장의 통일은 언제나 의미의 연관, 의미의 유사성이나 대조화에 의해서 수립되어 있으며, 만약 이러한 것이 없다면 세계는 결코 거기에 없을 것이다"(*Hua.* XI, S. 406).

세계가 지반으로서 언제나 이미 앞서 주어져 있다는 것은, 세계가 의미화되면서 근원적인 의미의 여러 원原질서를 형성하면서 주어진다는 것이다. 뒤징이 말하듯이, 세계의 이 구조는 결코 세계 자체Welt an sich의 규정이 아니라, 오히려 세계를 미리 기투하는 것Weltvorentwurf이다. 즉 목적론적 세계경험에서 생긴 것이라고 말해도 좋은데,(13) 이 구조화는 세계와 자아의 근원적 공재성이라는 '그 배후로 거슬러갈 수 없는 현現, Da'에서의 원초적 사건으로서, 어느 쪽이든 다른 한쪽으로 환원될 수 없는 '사이'의 현상으로서 생기하고 있다. 후설은 30년대의 초고들에서 이 원초적 사실Urfaktum에 대해서 자주 언급하고 있는데, 이 원초적 사실성이 목적론이 발생하는 현장이라는 점을 다음과 같이 말한다. "그러므로 사실事實 내에서 사전에 하나의 목적론이 생긴다고 하는 점이 포함돼 있다. 하나의 충실한 존재론은 목적론이지만, 이는 사실을 전제로 하고 있다. 나는 필증적으로 존재하고, 세계믿음 속에서 필증적으로 존재한다. 나에게는, 사실 내에서 목적론이 경험하는 세계성이 초월론적으로 존재한다'(*Hua.* XV, S. 385). 여기서 "나는 세계믿음 속에서 필증적으로 존재한다"고 하는 말이 중요하다. 왜냐하면 이른바 무세계적인 에고 코기토에서 궁극적 확실성을 발견하는 전통적 명증이론에 반해서, 이보다 훨씬 더 심층에 가로놓여 있는 차원 속에서, 즉 '세계가 있다'는 확신 속에서 비로소 '나는 있다'는 '궁극적으로 필증적인, 말살할 수 없는 확실성'이 밝혀져 있기 때문이다. '나는 있다'란 바로 '나는 현現, da에 있다'는 것과 다른 것이 아니다. 후설은 키네스테제(운동감각)적 신체성에 관한 분석에서 신체Leib가 주위세계에 속하는 하나의 물체Körper이면서 다른 한편으로는 주위세계의 현출의 조건으로서, 그 자신 현출함이 없는 '현출의 영점Nullpunkt'으로 기능한다는 점을 파악하고 있는데, 신체적 주관성의 이 '곁에 있음Dabei sein'이 동시에 신체적 주관성에게 '절대적 여기'로서 비주제적으로 이해되고 있는 것이다. 그리고 이 '나는 있다'는 수동적 확신이 항상 '세계가 있다'는 '수동적 원原믿음passive Urdoxa'과 일체가 되어 활동하고 있다. 이와 같이 '살아있는 현재의 수행 속에서 각자적인 현現, da이 알려져 있다'는 이 '현'의 개시성이 '절대적 사실'로서, "경험된 우리에 관한 모든 활동이나 기능의 가능성에 관해서 가장 심층에 있는 차원에서 활동하는 초월론적 조건"[14]이다. 이렇게 해서 자기와 세계의 근원적 공재성이 바로 의미의 구조화가 생기는 장場으로서, 목적론의 존재론적 전제를 형성하고 있다고 말하지 않으면 안 된다.

나아가 키네스테제적 주관성은 신체운동에 의해서 주위세계의 현출공간의 관점적 구조화를 야기한다. 키네스테제적 기능은 '나는 할 수 있다Ich kann'는 능위성能爲性, Vermöglichkeit의 의식이고, 현출하는 사물은 '만질 수 있다, 잡을 수 있다, 볼 수 있다'는 의미에서 신체로부터 가깝게 또는 멀게 현출한다. 주위세계의 공간은 가까움과 멂뿐만 아니라, 좌와 우, 위와 아래

등의 방위성을 지닌, 중심이 있는, 나에게 현출하는 공간이며, 감성적인 사물의 현출은 이러한 현출공간을 상관항으로 하는 키네스테제적 체계에 의존하고 있다. 그리고 '나는 움직인다'는 신체의 자기운동을 받쳐주는 지반으로서 세계가 그 기반성격의 면에서 파악될 때, 세계는 '대지=지구Erde' 의 이름으로 불린다. 이와 같이 수동적 원原믿음도, '나는 있다'고 하는 '절대적 여기'의 수동적 의식도 신체적 키네스테제적 수행 의식 속에서 작동하고 있는 것이다.

(2) 지평의 목적론적 기투. 공간 현출의 키네스테제적 조건에 제약되고 현재장의 의미적 구조화에 기초하는 촉발에 응낙해서, 자아가 대상으로 능동적으로 대향하고zuwenden 특정한 대상을 주제화하여 그 규정을 연속적으로 수행하게 되는데, 그때 이 규정연관의 상관항으로서 지평의 현상이 생기해 온다. 지평의 생기는 주제화 작용에 수반하는 것이어서, 주제화 작용을 결여하는 지평현상이라는 것은 있을 수 없다. 지향성 활동은 주제화하는 능동적 작용일 뿐만 아니라 지평을 형성하는 수동적 작용이기도 하다. 수동성은 능동성에 앞서는 기능을 드러낼 뿐만 아니라, 능동성과 서로 얽혀 있는, 또 능동성 그 자체에서 일어나는 활동(예를 들면 주제를 보유하여 유지하는 작용)이기도 하다. 특히 지평은 능동성과 수동성이 서로 얽혀 있는 가장 전형적인 현상인데, 이는 대상을 충실하게 하고자 하는 목적론적 초출운동이 끊임없는 연속적 과정을 형성한다는 점에서 발견된다. 헬트는 다음과 같이 서술하고 있다. "후설은 데카르트주의적 이원론을 회피하기 위해 이 이분법을 순수하게 수동적인 선소여성(=미리 주어져 있음)과, 그 위에 층위가 부여되는 능동성 간의 관계로 해소시켜서, 두 행하는 방식으로 증명해야만 했다. 첫째로, 감각함Empfinden은 애초부터 세계를 포함하고 있다. 왜냐하면 감각함은 언제나 이미 활동적인 것, 기초적인 능동성의 것을 포함하고 있기 때문이다. 둘째로, 모든 능동적인, 통각적인 능작能作들은 그것대로 수동성에 복종하고 있다. 구성의 사상思想이 이렇게 이중으로 계속하여 발전하는 것은 동시에 그가 대상구성의 이론을 지평구성 내지 세계구성의

이론으로 이행하는 것을 가능하게 했다."[15]

지평은 대상으로 향하는 규정작용이 예료-충실의 연속적 연관을 형성할 때 그 상관항으로서 구성된다. 대상을 그 부분계기나 고유성질에 의해서 규정할 때는 내부지평이, 대상을 수반현상과 관계지어서 규정할 때는 외부지평이 구성되는데, 어느 것이든 예료된 규정의미는 충실(확증)하게 되거나 혹은 '어긋나서' 정정되거나 하면서도 전체 과정은 조화를 보유하는einstimmig 연관을 형성한다. 이 조화적 일치의 연관을 가능하게 하는 것이 지평지향성 Horizontsintentionalität이다. 지평지향성은 그때마다 동기부여된 개개의 예료지향이라기보다는 오히려 개개의 예료지향을 가능하게 하는, 지향성의 활동공간의 기투이다. 이 지평지향성은 '무규정적인 일반성'이라는 '의미틀'을 선행적으로 기투하는 방식으로 작동한다. 후설에 의하면, 절대적인 미지성이라고 하는 것은 있을 수 없는 것이어서, "미지성은 언제나 동시에 기지성의 한 양태이다"(EU. S. 34). 예료되는 일반성은 이미 침전된 과거로부터 수동적으로 재생되어 형성되고, 무언가의 의미틀이 이렇게 해서 대상을 미리 윤곽짓는다. 그런 의미에서 지평지향성은 능동성에 수반해서 일어나는 수동성의 현상이다. 전술한 바와 같이, 지각의 현재장에서 이루어지는 의미의 수동적인 자기구조화가 촉발이라는 방식으로 일어나는, 세계로부터 닥치는 촉구라고 한다면, 의미틀의 기투로서의 지평지향성은 자아의 쪽에서 이것에 응낙함으로써 야기되는 일종의 자기촉발이며, 존재자를 끊임없이 지知의 사정권에 거두어들이고자 하는 의미의 장을 보유하여 유지하는 현상이라고 말할 수 있겠다. 분명 '보다 상세한' 혹은 '좀 더 다른' 규정이 가해지거나, 혹은 규정연관의 재편성이 일어난다고 하더라도, 근저에서 의미공간의 선행적인 형성이라는 것이 언제나 이미 일어나고 있지 않으면 안 된다. 설령 지평지향성이 기지성의 틀을 탈각할 수 없다는 의미에서 과거의존적인 성격을 지닌다고 해도, 이른바 과거 우위의 사상思想만을 거기서 읽어내고자 하는 것은 지평지향성의 역할이 갖는 본래의 의의를 간과하는 일이 되고 말 것이다. 어떠한 것이든 무언가의 의미틀에서 억제되고 있다는 점이 여기서 문제가 되고 있는 것이다. 후설도 특별한 유형화를 결여하는 경우에도 "'대상 일반'이라는 가장 일반적이고 단적으로 필연적인 형식이 내부에서 파악된다'(*EU.* S. 35)고 말하고 있다. 때에 따라서는 '존재자'라는 개념조차 대상규정의 선행적 틀을 형성하는 역할을 수행한다.

(3) 규제적 이념과 명증의 목적론적 구도. 그러나 경험이 엄밀한 의미에서 목적론적 성격을 지니는 것은, 대상을 규정해 가는 연관이 대상을 완전하게 다 규정하는 것을 궁극적 목표로 해서 진행해 가는 과정이라는 점을 고찰하는 경우에 보인다. 단순한 기대지향의 직관적 충실은 대상에 관한 하나의 규정을 확증하는 것에 지나지 않는다. 그러나 이와 같은 그때마다의 개개의 확증에 안주하는 일이 없이, 대상을 모조리 손에 넣고자 하는, 즉 대상을 완전하게 지적으로 소유하고자 하는 의지가 대상에 대한 규정작용(인식작용)을 관통하여 작동한다. 그런데 대상의 완전한 자기소여성은 대상의 현출이 원리적으로 일면적인 한 결코 실현될 수 없다. 완전한 자기소여성이란 의미와 존재가 전면적으로 합치한 상태 곧 진리이다. 이것과 상관적으로, 충전적인 명증이 대상의 완전한 자기소유를 수행하게 된다. 그러나 이와 같은 어긋남이 없는, 남기는 바가 없는, 대상을 다 규정하는 것은 현출자와 그 현출의 차이가 지양되는 것이고, 관점적 현출의 원리의 자기부정을 의미하는 것이다. 후설은 이미 『이념들 I』에서 이와 같은 궁극적 목표를 "연속적인 현출작용의 무제한적 과정이 절대적으로 규정된 체계"(*Hua.* III, S. 351)로서, '칸트적 의미의 이념'(*Hua.* III, S. 351)이라고 말하고 있다. 즉 '현출체계의 완결'은 경험 과정 속에서 실현될 수 없는데도 불구하고, 이 과정의 진행을 이끄는 규칙의 역할을 수행한다. 충전적인 자기소여성은 경험 과정의 이념적 극한Limes이며, 이 극한이념이 경험 과정에 규제적regulativ 원리로서 작동하는 것이다. 경험 과정은 이 극한의 목표로 향하여 부단하게 대상을 '보다 상세히', '보다 완전히' 규정해 가는 '근사화Approximation'의 과정이다.

지금까지 고찰한 경험연관의 목적론적 구조에는 몇 중요한 문제가 감추어져 있다. (1) 경험 과정은 관점적 계기와 탈관점적 계기라는 역동적인 긴장관계에 의해 성립한다. 경험은 관점성을 원리적으로 탈각할 수 없는데도 불구하고, 동시에 관점성을 극복하는 경향을 안에 포함하고 있다. 이것이 '세계의 현출의 교체'로서, 이른바 이념화라고 불리는 과학적 세계의 구성을 촉구하는 것이다(제3절 참조). (2) 경험의 목적론에는 궁극적인 완전한 자기소여성이라고 하는 목표이념이 관점적 현출과정의 운동의 근거가 됨과 더불어, 역으로 이 운동과정이 이와 같은 목표이념의 발생 근거가 된다고 하는, 특유의 피하기 힘든 순환관계가 보인다. 이 순환구조의 수수께끼를 풀고자 할 때 두 방향이 주어진다. 하나는 형이상학적 의미의 '이성의 목적론'이고, 다른 하나는 목적론의 실천철학적 해석이다. 궁극의 목표를 '숨은 절대적 근거의 자기현현'으로 보는가, 아니면 대상적 세계로 편입되는 일이 없는, 오히려 대상인식이라는 실천을 이끄는 규제적 원리로 보는가에 따라서 두 방향으로 나뉘는데, 양자 모두 후설의 목적론 사상에 숨어 있는 방향이다(제4절 참조).

내재적 목적론을 형성하고 있는 명증의 계기는 '지양하기 어려운 추정적 성격'을 나타내는 지평의 명증성격, '실현 불가능한 궁극목표'인 충전적 명증, 그리고 이 양자를 구조화하면서 기술해 가는 철학적 반성이 지니는 필증적 명증이다. 이 세 계기가 명증의 삼원적 구도를 형성하고 있다. 게다가 반성의 필증적 명증으로부터 내부지각의 충전적 명증이 분리될 수 있기에 필증적 명증도 또한 그 자체 상대화된다. 따라서 명증의 이 구도는 세계의 구성 과정에서뿐만 아니라 의식의 자기반성 과정에서도 발견된다. 반성이 의식생을 소급하면서 지나간 의식체험을 동일한 대상으로서 확정하고자 할 때, 이 동일성도 또한 '충전적 자기소여성'으로서 실현되는 일은 없지만, 부단히 접근해 가야 할 궁극적 목표가 된다. 그런 의미에서 반성은 부단히 과제적 성격을 띠는 것이고, 그래서 결코 완결되는 일이 없는 자기경험으로 간주된다.

이 명증의 구도에 기초하여 『위기』에서 '과학과 생과 철학'이라는 지(知)의 구도가 학문적으로 구상되어 서술되고 있다. 후설은 유럽 근대 정신문화의 통일적 이념을 이 '지知의 구도'에서 발견하고, 이 구도가 해체되어 가는 모습을 근대과학의 역사 속에서 탐색하고 있다. 물리학적 객관주의와 초월론적 주관주의의 치유하기 어려운 분열의 행보나, 과학의 객관주의에 의한 생활세계의 은폐나 망각은 통일적 이념의 구성계기가 상호 속하고 있는 구조에 대한, 나아가서는 명증의 구도에 대한 통찰이 결여한 데서 유래한다고 해도 좋을 것이다. 후설이 만년에 학문론을 이렇게 구상할 수 있었던 데에는 20년대에 수행한 지향적 분석론의 작업이 지知의 원형적 틀이라고도 할 수 있는 '명증의 구도'를 붙잡고 있었던 것이 크게 작용하고 있었던 것이다.(16)

이 구도가 구도로서 성립하기 위한 전제가 되는 사태는, 전술한 바와 같이 '그 배후로 거슬러갈 수 없는 현現'이라는 근원적인 의미의 원原명증 곧 세계와 자아의 공재성, 바꿔 말하면, 의식 수행의 현장에 있는 세계의 근원적 개시성이다. 하지만 지반으로서의 세계의 현출은 세계 현출의 심층차원이긴 해도 결코 세계 현출의 전全 권역을 의미하는 것은 아니다. 아래에서 세계구성론을 둘러싸고서 목적론 사상이 어떠한 전개를 보이는가를 고찰해 보겠다.

제3절 세계현출의 목적론적 권역 모나드와 세계

후설이 세계의 지평적 소여성에 대해서 말하는 경우, 단지 감성적 경험의 단계에만 한정하지 않는 것이므로, 더 넓은 사정권에 걸쳐서 세계의 소여성을 염두에 두고 있었다는 것은 의심할 여지가 없다. 후설은 한 미공개의 연구초고에서 다음과 같이 서술하고 있다. "세계표상은 나의 표상들 중의 한 표상이 아니다. 그것은 나의 모든 표상의 운동에 있는 하나의 보편적인 운동이고 종합이다."(17) 즉 세계는 한편으로는 지반으로서 주어져 있지만, 다른 한편으로는 보편적 운동으로서 생기하고 있다는 것이다. 게다가 이 보편적 운동이 노리는 목표라고도 말하고 있다. 예를 들면 동일한 초고에서 다음과 같이 말하기도 한다. "세계 개념은 어떤 사물의 개념이 아니라 새로운 의미의 개념이고, 보편적 규칙이 되어 모든 사물을 그것들의 개념성의 면에서 규칙을 부여하는 하나의 개념이다."[18] 브란트는 이 초고를 인용하면서 다음과 같이 서술하고 있다. "세계는 지평들과 동일한 방향에서 발견되지 않는다. 세계는 지평들을 넘어, 지반으로서 있는 것과 동시에 목표로서 있다."[19] 나아가 브란트는 후설이 세계를 '초월'이란 말로 파악하고 있었다는 점을 언급하면서, "초월은, 세계를 소유하면서 세계 속에 존재하는 자아의 지반임과 동시에 운동이기도 하고, 목표이기도 하다"[20]고 말하고 있다. 요컨대 세계는 지반이고, 목표이고, 그리고 이 목표로 향하여 부단히 이어지는 초월의 운동인데, 이 '지반', '운동', '목표'라는 수수께끼 같은 표현들을 잇는 전체적 얼개는 도대체 어떻게 파악되는 것일까? 브란트의 경우, 세계의 지반성을 곧 세계 친밀성Vertrautheit으로, 세계의 부단한 운동을 '미지성에서 기지성으로 부단히 연속적으로 전화함'으로, 목표로서의 세계를 '결코 따라잡을 수 없는 미지성'으로 해석하고 있다. 왜냐하면 세계는 그 총체성이 다 기지화旣知化될 수 없다는 점에서, 즉 근원적으로 서먹서먹함Fremdheit을 남긴다는 점에서 세계로 향하는 자아의 초월의 미완결성을, 상관적으로 말해 세계 현출의 무제한성을 지적하고자 하고 있기 때문이다. 이 해석은 후설의 세계의 현출방식을 대체로 정확하게 파악하고 있기는 하지만, 그러나 결코 충분한 해석이 되고 있다고 말하기는 힘들다. 왜냐하면 세계의 지반성격은 단지 친밀성이라는 점으로부터만 충분하게 파악되는 것이 아니라, 여기서는 전술한 바와 같이 키네스테제적 주관성의 '절대적 여기'와 세계의 존재가 하나가 된 절대적 사실성의 차원이 고려되어야만 하기 때문이다. 또한 운동이 보편적 운동이라고 하는 점에 관한 브란트의 고찰에도 불철저한 면이 보인다. 후설은 공개된 한 초고에서 "세계는 체계적으로 경험될 수 있는 능위能爲, Vermögen이다. 즉 경험이 진행되는 도상에서 동일적인 존재의 미를 입증하는 능위이다"(Hua. XV. S. 621)고 서술하고 있다. 보편적 운동이란 동일적인 존재의미로서의 세계를 구성해 가는 운동이며, 이 동일적인 세계의 존재의미의 구성이 바로 부단히 지향을 충족시켜 가는 목적론적 운동으로서 생기하는 것이다. 일반적으로 세계가 '지반'이고, '운동'이고, '목표'라고 말하는 경우에 그 전체적인 구조의 수수께끼를 푸는 열쇠는 이 목적론적 운동이 세계현출의 전全 권역에 걸쳐서 세계구성의 기능을 지배하고 있다는 점에서 발견될 수 있을 것이다. 후설이 말하는 목적론은 단지 감성적 경험의 단계에 머물지 않고, 이른바 객관적 세계의 구성이라는 고차의 구성단계도 포함하는 사정권 내에서 구상되고 있기 때문이다. 따라서 객관적 세계의 구성과 관련해서, 상호주관성Intersubjektivität의 문제계통이 이 목적론적 고찰에서 결정적 역할을 수행하고 있다는 점을 간과해서는 안 된다.

후설이 말하는 객관적 세계란 여러 학문적 세계, 문화적 세계, 가치세계이며, 좀 더 정확히 말해 우리를 둘러싸고 있는 생활세계라 해도 그것이 목적형상을 지닌 특수세계로 보이는 한 객관적 세계에 속하는 것이다. 이와 같은 객관적 세계란 도대체 어떠한 의미에서 객관적이라고 간주되는 것일까? 후설이 말하는 객관적 세계의 모델이란 근대과학의 이론적 대상이다. 과학의 이론적 대상은 '이념화Idealisierung'의 방법에 의해서 구성된다. 이념화란 원래 경험 속에서 작동하는 실천적 측정의 방식을 무한히 확대해 갈 때, 이 측정의 방식이 유형적인 것에 따르는 경험적 규정작용을 넘어, 새로운 종류의 사유 곧 양적 조작을 행하는 수학적 사유로 이행하는 것이다. 경험의 소여가 양화된다는 것은, 말할 나위도 없이 경험이 사유로 바뀌는 것이고 경험에서 세계가 다른 방식으로 교체되어 현출하는 것이다. 이 교체가 이념화에 의해 야기된다. 단 여기서 이념이라 불리는 것은 '자연의 극한이념' 즉 정밀한 이론구성의 기초가 되는 대상들, 예를 들면 점이나 선 같은 극한형태의 기하학적 대상들이며, 이러한 이념대상들은 추상화적 사유의 산물이기 때문에, 당연한 것이지만, 칸트적 의미의 이념과는 구별된다. 그러나 후자 즉 경험의 진행에 규칙을 부여하는 '충전적 자기소여성' 쪽은 그것을 목표로 하는 탈관점화의 경향을 야기함으로써 관점적 현출을 수량화적 사유에 의해 다시 파악하도록 촉구하는 것이기에, 이 점에서 이 두 이념은 서로 관계를 맺고 있다. 후설은 다음과 같이 서술하고 있다. "유동적인, 주관적으로 교체하는 현출 내에서 스스로를 부여하는 동일적인 것의 가능성의 원리적 조건을 충분히 고찰하는 것은, 현출을 그것에 내재하는 필연성으로서 수학화하는 일에 생각이 미치는 것이다"(*Hua* XVI. S. 238). 정확히 말하면 자기소여성이라는 목표이념(첫째 의미의 이념)으로 향한 근사화의 과정 속에서, 경험의 추정적 명증의 무한성에 대한 이상극理想極(둘째 의미의 이념)을 '자체적으로 참인 것'으로서 주제화하는 작업이 촉구되고 있다. 그렇게 해서 세계의 현출이 상대적 주관적 현출을 탈각해서, 객관적 세계로서 다시 파악되어 '현출의 교체'가 발생한다. 주관제약적인 관점성이 탈관점화되어 자체적인 것으로 바뀌게 된다.

객관적 세계가 지니는 객관성이라는 성격은 반드시 학문적 세계가 지니는 논리적 객관성 곧 보편타당성이라는 것과 전적으로 동일한 의미를 지닌다고 말할 수는 없는데,(21) 후설이 말하는 객관적 세계란 그 세계가 나에게만이 아니라 다른 사람에게도 공통된 세계, 즉 각인各人, jedermann에게 공통된 세계이다. 감성적 단계에서는 세계현출이 키네스테제적 주관성이 입각하는 '절대적 여기'를 현출의 영점으로 해서 그 주위에 퍼져 있는 주위세계로서 현출하는 데에 반해서, 객관적 세계는 나를 포함하는 복수의 주관에게 동일한 공통의 세계로서 구성되는 것이고, 따라서 복수의 주관 곧 '각인各人'이 객관적 세계의 구성 조건이 된다. 바꿔 말하면 객관적 세계가 성립하려면 탈관점화하는 이념화의 조건으로서 복수주관성이 전제되는 것이다. 그런데 이 복수주관성이 본래 근원적으로 복수적인 것, 즉 주관성이 본래 상호주관성이라는 점을 현상학적 분석에 의거해서 입증하지 않는 한, 복수주관성이 객관적 세계의 이념화와 동시에 일어나는 공이념화Mitidealisierung의 방식으로 구성되고 말 것이다. 이제까지 전통적 형이상학이나 인식론에 의해서 대상인식의 성립 조건으로서 구상된 인식주관은 분명 '각인各人''에 상당하는 주관이었지만, 그러나 동시에 누구에게나 공통되는, 게다가 특별한 개별주의에 환원되는 일이 없는 일종의 논리적 장치를 의미했다. 혹은 각 주관이 그 내부에서 상호 교환 가능한, 그런 의미에서 탈시점화된 공동주관이었다. 이런 의미의 복수주관성은 대상세계의 이념화에 의해서 유발되는 공이념화의 산물이어서, 그런 한에서 감성적 키네스테제적 주관성이 지니는 '시점의 근원성' 또는 각자성이 망각되었다고 말하지 않을 수 없다. 말할 나위도 없이 후설이 객관적 세계의 구성 조건으로서 말하고자 하는 상호주관성은 결코 이런 의미의 '이념화된 복수주관성'이 아니다. 분명 후설은 『데카르트적 성찰』의 상호주관성을 다룬 제5장에서 타자구성의 방법론적 통로로서 '자기이입Einfühlung'의 이론을 전개하고, 결국 이념화된 복수주관성의 구성의 방향을 걷고 말았다는 것은 자주 지적되는 바대로이다.[22] 그러나 후설이 이와 같이 방법상의 우를 범했다고 해서, 상호주관성의 현상학을 설립하고자 하는 그의 의도를 오해하는 일이 있어서는 안 되겠다. 후설이 말하고자 하는 상호주관성이란, 근원적 시점으로서 기능하고 있는 이성 수행의 현장에서 이미 타자와 등근원적으로 '착종해서ineinander' 기능하고 있는 주관성이다. 그리고 이와 같은 초월론적 의미의 상호주관성을 주제화하는 상호주관성에 대한 후설의 작업은 세계 구성의 초월론적 조건을 탐색하려는 의도를 갖고서 착수된 것이기도 하다. 최종적으로는 세계 현출의 전全 권역을 그려내 보려는 의도를 갖고 있었다고 이해해야 할 것이다.

그래서 또 한 번 객관적 세계의 객관성이란 무엇인가 하는 물음으로 돌아가지 않으면 안 된다. 객관성이라는 개념 자체가 세계 현출의 전체적인 장면 속에서 목적론적 구도에 따라서 언급되고 있기 때문이다. 후설에 의하면, 본래적 의미의 객관적 세계 곧 '보편적인 객관적 세계'는 '모든 사람들을 위한 세계Welt für alle'로서 결코 실현될 수 없는 궁극적 목표이다. 후설은 '진리로서의 세계는 이 의식생 속에서 끊임없이 사념된 세계이며, 확증적 의식의 현실적이자 가능적인 텔로스, 이념으로서의 텔로스이다'(Hua. XV, S. 548)고 말한다. 이 텔로스는 '상호주관적인 현재성顯在性 속에서 구성되는 이념'으로서 실현 불가능한 목표이면서도, 세계의 구성이 그것을 목표로 해서 무한히 계속해 간다는 의미에서 규제적 이념의 역할을 수행한다. 이 규제적 이념에 이끌려 세계구성의 보편적 운동이 생기하는 것이고, 이 보편적 운동의 미완결적 과정이 상호주관적 종합에 맡겨져 있다. 이 상호주관적 종합에 의해서 구성되는 그때마다의 지향적 통일체로서의 객관적 세계는 끊임없이 "생성하는 세계로서 이 구성의 과정에 의존하는 상호주관적 종합의 절대적 과정의 상관항"(23)이다. 그리고 이 상호주관적 종합의 과정이 이상적 규범에 즉해서 진행되는 의사소통적 검증의 과정으로서 생기하는 것이다. 따라서 후설이 세계현출의 전全 권역으로서 구상하고 있는 것은, (1) 각자적으로 감성적인, 상대적으로 현출하는 세계현출, (2) 상호주관적으로 구성되는 여러 객관적 세계, (3) 궁극적 이념으로서의 세계라고 하는 세 계기로 형성되어 있으며, 이 점을 고려해야 비로소 세계가 '지반'이고, '운동'이고, '목표'라고 말할 수 있다. 후설의 세계현출론이 상호주관성의 이론을 불가결한 것으로서 요청하고 있는 것은 "의식과 세계의 목적론적 합치라는 진리의 이념이 객관성의 조건이 되는 모나드론적 공가능성의 이념Idee monadologischer Kompossibiltät에 의해 보완되지 않으면 안 되기"(24) 때문이다.

그러나 이 목적론적 세계현출의 문제계통에서 가장 중요한 문제 중의 하나는 이미 감성적인 세계현출의 기저적인 단계에서 '세계와 나(자아)와 우리'가 서로 환원될 수 없는 세 구조계기가 되어 근원적인 현現 Da을 형성하고 있다는 점이다. 후설은 앞에서 인용한 '목적론'이라는 제명의 초고에서 초월론적 자아의 본질이, 나의 존재라는 원原사실성을 '원原우연적인 것 Urzufälliges'으로서 필연적으로 떠맡고 있다는 점을 논급하고 있는데, 그때 이 원原사실성 속에 있는 '나의 존재에 함축돼 있는 타자들'을 동시에 통찰하면서 다음과 같이 말하고 있다. "나는 나의 사실성을 넘어 나아갈 수 없다. 그 점에서 지향적으로 함축돼 있는 타자의 공동존재를, 따라서 절대적 사실성을 넘어 나아갈 수 없다"(Hua. XV, S. 386). 이렇게 말하는 의미에서 후설이 설시하는 목적론은, 마이스트가 지적했듯이 "세계로 향해서 바깥으로부터 가져온 범주"가 아니라, "세계와 자아와 우리가 현現, da에 있는 것을 가능하게 하는 존재방식"에 기반한다.(25) 그러나 이 '나'와 '우리'와 '세계'가 상호 의속하고 있는 구조란 어떠한 것일까? 감성적 경험에서조차 이 삼항관계가 생기하고 있다면 하고 말하기보다는, 이 삼항관계에 의해서 비로소 감성적 경험이라는 것이 성립한다면, 그것은 도대체 어떠한 구조에서 언급되는 것일까? 아마도 이 물음은 타자이해가 도대체 어떻게 어디에서부터 시작되는 것인가 하는 물음과 관련되는 물음으로서, 상호주관성의 현상학의 문제계통 속에서 아직 충분한 해결을 보지 못한 가장 어려운 물음일 것이다. 이 물음을 묻기 위한 실마리는 '하나의 세계의 각자적 현출'에 관한 분석이다. 세계는 나에게는 나의 세계, 타자에게는 타자의 세계로서만 현출하고 있다. 감성적 경험에서는 이 이외의 방식으로 세계가 주어질 수는 없다. "우리는 그때마다 우리에게 타당한 세계 이외의 것을 무엇 하나 가지고 있지 않다"(Hua. XV, S. 398). 물론 이와 같이 하나의 세계가 각자적으로 현출한다고 하는 것 자체를 주제적으로 의식화하여 현출자와 현출의 관계로서 구조화하는 것은 현상학적 반성을 기다려서 비로소 가능하게 되는 것이기에, 자연적 의식은 현출을 주제화할 수 없다. 하지만 그럼에도 불구하고, 우리는 전반성적인 수행의 현장에서, 결코 주제화된 방식이 아니라 해도, 따라서 현출자와 현출의 관계를 구조화해 가는 방식이 아니라 해도, 하나의 세계가 나에게 고유의 나타나는 방식을 행하고 있다는 점을 언제나 이미 알고 있다. 왜냐하면 내가 '타자들 중의 한 사람einer unter den Anderen'이라는 점을 언제나 이미 수동적으로 확신하고 있기 때문이다. 즉 타자들의 존재에 대한 어떤 확신이 있어야 비로소 하나의 세계의 존재에 대한 확신이 가능하게 되기 때문이다. 앞에서 서술한 바와 같이, '나가 있다'란 수동적 확신은 '세계가 있다'란 수동적 원原믿음과 일체가 되어 작동하는 것이지만, 나아가 '타자가(타자들이) 있다'는 것도 또한 수동적 확신으로서 이 확신들과 하나가 되어 작동하는 것이지 않으면 안 된다. 게다가 이 확신들은 고립된 각각의 계기로서 작동하는 것이 아니라, 상호 제약하는 방식으로만 작동한다. 그렇지 않다면, 나에 대한 세계현출이 나에게만 고유한 것인데도 불구하고, 나가 이 상대적 현출을 넘어 객관적 세계의 구성으로 나아갈 수 없게 될 것이다. '나와 우리와 세계'가 상호 환원할 수 없는 계기로서 '배후로 거슬러 갈 수 없는 현現'을 형성하고 있다는 것은, 이 세 계기가 전반성적이고 비주제적인 방식으로, 그러면서 상호제약적으로 근원적 개시성으로서 기능하고 있다는 것과 다른 것이 아니다.

물론 이 문제에 관해서는 또 깊이 파고든 몇 고찰이 필요할 것이다. 첫째로, 분명히 이 '현現'은 비주제적 존재확신에서 고해지는 것이라 해도, 다름 아닌 '수행양태Vollzugsmodus'에서 생기하고 있다는 점이 주목되어야만 한다. '나는 현現에 있다'는 것은 곧 '나는 기능한다ich fungiere'는 것이다. 전술한 바와 같이, 이 끊임없이 반성에 앞서는 익명의 기능이야말로 후설이 '살아있는 현재'의 이름으로 부르고자 한 것이다. 그리고 여기서 문제가 되는 것은, 만약 나가 익명의 기능현재라고 한다면 타자도 또한 나와 더불어 익명으로 기능하는 것이라고 하는 점이다. K. 헬트도 타자란 나에게 있어서 '원리적으로 비주제적으로 머무는 기능'이라고 말하고 있지만,[26] 실은 후설 자신이 어떤 미공개 초고에서 자아와 타자의 공동기능에 대해서 다음과 같이 말하고 있다. "나는 언제나 기능하는 자아로서, 기능하면서 존재하는 타자를 나의 기능함으로부터 간접적으로 발견한다."[27] 이와 같이 상호사실성Interfaktizität은 동시에 상호기능성Interfunktionalität의 방식으로 생기하고 있다. 물론 나와 타자의 상호기능은 전술한 바와 같이 어디까지나 세계를 매체Medium로 하고 있기에, 자-타 관계는 근원적으로 세계에 의해 제약되고 있다. 둘째로, 타자와 나의 공동기능 속에서 타자는 어떻게 타자 자신을 나에게 보이는 것인가 하는 것이 문제가 된다. 분명 타자는 기능으로서만 자기를 보이는 것인데, 이는 바로 타자가 자유로운 기능으로서, 그 점에서 자유로운 자아인 나와 동격이면서 나가 아닌 것으로서 자기를 보이는 것을 의미한다. 나도 타자도 자유이면서 상호 제약되어 있는 것이다. 나와 타자는

"단지 병존하는 것이 아니라 서로 경합하는 자유로운 자기정립의 교호적 경험"[28]을 공유한다. 자유로운 기능으로서의 타자는 결코 대상화되는 것이 아니다. 타자는 자기이입 이론에서 논하듯 원原자아Urich를 원점으로 하는 내관적內觀的 자기경험을 투영적으로 확대화함으로써 구성되는 것이 아니다. 타자는 어디까지나 자기를 고지하는sich bekunden 것이니, 나와 경합적 상호기능 속에서 나가 아닌 자유로운 수행자로서 자기를 고지하는 것이다. 셋째로, 나와 타자의 공동기능은 나의 자유로운 공동기능 속에서 나의 행위수행을 '우리임Wirheit'으로서 동기부여하는 근거로서 작동하고 있다. 이 '기능하는 우리fungierendes Wir'의 사상을, 후술하는 바와 같이 『위기』의 '역사의 목적론'에 나오는 철학자의 자기책임에 관한 후설의 서술에서 발견할 수 있다. 단 물어져야 할 문제는 이 '기능하는 우리'의 구조를 널리 행위 일반 속에서 어디까지 탐색해 갈 수 있는가 하는 점이다. 나아가 이와 같은 '숨어서 기능하는 우리'를 의사소통 일반의 초월론적 조건으로 간주하는 경우, 그것이 의사소통에 의해서 현재화顯在化하게 되는 '생성하는 우리'와 어떠한 관계구조를 지니게 되는가 하는 것도 새롭게 다시 물어져야 할 것이다. 그러나 타자 문제로서의 상호주관성의 문제계통에 대해서는 여기서는 이 이상 깊이 파고들지 않겠다.

본절의 고찰로부터 세계현출의 상相들이 목적론 사상에 의해서 상호 연관된다는 점, 그리고 세계현출의 목적론적 연관의 면에서 상호주관성의 문제계통이 결정적인 역할을 수행한다는 점이 명확해졌다. 그러나 확실히 해두고 싶은 것은 그 자체 결코 대상적으로 주제화되는 일이 없는 지반으로서의 세계와, 끊임없이 주제화되는 객관적 세계 간의 관계는 결코 위계적으로 고정된 관계가 아니라고 하는 점이다. 객관화된 세계는 지반으로서의 세계에 어떤 방식으로 포섭된다. 여기서는 일견 후설 자신도 언급한 역설이 성립하는 것 같아 보인다. "'객관적으로 참인 세계'와 '생활세계'의 역설적인 상호의 존적 관계는 양자의 존재방식을 수수께끼 같은 것으로 만들고 있다"(Hua. VI, S. 134). 이 역설을 어떻게 해결할 것인가? 이 물음은 후설의 목적론 사상을 새로운 각도에서 검토하는 시점을 부여해 주게 될 것이다.

제4절 생활세계와 목적론 실천철학으로서의 목적론

『위기』의 생활세계론 장章이 후에 부가된 데다 또 정리가 되지 않았기 때문에 극히 어지러운 내용을 담고 있는, 결함이 많은 서술이라는 점이나, 후설이 '주요 텍스트'에 단 부론附論에서 개선을 위한 여러 고찰을 행하고 있다는 점은 오늘날 문헌학적 연구에 의해서 이미 증명된 사항이다. 따라서 후설의 생활세계론에 관한 기존의 많은 오해가 후설에 의해 이 장이 도입된 방식에서 유래한다는 점도 확인되었고, 이러한 생활세계론의 자리매김이나 생활세계 개념의 다의성에 관한 해명을 둘러싸고서 이미 많은 연구자에 의해 여러 '해석'이나 논의가 행해졌다.[29]

생활세계 개념이 한편으로 객관적 과학의 기저가 되는 '지반' 개념임과 동시에 다른 한편으로 초월론적 환원의 '지표' 개념이라는 두 역할을 맡은 이의적異義的 개념으로 사용되고 있다는 점에 대해서는 누구도 이의를 제기하지 않을 것이다. 그러나 이 이의성異義性은 한편으로는 생활세계가 단순한 통로 이상의 것으로서, 즉 다른 일체의 인식에 대해서 최초의 것으로서 명증의 원천이 되고, 그런 의미에서 하나의 '비판적 심급' 역할을 수행하고 있음에도 불구하고, 다른 한편으로는 자기고유의 권한을 자기 자신에 의해 증명할 수 없다는 의미에서 그 자체 비판에 놓이게 되는 '역설적 결과'를 항상 생겨나게 한다.[30] 그렇게 말하는 이유는, 생활세계가 발덴펠스도 지적하듯이 '직접적인 기술의 대상'이 된다고 하기보다는, 오히려 사전에 주어져 있는 생활세계로 돌아가서 그것을 손에 넣고자 하는 '방법적으로 목표가 있는 소급적 물음의 대상'이 된다고 하기 때문이다.[31] 예를 들면 과학의 객관주의를 극복하기 위해 과학을 생활세계에 정초한다고 하는 소급적 물음, 또는 생활세계에서 초월론적 주관성으로 전회한다고 하는 소급적 물음, 나아가 공시적으로 또 통시적으로 다양한 형태를 지니는 '역사적 특수세계'의 전제가 되는 하나의 생활세계로 돌아가서 역사적 관점 전체를 확보하고자 하는 소급적 물음 등[32] 이러한 여러 소급적 물음들의 대상으로서 생활세계 개념이 등장하게 된다. 나아가 후설이 생활세계의 본래 역할이라고도 할 수 있는 지반기능으로서의 역할에 대해서 말할 때에도 생기는 이 개념의 다의성도 결국은 앞과 같은 몇 맥락에 의거하고 있다고 말할 수 있겠다. 『위기』의 서술에 보이는 생활세계의 측면들은 대략 다음의 세 개념으로 정리된다는 점이 확인되고 있다.

(1) 구체적 생활세계의 개념. 그 보편성 속에 일체의 목적형상을 포함하고 있는 생활세계(Hua. VI, S. 136), 즉 구체적 보편성으로서의 세계.

(2) 상대적인 특수세계. 특정한 주제적 일반성에 의해서 특징지어지는 특정한 문화적 세계 곧 직업세계.

(3) '기저'로서의 생활세계 개념. '추상적으로 추출된 세계핵' 또는 '의미기저'로서 '원리적으로 직관 가능한 우주'(앞의 대목). 일체의 의미형식에 대한 일반적인 기저로서 누구라도 도달 가능한, 보편적으로 구조화된 불변적인 것Invariant.[33]

이 여러 생활세계 개념들 상호 간의 관계를 어떻게 고찰하는가에 따라서 현상학자들 사이에 해석의 차이가 보이는데 다만 제반 해석들에 공통되는 것은, 세 번째의 개념의 생활세계를 후설은 순수한 지각의 상관항으로 보고 물체계物體界, Körperwelt로 서술하는 데 비해, 현상학자들은 이 기저로서의 생활세계를 총체성(존재자의 전체)으로서가 아니라 지평으로 주어져 있는 세계로 보고 해석해야 한다고 말한다는 점이다. 나아가 첫 번째 생활세계 개념을 어떻게 해석하든 이 개념을 세 번째 생활세계 개념과 어떻게 관계지을 것인가를 과제로 삼아 해석해야 한다고 말한다는 점이다. 예를 들면 란트그레베는 다음과 같이 묻고 있다. "생활세계의 두 규정, 즉 하나는 구체적 보편성으로서의 규정, 다른 하나는 '원리적으로 직관 가능한 우주'로서의 규정이 상호 양립 가능한 것은 어떻게 해서인가?"[34] 그리고 이 물음에 대한 답을 다음과 같이 도출하고 있다. "각각의 생활세계는 그 자체로 구체적 보편성이지만, 그러나 생활세계는 다른 생활세계와 비교 가능하게 된다는 점을 고려한다면 '직관 가능한 우주'이다."[35]

요컨대 후설 자신이 "구체적 생활세계는 '과학적으로 참인' 세계를 정초하는 지반이지만 동시에 생활세계 고유의 보편적 구체성으로서 과학도 포괄하고 있다"(Hua. VI, S. 134)고 서술하고 있는데, 여기서 이 두 측면을 어떻게 관계지을 것인가 하는 점이다. 이 점은 제3절에서 논한 세계현출의 목적론적 구도, 즉 궁극적 목표이념으로서의 세계, 여러 객관적 세계 곧 특수세계, 기저로서 지평적으로 현출하는 세계라고 하는 세 구성계기로 성립하는 목적론적 연관, 바꿔 말하면 세계가 '지반'이고, '운동'이고, '목표'라고 하는 세 규정으로 표현되는 '세계현출의 목적론'을 어떠한 성격의 것으로 보고 해석하는가와 본질적으로 관련된다. 이 목적론적 연관 속에서 언급되는 목표이념이란 인식목표이지만, 이 경우의 인식이란 어디까지나 실천적 의미로 이해된 인식이다. 그리고 특수세계를 포괄하는 구체적 보편성으로서의 생활세계를 실천적 상황으로서 이해할 때에 이 생활세계 개념이 위의 목적론적 구조 전체를 다른 각도에서 표현한 것이라는 점이 통찰된다. 생활세계를 실천의 개념으로 파악하는 것은 객관적 과학을 이론적 또는 인식적 실천으로서 생활세계의 구체성 속에 포함하는 것을 가능하게 한다. 과학의 대상인 객관적 세계는 과학이라는 이념화적 실천의 산물로서 완전히 특별한 목표이념의 상관항이다. 그 이념적 실천을 이끄는 것은 '진정한 존재라는 이념' '자체적으로 존재하는 것'이며, 후설은 이 지도적 이념을 "자체존재라는 가설Hypothese als An sich"(Hua. VI. S. 130)이라 부른다. 과학은 '과학자의 연구실천'이라는 하나의 실천이며, 궁극적 이념을 위시하여 그때마다의 여러 목표이념은 실천의 장에서 작동하는 '규제적 이념'이다. 어떠한 목표이념도 "포괄적인 상호주관적 생의 내부에 있는 많은 실천적 가설과 기도

중의 하나"(*Hua*. Ⅵ. S. 133)에 지나지 않는다. 이러한 실천의 지반으로서 '지평으로서의 세계'가 작동하고 있다. 후설은 다음과 같이 말한다. "세계란 곧 열려진 전체이고, '국한'의 지평이고, 모든 실천이 전제로 하고, 실천의 성과 내에서 끊임없이 새로이 풍부하게 되는 존재자의 보편적 영역이다"(*Hua*. Ⅵ. S. 180). 게다가 지반으로서의 보편적 영역은 동시에 '직관 가능한 우주'로서, 또 "그것에게 복수가 무의미한 유일성으로"(*Hua*. Ⅵ. S. 146) 존재하고 있다. 그런 의미에서 '지반으로서의 세계' 또는 '보편적으로 구조화된 불변적인 것'으로서의 생활세계는 실천에 매개되는 것과 동시에 실천을 매개하는 역할을 수행한다. 이렇게 해서 후설의 목적론적 구상은 실천 개념과 깊게 관련되어 있는 것이기에, 지향성의 목적론적 기능은 비록 고차의 이론적 구성의 경우라 할지라도 '실천'적 상황에서 파악되지 않으면 안 된다.

하지만 후설이 목적론이라는 말을 할 때 그것은 많은 경우 근저에서는 '형이상학'의 의미로 곧 인간의 당위를 근거짓는 세계의 목적론이라는 의미로 사용된다는 점을 간과해서는 안 된다. 이미 『제일철학』의 부론付論에서 극히 문제적인problematisch 서술이 발견된다. "인류 및 인간문화의 '논리' 내지 정신과학에 속하는 논리가 획득된 후에도 여전히 선험적인 학문이 남아 있게 되는가 어떤가가 물어진다. 그때 거기서 여전히 물어지는 것이 있다고 한다면 '형이상학'뿐이다 하고 말하게 될 것이다. 사실로서 있는 그대로의 세계는 이하와 같은 성질을 띠고 있다. 즉 인간이 세계 속에서 상대적으로 가치가 있는 생을 살아갈 수 있을 뿐만 아니라, 즉 어떤 문화를 산출할 수 있을 뿐만 아니라, 인간은 언제나 의미의 열려진 지평 속으로 들어가 산다고 하는 점, 인간은 개인으로서든 공동체로서든 점차로 높아져 가는 등급의 가치목표를 설정해서 이성인류가 될 수 있을 것이다 하는 점, 이와 상관적으로 언제나 보다 한층 아름답고 보다 한층 좋은 세계를 형성할 수 있을 것이다 하는 점 이와 같은 성질을 띠고 있다. 그와 같지 않다고 해도 사실로서의 세계의 존재는 하나의 목적론을 포함하고 있다.

…… (중략) …… 하지만 완전히 다른 것이 여전히 존재한다. 인간은 누구나 개별적으로 당면하고 있는 절대적 당위에 복종하고 있다. 공동체에 있는 인간에게도 이 점은 변함이 없다. 이 절대적 당위는 여러 가치와 관계를 맺고 있고, 인간은 이 당위에 따를 때에 충분히 뜻을 만족시킬 수 있다. 하지만 세계는 절대적 당위를 충실하게 하는 일에 무관심한, 무의미의 세계가 아닌 것으로서 존재한다. 개개의 경우에는 절대적 당위 목적의 몇인가는 달성되지 않는다 해도, 생 전체는 생이 절대적으로 좋은 것으로서 자기를 완결할 수 있게 짜여 있다'(방점은 필자, *Hua,* Ⅷ, S. 257 f). 목적론의 구상은 이와 같이 라이프니츠적인 형이상학적 전통에 뿌리를 내린 데서 유래한다. 인용된 문장 뒤에 "어떠한 맹목적인 운명도 없다── 신이 세계를 통괄하고 있다"는 문장이 이어지고 있는 것으로 보아도 이 점은 의심의 여지가 없다. 그 배후로 돌아갈 수 없는 '우인성偶因性, Kontingenz'을 근거짓는 데에는 신 또는 '이성'의 '숨은 손'을 빌리는 수밖에 없기 때문이다. 물론 후설은 이 형이상학을 방법상으로는 형상적 현상학을 통해서 묻고자 하고 있었지만, 그러나 '궁극적인 형이상학적 물음'(*Hua.* XV, S. 501)을 지향적 분석에서 결코 무매개적으로 가져오고자 하지 않았다. 그런 한에서 그는 '형이상학'으로서의 목적론 사상을 어디까지나 서술의 배후에 남겨두고 있었다. 단 『위기』에서 행하는 서술의 경우 '이성의 자기실현'을 다룬 초고가 편집자에 의해서 맨 끝의 73절로 부가되어 있다. 숨겨져 있었던 보편적 이성의 자기현현의 역사적 운동을 설명하는 이 대목에서 '형이상학'으로서의 목적론을 읽어내는 일은 용이하며, 그 대표적인 해석의 예를 핑크의 해석에서 볼 수 있다.(36) 그런데 만약 이와 같이 하나의 이성의 목적론을 그대로 형이상학으로 받아들인다거나, 혹은 비멜과 같이 『위기』에 서술된 '진정한 인류의 이상으로 향하는 노력'은 철학적 증명이라 하기보다는 후설의 신앙 고백에 지나지 않는다(37)고 하는 견해를 취한다면, 당연한 일이지만, 이와 같은 목적론 사상은 생활세계의 역사적인 상대적 형태가 지니는 고유의 권한이라 하는 것과 서로 모순되게 된다. 그러한 견지에서 이의를 제창하는 사람은

발덴펠스이다. "…… 하나의 생활세계는 여러 특수세계의 그물과 연쇄로 전화한다. 그 특수세계들은 서로 다면에 걸쳐서 교차하고 서로 겹쳐 있지— 부분적 시점이라 하는 것을 별도로 한다면—, 하나의 포괄적 전체를 고려하여 위계적으로 배치되거나 목적론적으로 정렬되어 있는 것은 아니다. 총체성으로서의 이성은 여러 의미영역이나 합리성으로 분해되고, 전체적 목적론으로서의 이성은 여러 발전의 선線이나, 만약 그렇게 말하고 싶다면 여러 목적론으로 해체된다. 하지만 시원론과 목적론이 — 이미 이전에 주장한 바와 같이 — 자아론Egologie과 하나로 결합해 있다고 한다면, 이로써 주관성의 통일도 그 자명성을 상실하고 말 것이다. 이런 점을 염려하는 것은, 원리들에 의해 조정된 종합에서 통일 형성의 유일한 형식을 주시하는 사람들과, 여러 차이로 하여금 통일의 강제로부터 물러나게 하여 연관의 다른 형식들을 발생하게 하는 장소에서 언제나 우연과 상대주의를 감지하는 사람들뿐이다."[(38)] 분명 후설의 목적론은 한편으로는 전통적 형이상학에 깊이 뿌리를 내리는 것이지만, 다른 한편으로는 그 뿌리를 끊어 없애서 새롭게 실천의 장면에서 인간과 세계의 근원적 관계를 분절화하는 구조를 적극적으로 표현했다고 말할 수 있다.

따라서 후설이 '역사의 목적론'이라 부르는 것도 또한 이성의 필연적인 역사적 전개를 설시하는 '역사의 형이상학'으로서가 아니라, 오히려 실천의 장면에서 구상되고 있는 사상으로서 해석되어야 할 것이다. 특히 『위기』의 부론 대부분은 이 해석을 뒷받침하는 역할을 수행하고 있다. 후설이 역사의 목적론을 말할 때 초월론적 현상학으로서의 철학이 역사성의 차원에서 필연적으로 실현되어 온다는 점을 역사철학적으로 정초하는 의도를 갖고 있었다는 것은 말할 나위도 없지만, 문제는 철학의 궁극적 과제의 실현으로 향하는 이성동기의 역사적 운동을 어떠한 차원에서 보고자 했는가 하는 점이다. 내재적인 '이성의 목적론'을 모델로 하면서 그것을 역사성의 장면으로 이동시킬 때에 이 역사성을 어디까지나 초월론적 역사성으로서 초월론적 현상학의 입장에서 구성한다고 하는 시도로 관철한 데에서, 역사의 목적론이 단순한 역사의 형이상학으로서 외부로부터 도입된 사변적 구성이 아니라는 점이 확실하게 간취되는 것이다. 후설에 의하면, 근대철학의 걸음은 결코 일정한 방향으로 점차적으로 발전해 갔던 역사적 과정이 아니라 오히려 끊임없는 좌절의 반복에도 불구하고 항상 동일한 과제로 향한 시도였다. 이 동일한 과제로 향한 걸음을 현상학 자신이 내측으로부터 확인하는 것이 현상학적 사유 자체가 지니는 역사성의 자각이 되어 온다. 후설은 초월론적 환원으로 향한 결단을 동기짓는 것은 '역사성으로부터의 소환'이라고 말한다. 역사성으로부터의 소환이란 현상학을 행하는 철학자가 스스로를 '내면으로부터 소환되고 있는 존재'로서 이해하는 것이며, 철학의 궁극적 목표를 떠맡는 역사적인 상호주관성의 의도를 받아들이고, 초월론적 공동체의 일원이라는 점을 자각하는 것이기도 하다. 이와 같이 현상학을 행하는 철학자가 "스스로의 생의 근저에 숨어 있는 전통 전체를 노정함"(*Hua.* XIV, S. 232)으로써 비로소 철학의 궁극적 과제를 절대적 텔로스로서 예료하는 지평이 열리게 된다. 역사성의 자각을 심화하는 것이 초월론적 환원을 의지적 결단으로서 수행하는 일을 동기짓는 것이 되고, 이와 동시에 철학하는 것이 '이성 모나드 전원'이 떠맡는 동일한 과제로 향하여 즉 결코 실현되는 법이 없는 '궁극 목표'로 향하여 무한히 계속해 가는 지평을 여는 것이 된다. 이와 같이 초월론적 역사의 구성은 철학적 실천을 정당화하는 시도가 되고 있다. 게다가 철학적 사유가 지니는 각자성Jemeinigkeit이, 즉 남에게 대체될 수 없는 유일성Einzigkeit을 살아가는 일이 등근원적인 타자들과 맺는 관계에서만 수행된다는 점이 언급됨으로써, 현상학적 환원이 결코 고립된 자아론적 성격을 지니는 것이 아니라, 다름 아닌 상호주관성 성격을 지니는 것이 입증되고 있다. 이렇게 해서 후설이 설시하는 역사의 목적론은 사변적인 역사의 형이상학이 아니라, 철학적 사유의 최후 위상에 있는 자기명화自己明化, Selbstklärung로서의 실천철학의 성격을 띠고 있다.

하지만 다른 한편으로 『위기』에 나오는 철학사의 서술 그 자체에는 역사 서술에 고유한 논리가 작동하고 있다는 점도 간과할 수 없다. 『위기』 본고의 학문론적 의도 하에서 역사의 문제론이 어떻게 자리매김되고 있는가를 새롭게 다시 물을 때 철학사의 서술에 한정되지 않은 채 일반적으로 역사학적historisch 서술이 그 자체로 역시 하나의 주제적 구성으로서 시도되고 있다는 점을 읽어낼 수 있다. 역사학적으로 서술된 대상은 상호주관적으로 구성된 이념적인 대상성격을 지니기에, 결코 생활세계적 현실과 동일한 차원에 놓일 수 없다. 오늘날의 역사이론에 등장하는 이야기적 서술erzählende Darstellung의 논리를 여기서도 발견할 수 있다고 생각된다. 그런 한에서 역사의 목적론은 역사학적 서술이 역사적인 행위나 사건을 '일정한 목표로 향한 사건계열'로 해서 주제적으로 구성하는 방식에서 비로소 나타나게 되는 것이다.[39] 『위기』의 역사이론에서는 '서술적으로 구성된 목적론'과 '실천의 목적론'이 고유한 방식으로 서로 겹치고 있다.

마무리하며

이상과 같이 본장에서는 후설의 목적론을 그 여러 차원이나 측면에 걸쳐서 고찰해 왔는데, 마지막으로 원고를 마치면서 목적론은 결코 그 자체 분리되어서 주장될 수 있는 것이 아니라 항상 현출론과 상호 제약하는 방식으로만 이해될 수 있다는 점을 다시 한 번 확인해 두고자 한다. 이미 서술한 바와 같이, 세계는 항상 지평적으로밖에 현출하지 않는다. 세계의 지평적 현출은 세계가 지知로 다 거두어들여지지 않는다는 점을 이야기하고 있다. 브란트가 말하듯이, 세계는 근원적으로 서먹서먹함Fremdheit을 남긴다. 세계가 결코 전체를 주제적으로 주지 않는다는 것은 한편으로는 과학적인 객관적 세계의 성립을 촉구하는 것이지만, 다른 한편으로는 과학적 세계라고 할지라도 '세계의 관점'의 하나에 지나지 않는다는 점, 상대적인 세계해석의 하나에 지나지 않는다는 점을 이해시키는 것이기도 하다. 이런 의미에서 과학은 많은 가능한 세계상 중의 하나의 세계상Weltbild에 지나지 않는 것이다. 세계가 근원적으로 서먹서먹함을 남기는 것과, 세계를 지知로 거두어들이고자 하는 운동은 서로 제약해서 일어나고 있다. 세계는 끊임없이 현전하고 있지만, 동시에 부재의 방식으로 주어지고 있다. 이 부재와 현전이라는, 세계의 현출방식이 그대로 인간의 세계이해의 구조이다.

인간의 지知는 현출자와 그 현출의 차이성을 결코 지양할 수 없다. 하지만 동시에 이 차이성의 구조 때문에 끊임없이 차이적 현출을 초출하고자 하는 운동을 일으킨다. 이 운동이 목적론에 다름 아니다. 존재자를 언제나 미리 일정한 지知의 틀로 거두어들이고자 하는 지평지향성의 운동이든, 존재자를 남김없이 지知로 거두어들이는 충전적 소여성으로 끊임없이 근접화하는 운동이든, 존재자의 지적 소유의 운동은 존재자의 현출이 원리적으로 관점성을 면할 수 없는 데에서 일어나는 것이다. 이와 같이 이해한다면, 후설의 목적론을 지知의 끊임없는 미완결적인 운동을 현상학적으로 기술한 것으로 봄으로써 형이상학 전통의 지반으로부터 해방시킬 수 있을 것이다. 그러나 목적론과 현출론의 상호제약적 구조를 무시하여, 목적론을 현출론으로부터 분리해서 주장하게 된다면, 목적론은 재차 형이상학적 독단으로 화하게 되고, 역으로 현출론을 목적론으로부터 분리해낸다면, 인간의 지知는 방위성과 목적성을 결한, 끊임없는 차이의 놀이에 지나지 않는 것으로 간주되고 말 것이다.

인용문헌 약호

Logische Untersuchungen (*LU.*)

Husserliana (*Hua.*)

Erfahrung und Urteil (*EU.*)

제4부

·

매체성의
현상학으로 가는 길

제10장 가까움과 거리

──숨은 매체에 대한 소감

잘 알려져 있는 바와 같이 E. 핑크의 논문집(Nähe und Distanz, 1976)의 이름이기도 한 '가까움과 거리'라는 표제는 오늘날의 현상학이 열어놓은 어떤 공통의 사항을 표현하고 있다. 핑크가 무엇보다 이 표제를 선택한 이유는 그의 스승 후설과 하이데거 사이에서 독자적인 방향을 탐색하고 있었던 자신의 사유 위치를 은밀히 이 말에 의탁하고자 한 데 있었다고 생각해도 될 법하다. 1983년에 핑크와 동일한 연구세대에 속하는 (나이는 상당히 어리지만) W. 비멜의 65세 기념논문집이 이번에는 순서를 바꾸어서 『거리와 가까움』(Distanz und Nähe, Reflexionen und Analysen zur Kunst der Gegenwart, hrsg. v. P. Taeger und R. Lüthe, 1983)이라는 표제로 간행되었다. 이 논문집의 편집자는 서언에서 다음과 같이 말하고 있다. "'거리와 가까움' 이란 표제는 한편으로는 예술과 철학 또는 과학 간의 양의적 관계를, 다른 한편으로는 현대의 예술에 대한 동시대 관찰자의 문제적인 관계를 나타내고 있다." 그리고 각 논문은 "'현대의 예술'이라는 현상의 다층위성을 여러 관점Perspective으로부터 조명해서 동시대 예술가들의 작품들을 보다 잘 이해하는 데에 기여하는 것을 목적으로 삼고 있다. 대상의 복잡성에 대응하는 것은 그것에 접근해 가는 방식의 다중성이다……"(S. 9).

가까움과 거리는, 상기의 예에서 볼 수 있듯이, 사상事象 그 자체나 사상을 열어가는 방식의 다방위성이나 다층위성의 상호 간에 보이는 우리 인간 지知의 관점적 성격을 보여주는 말이다. 오늘날 현상학의 사유 운동 속에서 점차로 세계의 다중성, 다차원적인 소여성이나 이에 대응하는 지知의 복수적 pluri 관점성의 문제계통이 중요한 위치를 차지하고 있다는 점을 생각할 때 가까움과 거리라는 말에 포함돼 있는 의의는 지극히 크다고 말하지 않을 수 없다. 그러나 현상학적 사유의 본질이라고 말할 만한 것을 다시 깊이 통찰해보면, 이와 같은 다방위성이나 다층위성 같은 사상事象의 전개방식의 근저에 '가까움 속의 원초적 거리Urdistanz in der Nähe'라고도 말할 만한 차원이 숨어 있음을 알아차리지 않을 수 없을 것이다. 그리고 이 '원초적 거리Urdistanz', 즉 가까움을 가깝게 하고 있는, 또는 가까움과 멂을 구조화하는 조건이 되고 있는 '시원의 거리'가 생기하는 방식에 대한 물음이야말로 바로 현상학으로 하여금 철학의 사유이게 하는 현상학적 사유의 본령이라고 말해도 좋을 것이다.

오늘날 철학이나 인간과학에 공통되는 과제의 하나로 근대의 지배적 전통이었던 이원론적 사유 틀의 해체가 거론되고 있다. 예를 들면 사물과 영혼, 객관과 주관, 외와 내와 같은 대립에서 출발하면서, 서로 환원될 수 없는 이질적 대립영역을 관계지어 가는 사고방식을 근저로부터 다시 묻지 않으면 안 된다는 것이 공통의 과제가 되고 있다. 그런데 이 경우 사물과 영혼, 객관과 주관이라는 대립관계를 확정지은 것은 그릇되다고 단순히 단언할 수는 없다. 오히려 이러한 대립관계는 두 대립계기를 애초에 거두어 들이고 있는 통일적 사태로부터 발생하거나 혹은 파생된 하나의 극한사례 Grenzfall, 즉 사유가 만든 추상의 산물이다. 따라서 사유가 만든 추상의 산물을 역으로 애초에 사유의 틀로서 전제해놓은 데에 이원론적 사유가 범한 그릇됨

이 있다. 그러므로 이원론을 극복하려 하는 것이라 해도 단지 사유의 틀의 새로운 재편성을 탐색하는 과학론적 작업만으로는 충분하지 않으니, 대립도식을 산출하는 사유의 도정이나 방향을 비판적으로 검토하고, 과정적으로 해체해 가는 사유조작이 어떻게 해서라도 필요하게 된다. 주지하는 바와 같이 현상학적 사유는 바로 이와 같이 경직화하고 자명화한 지知의 틀(학문론적 지평)을 비판적으로 해체하면서, 이러한 가상의 발생도 포함해서 지知의 성립 과정이나 조건을 묻고자 하는 비판적인 학문이다. 이러한 물음을 통해 탐색해 가는 가운데 우리의 지知의 성립이나 구조화의 근본조건이 되는 예의 원초적 거리Urdistanz가 현상학적인 '사유의 사상事象'과 다름이 없다는 점이 점차 명확해지게 된다.

무엇보다도 현상학이 현상의 로고스라고 하는 경우의 '현상' 개념은 현상 그 자체가 차이성 구조를 갖는다는 것을 고하고 있고, 나아가 그것을 제약하고 있는 '원초적 거리' 또는 '원초적 차이성'에 대한 단서를 부여해준다. 분명 후설 현상학의 주제 개념은 지향성이고, 후설 이후에 전개된 현상학도 지향성을 다시 파악하는 다양한 운동의 성격을 띠고 있었다. 그렇다면 지향성이 그대로 현상학적 현상에 해당하는 것인가 하는 물음에 대한 답은 반쯤은 그러하고 반쯤은 그렇지 않다고 말할 수 있겠다. 후설이 지향성에 부여한 형식적 규정은, 잘 알려져 있는 바와 같이, '어떤 것으로 향해져 있는 것sich auf etwas richten'이며, 일반적으로 의식이란 '~에 대한 의식'이라고 말할 때 이 규정에 따르고 있는 것이다. 즉 방향지어져 있는 것, 또는 방위성 Gerichtenheit이 지향성의 최초의 규정이자 또한 형식적인 규정이다. 물론 이 규정 속에 이미 전통적 인식론이 입각하는 주관-객관 관계를 극복하는 사고방식이 작동하고 있다. 즉 관계항을 애초에 안으로 거두어들이고 있는 관계, 후설이 상관관계Korrelation라 부른 일종의 기능적 성격을 지니는 관계가 파악되고 있다. 그러므로 오늘날 현상학의 공통주제 영역을 형성하고 있는 '사이Zwischen' 기능에 해당하는 것이 이미 포착되어 있다고 말할 수 있다. 이 상관관계의 발견은 여러 대상에 응하는 여러 의식의 관계방식의 장면을 여는 길을 준비하고, 그 장면이나 차원을 확정하기에 적절한 즉 그 장면이나 차원에 상응하는 태도성이라는 방법론 사상思想의 성립을 촉구하게 되는데, 그런 한에서 세계의 다차원적인 주어지는 방식을 설시하는 오늘날의 현상학적 사유로 가는 출발점이 되고 있기도 하다. 그러나 그럼에도 불구하고, 방위성이라는 이 형식적 규정만으로는 후설이 말하고자 하는 현상의 의미를 충분히 다 길러내고 있다고 말하기는 어렵다. 그 이유는, 방위적 상관성이 언제나 이미 어떤 부정성Negativität 혹은 비성非性, Nichtheit에 의해서 구조화되고 있다는 점을 통찰하지 않는 한, 현상학의 현상 개념을 충분히 이해할 수는 없기 때문이다.

『논리 연구』에서 이미 후설은 나타나는 것과 그 나타남(현출자Erscheindes와 그 현출Erscheinung) 사이에 성립하는 양자의 동일성과 차이성에 대해서 여러 구체적인 예를 끌어들이면서 말하고 있다. 단 이 시기의 후설은 아직 통각이론(또는 대현代現이론)의 틀에 얽매여 있었기 때문에, 지향성의 '사이' 구조를 이해하고자 할 때 결정적으로 중요한 의의를 갖는 '현출'의 자리매김이 충분하지 않아 그 적극적 의의가 거의 가려져 있었다. 그럼에도 불구하고 현출이론에서 비로소 대상 자체의 사상은 철저하게 배척되게 되어, 대상은 현출에 있어서의 현출자로서 언제나 관점적으로밖에 주어지지 않는다는 사상이 확립되어, 관점적이라는 개념은 시각적 의의를 넘어 확대되게 되었으니, K. 헬트가 말하듯이, 현출이론은 '상관연구'의 명칭 하에서 후설의 일생의 과제를 형성하게 되었다. 현출이란 바로 어떤 것이 어떤 것으로서 현출하는 것이고, 어떤 것이 '무엇으로서als was' 즉 특정한 의미에서 규정되는 것이다. 이와 같이 특정한 의미에서 규정된 대상은, 후설에 의해서 예를 들면 '지향되고 있는 상相에 있어서의 대상'(『논리 연구』)이라든가, '노에마적으로 규정되고 있는 상相에 있어서의 대상(『이념들 I』)이라 불리고 있는데, 요컨대 "일체의 술어를 사상捨象한 순수한 X'(『이념들 I』)로 불리는 대상 자체와 구별된 대상의미의 것이다. 따라서 이 구별을 발덴펠스에 좇아서 '의미적 차이성signifikante Differenz이라고 이름할 수 있을 것이다. 현출자와 그 현출에 의해서 형성되는 이중의 사태는 양자를 서로 분리하는 일을 가능하지 않게 하는 통일적 사태이다. 양자는 동일하지만 엄연하게 구별된다. 그리고 이 이중의 사태야말로 현상학적 의미의 '현상'이며, 현상학적 환원이라는 반성 조작에 의해서 비로소 주제화된다. 왜냐하면 자연적 의식은 현출을 통해서 현출자로 향하고 있는데도 불구하고, 현출을 주제화하는 일이 없이 그냥 지나쳐서 대상을 자체적인 것으로서 확신하고 있기 때문이다.

그런데 후설은 다시 소여성의 또 하나의 차원으로 눈을 향하여 그것을 "주어지는 방식의 상에 있어서의 대상"(『이념들 I 』)이라 부르고 있다. 이미 규정된 대상은 동일한 의미를 가지고 있지만, 그때마다의 주어지는 방식에서 여러 명석성의 정도를 지니고 있다. 이른바 명증이론이 이로부터 전개되는 것이다. 이 시기의 후설에게는 직관의 판명화작용 속에서 인식의 권리원천을 발견하고, 원原명증인 지각으로부터 명증의 제반 파생태가 도출된다고 하는 사상이 보인다. 직관 또는 현전의 우위성을 전경으로 내세우는 주장이다. 명증이란 요컨대 존재자의 가까움에 있어서 존재자의 규정을 행하는 것이지만, 그러나 직관의 직접성을 의미하는 가까움이라 할지라도, 실은 이미 의미적 차이성에 의해서 매개된 가까움이다.

이 의미적 차이성을 그 동적인 생기의 방식의 면에서 묻고자 한 것이 20년대에 성립한 발생적 현상학에 나오는 지평의 분석이라고 말해도 좋을 것이다. 지평이란 대상의 주제적인 규정작용에 수반해서 일어나는 현상인데, 이는 현출자와 그 현출의 동일성이 확정될 때에 항상 의미와 존재가 일부 겹치고 일부 서로 어긋남으로써 일어나는 현상이라고도 말할 수 있다. 그리고 이 끊임없는 차이화 곧 여러 규정의 교체나 수정을 관통해서 동일한 현출자로 향하여 초출이 지속적으로 생기해 간다. 그런 한에서 지평은 관점화와 탈관점화의 상호 부정하는 긴장대립관계의 생기라고 볼 수 있다. 후설에 의하면, 지평은 '무규정적 일반성'이라는 의미틀의 기투와 함께 생기하게 된다. 그리고 이와 같이 기투된 일반성을 특수화해 가는 규정연관의 진행과정에서 일어나는 '전체와 부분의 교호제약'에 관한 분석은 오늘날의 해석학이나 인간과학들의 교차영역을 형성하면서 풍부한 문제군을 제공하고 있지만, 그러나 차이성의 문제계통으로부터 본다면, 지평의 분석은 '차이화의 현상'의 기술에 머물고 있지, 결코 무엇 때문에 차이화가 일어나지 않을 수 없는가 하는 차이화의 가능성의 조건에 대한 물음에 답하는 것은 아니다.

그렇다면 의미적 차이성 곧 현출의 초월론적 조건이 되는 것은 어떤 것일까? 후설이 남긴 연구초고에서 이 점을 다룬 연구로 들 수 있는 것은 우선 첫째로 초월론적 감성론에 보이는 신체성의 분석, 둘째로 '기능하는 자아'의 존재방식으로서 생기하는 '살아있는 현재'의 분석, 셋째로 기능하는 자아와 동격인 등근원적 타자의 구성에 대한 고찰이다. 이 구성분석들은 모두 단순한 차이화의 현상보다는 그것을 제약하고 있는 '원초적 차이성'의 기능을 다루고 있다. 우선 첫째로, 신체는 '절대적 여기'로서 그 자신 현출의 영점으로서 기능함으로써 주위세계의 현출의 조건이 되며, 또한 키네스테제 기능이라 불리는 신체운동에 의해서 현출공간의 가까움이나 멂이 구조화된다. 이와 같은 신체의 매개기능은 신체가 한편으로는 현출하는 공간에 속하는 물체인 동시에, 다른 한편으로는 그 자신 현출하지 않는 것으로서 주위세계를 현출하게 하는 조건으로 작동한다고 하는, 신체의 이중 현상에 기초하고 있다. 이 이중 현상의 원형은 촉감각에 보이는, 위치여건(감촉하는 것)과 아스펙트여건(감촉되는 것)의 교호전위의 현상이며, 양 계기가 서로 구별되면서 서로 속한다고 하는, 안에 차이성을 갖는 이 근원적 관계가 세계와 자기의 현출론적 상관관계의 초월론적 조건인 '원초적 차이성'의 구조가 되고 있다.

이에 반해서 '살아있는 현재'는 자기와 자기의 반성론적 관계의 초월론적 조건으로서 고찰되고 있다. 만년의 후설은 반성이 갖는 필증적 명증으로 향한 '철저한 반성'에 의해서, 반성이 생기하는 방식을 자아의 시간적 존재방식에 있어서 해명하고자 했다. 자아의 살아있는 기능현재는 '머물러 있는 현재'임과 동시에 '흘러가고 있는 현재'이며, 이 양의적 사태는 '나뉘어지되 하나인' 원초적인 자아분열로서 생기하고 있다. 이른바 정립적 반성에 의해 대상으로서 파촉把觸되는 자아는 항상 흘러간 자아로서 이미 생동성을 상실하고 만, 말하자면 생동성의 흔적에 지나지 않는다. 그럼에도 불구하고 반성이 시간의 흐름의 두께를 통해서 대상화된 자아와의 사이에 자아의 동일성을 확인할 수 있는 것은, 자아의 기능하는 현재가 이미 자아와 자아 사이의 원초적 차이성 곧 원초적 자아분열로서 생기하기 때문이다. 이 원초적 사태는 결코 반성에 의해 파촉될 수 없는 전반성적인, 선시간적인 반성 근거로서 반성 성립의 가능성의 조건이 되고 있다.

마지막으로, 나와 타자의 대면적 혹은 대화적 관계(이른바 의사소통)의 성립 가능성의 조건으로서 나와 타자 사이의 부정적인 상호의속관계를 들 수 있다. 후설은 상호주관성의 현상학에서 객관적 세계 구성의 조건으로서 초월론적 주관성의 복수성 즉 나와 타자의 초월론적 공동체의 구성에 착수하고 초월론적 타자로 가는 길을 탐구했다. 그러나 이른바 그의 '자아이입Einfühlung' 이론은 타자를 대상적으로 구성하는 단계에서 출발하기 때문에, 자아를 구성적 원점으로 해서 타자를 자기에 유비화하면서 구성해 가게 되고, 타자는 결국 자아의 단순한 투영으로 화하고 만다는 일종의 진퇴유곡에 빠지지 않을 수 없었다. 하지만 상호주관성의 현상학의 의도가 기능하는 나와 동격인, 그러나 나가 아닌 즉 나와 비非-동일적인 복수의 타자를 구성하는 것이라고 한다면, 이 의도는 타자도 또한 결코 대상적으로 파악될 수 없는 '기능하는 자아'라는 점, 게다가 언제나 이미 나와 함께 기능하고 있다는 점에 착안하여 그것에 적절한 타자 개시의 길을 걸음으로써 비로소 달성되게 될 것이다. 후설의 몇 편의 연구초고는 이러한 차원으로 가는 길을 시사하고 있다. 그뿐만 아니라 이 방향에서 후설의 작업을 다시 파악하고자 하는 시도(예를 들면, 헬트, 마이스트 등의 시도)도 이미 행해지고 있다. 여기에는 시점의 역설과 그 해결로 가는 길이 숨겨져 있다. 시점은 살아지고 있는 한 타자에 의해서 대체될 수 없는 근원성을 가지며, 동시에 시점은 시점인 한 복수적이지 않으면 안 되는, 즉 애초부터 '타자들 중의 한 사람'이라는 성격을 가지지 않으면 안 된다. 이렇게 해서 양 계기는 일견 서로 배제하는 그러한 관계를 형성하고 있다. 그러나 '자기이입'의 이론이 그러했던 것처럼 한쪽(전자)을 근원적으로 하고 다른 한쪽(후자)을 파생적으로 간주하는 것은 역설의 와중에 휘말려든다는 것을 의미한다. 그런 역설에 휘말려들지 않으려면, 본래 시점이 근원성을 상실하지 않되 그러면서 복수적인 관계에서 자-타 관계의 근원적 구조를 보지 않으면 안 된다. 그러한 구조를 이루며, 자-타를 등근원적으로 구별하면서 상호 의속依屬하게 하는, 즉 비非-동일성을 성립하게 하는 원초적 차이성이 모든 자-타 관계의 성립을 제약하고 있다고 말하지 않으면 안 된다.

이상에 걸쳐서 약술한, '현상'으로서의 의미적 차이성을 제약하고 있는 '원原현상'으로서의 '원초적 차이성'을, 일단 (1) 자기와 세계의 사이를 구조화하는 조건인 '국소화하는 차이성lokalisierende Differenz', (2) 자기와 자기 사이를 구조화하는 조건인 '전반성적인 시간론적 차이성präreflexive, temporale Differenz', (3) 자기와 타자의 사이를 구조화하는 조건인 '비-동일적 차이성'이라고 부르겠다. 이 원초적 차이성들은 모두 우리의 세계경험, 자기경험, 그리고 타자경험의 초월론적 조건으로서 작동하고 있고, 각각의 경험에서는 결코 대상적으로 파악될 수 없는, 어떤 숨겨진 방식으로 기능하고 있다. 후설이 '비주제적'이라든가, '익명적anonym'이라 부르는 것은 이러한 기능을 갖는 성격의 것과 다르지 않다. 물론 후설은 이 차이성들의 문제계통을 전체로서 연관지어서 논하지는 않았다. 오히려 이 문제계통은 때에 따라서 (특히 자-타관계의 경우) 그의 사유를 종종 곤혹스럽게 만드는 아포리아로서 모습을 나타냈다고 말할 수도 있겠다. 그러나 그가 남긴 작업을 전체에 걸쳐서 다시 파악할 때 그가 말하는 지향성의 '사이Zwischen' 기능은 '세계와 나와 타자'라고 하는 서로 환원될 수 없는 세 구성계기에 의해서 제약되고 있는 기능이라는 점이 부상해 온다. 세 원초적 차이성들 중 어느 하나를 방법적 추상에 의해 강조하는 일이 허용될 때가 있긴 하지만, 그중 한 계기를 분리해내어 다른 계기들을 이 계기로 환원하거나 해소해버리게 된다면, 형이상학적 독단이라는 비난을 면할 수 없는 해석에 떨어지게 될 것이다.

이 차이성들은 서로 제약하며 기능하는 것이기 때문이다. 차이성의 문제계통의 전개를 위해 필요한 것은 그 전체적인 연관을 다시 깊이 파고들어 고찰하는 것이며, 이는 동시에 이 원초적 사상事象을 개시開示하는 데에 적절한 새로운 사유의 길을 발견해 가는 일이 되지 않으면 안 된다.

다른 한편, 말할 필요도 없는 것이지만, 후설 이후 현상학이 전개되는 과정을 차이성의 문제계통이 전개되는 과정으로 보고 이를 추적하는 것은 철학으로서의 현상학적 사유가 담당할 중심적인 과제 중의 하나이다. 무엇보다도 하이데거가 차이성의 문제계통을 두고 애초부터 정면으로 씨름해온 사상가였다는 점은 말을 기다리지 않는 것이리라. 이른바 전기 사상이라 불리는 현상학적 존재론의 시기뿐만 아니라 후기의 존재 사유의 시기를 포함하여, 그의 철학은 시종일관 차이성의 문제계통에 의해서 관철되어 왔다. 그가 존재라고 부르는 것은 결코 존재자로부터 분리된 존재가 아니라, 어디까지나 존재자의 존재이고, 존재자가 아니지만 존재자를 있게 함으로써 존재자와 부정적으로 공속하고 있는 존재이다. 하이데거는 이 관계를 존재론적 차이성ontologische Differenz이라 부른다. 이른바 전기의 사유는 존재자로부터 존재로 초출하는 초월Transzendenz에서 이 차이의 생기를 발견하고자 하지만, 결국 존재자의 존재는 존재자 전체의 지평적인 나타나는 방식에 머물게 되어, 일종의 방법상의 막다른 곳에 부딪치고 있었다. 이에 반해서 후기의 사유는 새롭게 다시 존재자와 존재의 구별을, 구별이 구별로서 생기하는 그 운동으로부터 말하고자 했다. 예를 들면 '이중의 주름Zweifalt'이란 용어로 말하고자 하는 것은 존재와 존재자가 서로 구별되면서 서로 의속하고 있는 통일적 사태이다. 게다가 이 통일태는 스스로를 동적으로 전개해 가는 사건이다. 이 운동은 바로 존재자가 존재의 빛 속에서 빛나는 것과 동시에 존재가 존재자의 그늘로 물러난다고 하는 양자의 상호의속적 운동이며, 인간의 사유는 이 운동에 거두어들여져 존재의 사유로서 생기한다. 만년의 하이데거의 사유는 이와 같은 존재 사유의 현장에서 일어나는 '현상'을 규명하는데에 바치고 있는데, 이 장소Ort를 구조화하고 있는 것이 다름 아닌 존재에 속한 무Nichts이다. 예를 들면 하이데거가 하늘과 땅, 성스러운 것들과 죽어야 할 것들이라고 하는 네 방위의 서로 비추는 유동遊動, Spiegel-spiel과 같은 것을 말할 때에도 이 장소는 네 가지의 가까움을 가깝게 하고 있는 균열Riß에 의해서 관통되고 있다. 이 균열이 네 가지로 하여금 각각의 몫을 보전하면서 서로 가깝게 하고, 서로 대치하게 하는 것이다. 물론 여기서는 하이데거의 사유에 깊이 파고들 심산은 없고, 따라서 또한 후설과 하이데거의 사유의 근본적 구별을 논하는 일도 삼가고 싶지만, 단지 일견해볼 때 현상학으로부터 멀리 떨어져 있었다고 간주되는 후기 하이데거의 사유에서조차, 아니 오히려 후기 사유에서야말로 현상학적 사유의 본령이라고 할 만한 것이 발견된다고 하는 점을 꼭 언급해 두고 싶다.

여기서는 하이데거의 사유뿐만 아니라 차이성의 문제계통을 둘러싸고서 '현상'이란 무엇인가를 사유하고 있었던 현상학자들의 작업, 예를 들면 메를로-퐁티의 후년의 작업이나 핑크 현상학에서 말하는 '우주-인간학적 kosmo-anthropologisch 차이성'에 대한 물음, 나아가 기호론을 통해서 차이의 문제계통의 독자적 전개를 꾀하고 있는 데리다의 작업 등 오늘날의 차이성을 둘러싼 철학의 논의에 대해서도 파고들 수는 없지만, 단지 이와 같은 논의를 다시 탐색해 가기 위해 후설 현상학에 대한 비-형이상학적 독해방식이 필요하다는 점, 게다가 이 점이야말로 현상학적 사유의 중심이 되는 사항이 무엇인가를 확정하는 것이라는 점만은 말해두고 싶다. 나아가 차이성의 문제계통은 오늘날 갑자기 성립한 것이 아니라, 근대철학의 근저에서 나타났다 숨었다 하며 계속 물어온 전사前史를 가지고 있다는 점, 그리고 이 흐름이 니체의 작업이나 요크 백작의 작업 등을 기연機緣으로 하여 현대철학의 기본적인 문제로서 부상해 왔다는 점, 또 고전철학에서 반성이론의 틀 내에 갇혀져 있었던 형태이긴 하지만 차이성에 관한 예리한 분석이 거듭되고 있었다는 점, 그리고 그 유산을 오늘날 우리의 경험의 구조를 해명하기 위해 새롭게 다시 해방시켜야 한다는 점 등을 첨언해 두고자 한다.

마지막으로 또 한 번 말해두지만, 본장에서 '원초적 차이성'이라 명명된,

우리의 세계이해, 자기이해, 타자이해가 성립하기 위한 전제가 되는 조건은 이 이해들이 성립할 때 매체Medium 역할을 수행한다는 점이다. 매체는 그 자체가 주제화되는 일 없이 다른 것을 주제화하게 하는, 혹은 그 자체가 현출하는 일 없이 다른 것을 현출하게 하는 활동을 한다. 혹은 스스로를 숨김으로써 다른 것을 드러나게 하는 활동을 한다고 말해도 좋다. 그러므로 매체는 본래적으로 자기은폐적인 것으로서, 따라서 익명적인 방식으로만 기능한다. 우리는 이 매체를 항상 살아감으로써 모든 것에 거리를 취할 수 있고, 모든 것을 추상화하고 객관화할 수 있다. 맨 앞에서 서술한 바와 같이, 이원론적 사유는 이 매체에 의해 지탱되어 객관화된 산물을 지知의 전제로 삼는 반대의 길을 걸어왔다. 그런데 우리가 매체를 사유할 때에도 이 숨겨진 것을 숨겨진 것으로서 사유하는 길에서 벗어나서, 또는 매체가 살아지고 있는 매체라는 점을 잊고서, 매체인 것을 실체화하거나, 상호부정적인 공속관계의 구성계기인 공속의 항들 중 어느 한쪽의 항을 분리해내어 하나의 독립영역으로 간주하거나 하는 새로운 가상화의 위험에 끊임없이 처하게 된다는 점을 잊어서는 안 되겠다.

제11장 현상학에 부과된 것

　오늘날의 현상학의 전개는 이 20년간을 되돌아보면, 대체로 세 가지 측면 또는 시기적 추이를 갖고 있다고 볼 수 있다. 하나는, 후설의 유고에 기초하는 그의 후기사상에 관한 연구나 메를로-퐁티의 현상학이 성숙한 시기의 작업이 발표된, 1960년대로 대표되는 이른바 생활세계의 현상학이 전개되는 시기이다. 또 하나는, 이미 60년대에 시작되고 있었던 새로운 과학론의 동향 속에서 현상학이 휘말려 들어가는 시기로, 현상학 연구자가 각각의 관심에 따라서 언어나 기호의 기능에 관한 분석, 혹은 사회이론을 재구축하는 작업으로 향하고, 나아가 인지과학 등으로 향한 접근을 보이는데, 이러한 유동적인 움직임은 오늘날 여전히 계속되고 있다. 마지막으로, 아직 그 자체로서는 눈에 띄지 않지만, 철학으로서의 현상학의 역할을 새롭게 다시 질문하는 작금의 움직임을 들 수 있겠다.

　후설 후기 사상 중에서 특히 이후의 철학 논의나 인간과학의 개별적인 연구에 큰 영향을 준 것은, 하나는 그의 후기 저작 『위기』에서 다루어진 근대과학 비판이나 '과학과 생활세계의 학문론적 틀'에 관한 통찰이고, 다른 하나는 생활세계적 경험의 심층구조에 관한 지극히 섬세한 분석들이다. 이 문제군들이 현상학 연구의 주된 대상이 되었다.

물론 큰 사건으로서는 이미 하이데거의 기초적 존재론 이래 지평현상의 현상학적 분석과 해석학적 순환의 존재론적 주제화가 사상事象의 면에서 교차한다는 것이 주목되어, 현상학과 해석학의 긴밀한 제휴관계가 수립되기에 이르렀다는 점을 들 수 있다. 이런 의미에서 가다머나 리쾨르로 대표되는 현대의 철학적 해석학에서 현상학의 어떤 소생을 보는 사람도 많다. 그렇다 해도 그것은 현상학에 고유한 정밀한 사상事象 분석이 해석학의 이론을 받쳐주기에 적절한 역할을 수행할 수 있었기 때문이지, 통상 말들 하는 바와 같이 해석학에 현상학이 흡수된 것은 아니다.

현상학의 고유한 분석이 유감없이 발휘되어 새로운 관심을 불러일으킨 것은, 예를 들면 시간의식의 심층차원의 분석(이 작업은 헬트로 대표된다)이나, 혹은 후설이 현출의 초월론적 제약으로서 고찰한 신체의 이중성 현상을 메를로-퐁티가 현상학의 가장 중심적인 사상事象으로 보고 이를 비판적으로 다시 파악한 것 등을 들 수 있다. 이와 같이 신체의 근원적 역할에 대한 구체적인 분석과 그 의의를 질문하게 된 것은 현상학에게는 다름 아닌 자신을 심화하는 일이었다. 후설이 거론한 상호(간) 주관성의 문제계통은 여러모로 비판을 받긴 했지만, 과학의 객관성의 성격결정에 대해 새로운 시점을 부여하거나, 사회이론에서 논하는 역할론에 이론적 기초를 부여했다.

그런데 현상학 전개의 운동이 후설의 입장을 전체적으로 극복하고자 하고 있다는 점은 잘 알려져 있다. 그러나 이 극복은 철학으로서 어떠한 의미를 지니는 것일까? 분명 의식의 지향성에 관한 후설의 분석이 근대 자아론적 철학의 입장에 서 있다는 점(이는 하이데거의 『존재와 시간』 이래 후설 비판의 하나의 방향이 되고 있다)이라든가, 따라서 그의 방법이 유아론에 머물기에 타자 문제의 지평을 열 수 없다든가 하는 비판이 그것을 대표하고 있다고 할 수 있을 것이다. 물론 이러한 비판을 바깥으로부터 단순하게 가져오는 경우라면 비판으로서는 대부분 효력이 없다는 점은 말할 나위도 없고, 또한 후설의 사유에는 이러한 비판에 의해서 일의적으로 단죄하는 것이 도저히 가능하지 않은 면이 있다는 점도 부정할 수 없는데, 어떠하든 후설에 대한 비판적 극복은 후설 이후 전개되는 현상학 운동 속에서 그 비판의 화살이 후설 철학의 입장을 깊이 제약하고 있는 근대적 학문 이념으로 향하고 있다는 것만은 틀림없다.

그렇다면 이와 같은 비판에 기초하는, 후설을 극복하기 위한 이제까지의 여러 시도는 과연 충분히 그 의도를 수행하고 있는 것일까? 대저 극복이란 어떠한 의미를 지니는 것일까? 분명 어떠한 철학도 그것에 이어지는 뒤에 오는 철학에 의해서 극복되어 간다. 어떠한 사유라 할지라도 그 사유의 그림자(자기맹목성Selbstblindheit)를 가지고 있기 때문이다. 어떤 선행적 사유의 극복이란 이 그림자를 그림자로서 부각시키는 사유 덕분에 비로소 가능하게 된다. 그러기 위해서는 외부로부터 비판을 가해서는 안 되고, 그 사유가 그림자를 작동하게 하는 작동 그 자체에 참입參入하면서, 그 작동에 의해 성립하는 권역 속에 갇히지 않은 채 그 권역을 내부로부터 부각시키는 재구축의 작업을 완수하지 않으면 안 된다. 우리는 이미 하이데거나 메를로-퐁티의 사유가 이러한 내적 극복의 시도였다는 점을 알고 있다. 그렇지만 최근의 현상학자의 연구 동향은 이러한 사유의 운동, 사유의 길을 가는 사유의 걸음으로부터 자칫하면 크게 벗어날 수 있다고 생각된다. 물론 현상학의 작업이 여러 인간과학의 장면에 들어간다는 것 그 자체는 충분히 의의가 있다. 사상事象 그 자체의 구체성을 떠나서는 현상학의 진수가 상실되기 때문이다.

그러나 현상학이 철학이고자 하는 한, 스스로의 사유의 사상 그 자체로 돌아가지 않으면 안 된다. 즉, 현상학의 사유가 성립할 가능성을 스스로의 사유에 있어서 탐구하지 않으면 안 된다. 원래 현상학의 본격적인 주제는 세계나 세계에 있는 존재자의 나타남의 방식이고, 현상학의 사유는 그것을 묻는 방법적 사유이다. 즉 '나타나는 것-의-나타남Erscheinen-des-Erscheinden'(헬트)이 현상학의 주제라고 한다면, 철학적 사유로서의 현상학은 이 현출의 권역을 그 전폭에 걸쳐서 주제화함과 동시에 스스로의 사유의 가능성을 이 주제가 되는 사상事象으로부터 입증할 책임(사유의 자기책임)을 가지고 있다. 사유의 자기책임은 또한 사유의 주제에 해당하는 사상 그 자체에 대한 책임이기도 하다. 왜냐하면 그것은 사상으로부터 오는 심문에 대응하여 거기에 이르는 통로를 제시하면서 최종적으로 응답하는 것이기 때문이다. 여기에 비로소 철학으로서의 현상학의 사유의 참된 본령이 있다고 생각된다.

후설은 처음에 지식의 궁극적 권리원천을 직관에 놓고서, 철학의 반성의 명증성을 데카르트적인 코기토의 근원적 명증에 놓고자 했다는 것은 잘 알려져 있다. 그런데 반성적 사유의 진행과 더불어 의식의 자기소여성 자체가 충전적이 아니라는 점이 판명되기에 이르렀고, 이에 따라서 명증의 구도를 근본적으로 변경하지 않을 수 없었다. 이와 관련하여 나타남의 권역을 지평적 소여로 보고, 세계를 개개 존재자의 나타남의 장소로, 혹은 의식생을 세계로 향하는 여러 초월의 운동 과정으로 보는 후기 사유가 성립하게 된다. 지평은 의미의 여러 구성 방식(능동적 작용, 수동적 종합 등등)으로 직조돼 있는 나타남의 권역일 뿐만 아니라, 부단한 초월에 의해서 미완결의 과정을 계속 묘출하는 운동과 상관해서 생기하는 권역이기도 하다. 이는 곧 현상학이 바로 관점성 이론이라는 점을 이야기하고 있다. 그러나 그렇다면 철학의 사유도 또한 이 지평의 운동에 그 사상적事象的 뿌리를 가지고 있는 것일까?

실은 여기서 오늘날의 현상학의 사유 방향과, 해석학이 철학으로서의 권한을 확보하고자 하는 방향 간에 생기는 결정적인 문제, 즉 철학의 사유가 사상事象과 맺는 관계성이 성립하는 차원을 둘러싼 대립이라고 말할 만한 문제가 발생하게 된다. 이 문제를 푸는 열쇠는 지평의 소여 방식에 있다고 생각된다. 지평이란 분명 세계의 주어지는 방식, 또는 인간과 세계의 '사이'의 현상이라고 말할 수 있다. 그러나 지평은 '앞서 주어진 것'으로서 소여성의 권역에 속해 있으면서 개개의 대상을 대상으로 주제적으로 파악하는 것을 가능하게 한다는 의미에서 그 자신 비주제적으로 머물고 그런 한에서 비대상성의 성격을 띠지만, 그러나 의미틀의 선행적 기투라든가, 보통은 게슈탈트라든가 포치성布置性, Konfiguration이라고 불리는 바와 같이 주제적인 것에 수반하면서 그것을 부각시키도록 작동하는 비주제적 소여성이다. 그런 의미에서 아직 본래적인 의미의 비대상성이 아니라, 말하자면 반半가시성의 성격을 남기고 있다.

이에 반해서 '나타남'이 바로 '나타남'으로서 생기할 때 '나타남'으로부터 물러나는 방식으로 '숨음'이 동시에 생기고 있다는 것, 이 '나타남'과 '숨음'의 동시생기의 문제차원이 현상학의 사유가 심화함으로써 열려지고 있었다는 것을 또 한 번 새롭게 다시 철저하게 거론하는 일이 지금 현상학에 중요한 과제가 되고 있다고 생각된다.

이미 후설은 현출권역을 성립하게 하는 세 차원성, 즉 시간성(살아있는 현재), 공간성(살아지는 신체), 간-주관성(우리임)을 각각 '나타남'과 '숨음'의 동시생기의 기능으로서 곧 매체-기능으로서 기술하고 있었다. 혹은, 그와 같은 해석을 촉구하는 것을 기술하고 있었다. 물론 여기서 후설의 방법은 이 사태를 적절하게 말하기에 충분하지 않아 극복하기 어려운 벽에 부닥치게 되었다.

하이데거의 사유에서 일어난 이른바 전회Kehre는 분명 니힐리즘을 내적으로 스스로 극복하는 문제와 관련되고, 표상하는 사유vorstellendes Denken나 이에 기초하는 근거짓는 사유begründendes Denkens로부터 탈각하는 것, 즉 형이상학을 초극하는 것Verwindung이라는 문제와 관련된다. 하지만 방법론의 측면에서 고찰한다면 『존재와 시간』의 방법적 입장을 관통하는 '지평에 구속된 사유horizonthaftes Denken'로부터, '나타남'과 '숨음'이 동시에 생기하는 사건을 사유의 사상事象으로 하는 사유 차원으로 방향을 전환한 것이었다고 말할 수 있겠다. 이와 관련하여 하이데거는 후에 지평이 표상적 사유에 수반되는 '열림'이어서 바깥으로부터 보여진 '열림'에 머물고 있다고 말하고 있다.

현상학은 '나타남'이 성립하는 원초적 차원에 대한 물음인 한 이 방향의 심화는 피할 수 없다. 그러기 위해서는 사유 속에서 일어나는 사유 자신의 방향 전환이라는 사건을 몸소 떠맡지 않을 수 없는 것이다. 그렇기 때문에 하이데거가 '되돌아가는 걸음Schritt zurück'이라고 부른 사유의 길은 현상학의 사유가 심화한 것이라고 이해할 수 있겠다. 그러나 이 길에는 피할 수 없는 어떤 위험한 동요라든가 유혹도 기다리고 있다. 하이데거의 경우 언어의 차원에서 일어나는 이 매체-기능을 중시하기 때문에, 그가 말하는 존재의 사유는 한없이 포이에시스의 성격을 띠어 간다. 메를로-퐁티는 신체의 매체-기능에서 '보이는 것'과 '보이지 않는 것'의 교체 운동을 통찰함으로써 특히 시각예술 세계의 비밀에 다가가고자 하고 있다. 원초적인 자연 속에 감입嵌入된 발어라든가 '봄視'의 운동을 말하고 있는데, 이는 그러한 형태에서 사유의 뿌리가 어디에 바탕을 두고 있나 말하기 시작하고 있는 것이기도 하다. 그러나 철학의 사유가 이렇게 해서 시작적詩作的 사유라든가 예술적 제작활동에 가까이 간다고 해도 그것은 심연을 멀리한 가까움이다. 철학의 사유는 어디까지나 학문론 또는 인간의 지식 이론이라는 점을 떠나서는 안 된다. 현상학은 그런 의미에서 '숨음'의 차원을 아직 충분히 지知 전체의 구조화의 '척도Maß'로서 자리매김하는 작업을 행하지 않고 있다.

우리에게 부과된 것은, 선구적으로 거대한 역할을 수행한 후설·하이데거·메를로-퐁티 등의 작업을, 심화해 가는 사유의 운동으로 보아 이를 정통적으로 계승하고, 지금 서술한 철학 본래의 과제에 비추어서 현상학의 사유의 작업을 수행하는 데 있는 것이 아닐까? 예를 들면 근대과학에 대한 비판은 과학적 세계의 허구성을 가상이라 하며 단죄하는 것으로 끝나는 것이 아니다. 그런 종류의 문명비판적 과학으로 철학이 과연 만족할 수 있는 것일까? 근대과학의 방법론적 이념을 재구축하고자 했던 후설의 의도는 결코 잊혀져서는 안 된다. 오히려 이 작업을, 지평에 앞서는 원초적 지知의 차원으로부터 다시 한 번 재검토하는 일이 촉구되는 것이다. 현상학은, 지知의 전全 권역을 답파하여, 현상학에도 깃들고 있었던 지知 아닌 지知(지知

의 성립을 위해 지知로부터 물러나는 매체Medium로서의 지知)의 차원으로 향하는 배제 자세조차 독단으로 보고 해체할 수 있을 때 비로소 고전철학과 생산적인 대화를 개시할 수 있을 터이고, 또 다른 한편으로 현상학과 구조적 사유의 접점도 확정할 수 있으며, 나아가 현상학과 금후 그 전개가 예상되는 생명철학Bio-Philosophie 간의 연결되는 통로를 발견해 갈 수 있을 것이다. 그리고 무엇보다도 동아시아 사유의 전통과 '사상事象으로 매개된' 진정한 대화로 가는 길도 발견되는 것이 아닐까? 철학의 진정한 대화란, 대화를 가능하게 하는 '말할 수 없는 것'이 바로 그와 같은 것으로서 말해지고자 할 때 비로소 성립하는 것이기 때문이다.

제12장 현상학적 사유의 자기변모
—프라이부르크계 현상학의 현대적 전개에 대한 전망

서

　현상학의 이름으로 등장한 철학의, 이 일세기에 걸치는 역사를 돌아다보면 실로 여러 전개의 모습을 보이고 있다. 현상학의 창시자인 E. 후설(1859-1938)의 초기 대작 『논리 연구』(1900/1901)가 간행됨으로써 그의 지향성이나 본질직관 이론에서 학문 전반을 정초하는 움직임을 발견한 사람들로 결성된 괴팅겐 혹은 뮌헨 학파의 활동이 '현상학 운동'이란 이름으로 널리 알려져 있다. 후설이 프라이부르크로 옮긴 후 그의 이른바 『이념들』(전 3권, 당시 제1권이 간행되었고, 뒤의 2권은 제2차대전 후 간행된 저작집에 수록되었다)에서 지향성을 주제화하는 방법론인 현상학적 환원의 이론(제1권)과 더불어 초월론적 현상학의 전체적 구상이 서술되었고, 그 후 그의 현상학적 영위의 걸음이 느슨함 없이 계속되고 심화되기 시작했다. 전후戰後 간행된 『저작집Husserliana』(미완결)에 수록된, 이 엄청난 양의 성과들과 그

관심영역의 확장은 이를 실제로 보는 사람을 놀라게 하기에 충분한 점이 있다.

프라이부르크 현상학을 대표하는 또 한 사람의 철학자는, 말할 나위도 없이 M. 하이데거이다. 하이데거는 철학으로서의 현상학인 바로 이 프라이부르크 현상학을 잇따라서 전개한 철학자이다. 그는 철학의 물음을 존재의 의미에 대한 물음으로 보고 이 물음을 끝까지 묻기 위해 현상학을 방법으로 간주했다는 것은 잘 알려져 있다. 그의 현상학을 해석학적 현상학이라 말하는 것은, 철학의 물음이 '사실성의 해석학'으로서 이미 물음의 출발 상황을 해명하는 데에서 시작된다고 하기 때문일 뿐만 아니라, 현존재의 존재이해의 운동이 지평의 기투로서 일어난다는 데에서 방법의 사실적 기반이 되는 것을 발견하고 있기 때문이기도 하다. 지평개념이야말로 바로 현상학과 해석학이 교차하는 축이 되는 열쇠개념이다.

오늘날 프라이부르크 현상학이라는 명칭은 후설과 하이데거 두 사람과 관계를 맺고 있는 일군의 차세대 현상학자들의 작업을 포함해서 사용되고 있다. 특히 만년의 후설 곁에서 조교로서 근무하고, 사후 유고의 정리에 종사하고, 전후 후설과 하이데거의 사상적 관계가 재차 물어지지 않을 수 없었던 시기에 큰 영향력을 발휘했던 핑크, 란트그레베를 위시해서 최근 동구권에서 부쩍 높이 평가되고 있는 체코의 파토츠카 등 많은 사람들의 이름을 들 수 있다. 핑크는 후설의 세계개념과 하이데거의 존재개념을 되살리기 위해 초기 그리스 철학이 설치한 코스모스의 자기운동에서 현상학의 세계개념의 초기 형태를 탐색하고, 나아가서는 헤겔의 '정신' 개념, 니체의 '생명' 개념을 비판적으로 계승해서 독자적인 우주론적 현상학을 구상했다. 란트그레베는 본래 딜타이의 연구에서 출발했는데, 후설의 생활세계 개념이나 신체성 현상을 인간과학적 방향보다는 생명경험의 방향으로 풀이하는 자세를 관철하고 있었다. 이 일군의 프라이부르크 현상학자들의 사상의 움직임 중에는 오늘날의 새로운 현상학에서 던지는 물음의 방향을 선취하고 있는 면이 있지만, 그러나 아직 충분한 전개를 보이는 데까지 이르지는 않았다. 그뿐만 아니라 독일 현상학은 그 후 완전히 다른 국면으로 바뀌어 갔다. 프라이부르크계 현상학은 분명 후설의 유고를 자료로 하는 후설문고 계통의 연구활동에서 갖가지 논의되는 일이 있었다 해도, 시대의 사상 상황 속에서 배경으로 물러나, 눈에 띄는 일 없이 최근까지 은연중에 계승되어 갔다고 생각된다.

독일과 일견 대립하는 방향에서, 일단 배척되고 있었던 의식개념을 재검토하고 나타남의 기능이 되는 의식의 분석을 중요시한 것은 제2차대전 후의 프랑스 현상학이다. 사르트르는 세계로 향한 초월이 실존적 결단으로서의 자유라는 점을 설시하는 실존주의적 현상학을 제창했다. 메를로-퐁티는 한편으로는 신체적 지각적 기반에 서서 사르트르의 즉자-대자 이원론에 비판을 가했고, 다른 한편으로는 구조주의로 향하는 접근방식과 대결했으며 만년에 이르러서는 후기 하이데거의 퓌지스 사상으로 다가가서 보이는 것(가시성)과 보이지 않는 것(불가시성)의 관계를 화가의 시선으로부터 설시하는 고유한 예술론을 전개했다. 그런 점에서 프랑스의 경우 현상학의 전개는 독일과 조금 다른 전개를 보였다. 그러나 이 한때 융성에 달했던 현상학도 이윽고 구조주의와 포스트모더니즘의 논의의 그늘로 물러나게 되었다.

1970년 이후의 독일 현상학은, 가다머의 철학적 해석학이나 프랑스 리쾨르의 행위론적이자 심층해석학적인 반성이론 등의 영향도 있어서 해석학 계통의 방법이 주류가 된 데에다 또한 영미계의 언어행위론 등의 영향도 있어서 해석학과의 공동전선 또는 혼류에 가까운 상황을 형성해 갔다. 개략적으로 말하면 현상학은 전후 철학의 전체적 상황 속에서 생활세계 문제계통의 폭넓은 전개를 별도로 한다면, 아니 그러한 형태로 여러 경향과 교착하면서 언어, 기호, 텍스트, 나아가서는 신체적 행위 등의 수준에서 일어나게 되는 행위론적 논의의 전개를 통해서 주로 인간과학적 문제권역 속을 움직이고 있었다고 말할 수 있다.

이렇게 해서 프라이부르크 현상학의 생생한 계승 활동은 현상학의 전선으로부터 점차 멀어져서, 이제 하이데거와 후설의 작업은 모두 고전적 연구의 대상이 되었고, 특히 시대의 절박한 물음으로서는 이미 활력을 상실하고 만 것처럼 보였다. 구조주의나 포스트모더니즘의 화려한 논의 속에서 프라이부르크 현상학은 이미 철학사적 연구의 대상으로 화해서, 사적史的 흥미가 있다면 누구나 냉정하게 또 비교적 용이하게 접근할 수 있는 분야로 간주되어 갔다. 마치 현상학 연구의 장에 어떤 종류의 정체된 사회가 출현한 것 같았다.

그렇지만 20세기도 끝에 다가가게 되자, 이 정체를 깨서 오히려 새로운 방향으로 움직이고 있는 현상학의 세력과 같은 것을 절실히 느끼게 하는 상황이 생기게 되었다. 이 상황은 프라이부르크 현상학 본래의 철학적 물음을 재차 되찾아 새롭게 비판적으로 계승하여 심화해 가는 움직임이라고 생각된다. 이 새로운 운동을 현상학의 사상事象으로 끌어당겨 추적해서 새로운 운동이 무엇을 의미하는가 그 태동을 추구해볼 때, 이제까지의 정체의 이유를 포함하여 사상事象 그 자체로부터 역방향으로 일어나 오는 현상을 '가상'으로 해독할 수 있는 바에 이르기까지 현상학의 사유가 심화해 왔다고 생각된다. 이 새로운 운동이 실은 다름 아닌 현상학의 사유에 깃든 본래의 사상事象에 깊이 관련되는 것이기에, 사유의 자기변천의 길이라는 점이 밝혀졌다고 말해도 좋을 것이다.

우선 이러한 동향을 이해할 때에 유념해두지 않으면 안 되는 것은 전술한 바와 같은 사적史的 관심만으로는 결코 이 사태를 파악할 수 없다는 점이다. 현상학의 물음으로서 생기하고 있는 사상事象의 자기제시 운동을 알아차린다는 것은, 설령 현상학 연구란 이름을 갖는다고 할지라도 사상을 밖으로부터 바라보는 한 좀처럼 보이지 않는 차원의 사상이기 때문이다. 그러나 그 이상으로 밖으로부터 바라봄으로써 조야한 해석도식을 무책임하게 적용하겠다는 일종의 속류 해석학적인 착상만은 절대로 금물이다. 여기서 말하고 싶은 것은 오로지 현상학의 사유란 사상의 자기제시의 길이라고 하는 점이다. 문제는, 그 사상의 자기제시의 운동 속으로 들어갈 수 있는가 어떤가 하는 점이다. 물론 그것을 알아차릴 수 있는가 어떤가는 결코 개인의 자질 여하의 문제가 아니라, 어디까지나 '사유의 대상'에 즉해서 논의되어야 하는 것이다.

즉 말하고 싶은 것은, 현상학의 사상이란 사상의 자기제시의 운동으로서, 현상학이라는 사유가 실천적으로 그 속에 몸을 담그는 것을 촉구하는 사건이라고 하는 점이다.

그것은 또한 우선 후설 자신의 현상학의 사유에 일어난 몇 결정적인 변화는, 결코 밖으로부터의 해석이 침입함으로써 야기된 것이 아니라, 본래 일관된 물음이 물어짐으로써 생긴 사유의 자기변천으로서 이해되어야 할 사건이라는 점을 직접 받아들여야 한다. 그런 의미에서 오늘날의 현상학에 일어나고 있는 큰 변모의 의미를 이해하는 일은, 후설에게 일어난 자기변모를 사상에 즉해서 추적하는 일을 촉구할 뿐만 아니라, 이 자기변모가 후설과 함께, 또 후설을 관통해서, 나아가서는 후설의 사유를 어떤 의미에서 넘어 현상학의 사유를 심화해 가는 사상의 자기제시 운동이라고 이해하는 점을 촉구하는 것이다. 사상이 사상으로서 스스로를 보여준다는 것, 사상 그 자체에 갖춰져 있는, 본래의 주어지는 방식을 짚어낸다는 것이 현상학의 의도라고 한다면, 현상학의 사유의 자기변모는 바로 이 사상의 운동이 덮여 있던 차원을 점차 드러내는 일과 일체가 되고 있다는 것과 다르지 않다. 이 운동이 최초로 출발하게 되는 모습을 추적하기 위해 조금 더 후설에게 일어난 변화를 추적해보겠다.

(1) 지향성 기능에 숨어 있는 것

현상학은 살아지고 있는 지식을 '경험'이란 이름으로 부르고 있다. 이러한 경험의 기능이 지향성이라 불리는 것이다. 지향성의 형식적 구조를 나타내는 규정은 상관관계Korrelation라고 일컬어진다. 어떤 특정한 대상은 그것에 상응하는 특정한 의미규정작용에서 파악된다. 이 방위성의 성격은, 살아진 경험으로서의 지知가 그 대상이 지니는 나타남의 장면을 결정하는 활동이라는 점을 나타내고 있다. 이와 같이 '나타나는 방식'이 규정작용과 일체가 되고 있다면, 어떤 무엇인가를 규정하는 방식은 지각이라든가, 상상이라든가, 혹은 그것에 대한 판단작용 등 여러 가지라는 의미의 관점적perspektive 성격을 가지는 것이며, 이 점을 이 지향성이라는 기능에서 읽어낼 수 있다. 다른 방식으로 규정할 가능성을 남긴다는 의미에서 그것은 수적 의미의 다수성이 아니라, 지知의 여러 형태의 가능성이고, 교체가능성 의미의 다성多性이다. 나아가 지향성은 현실의 대상에 대해 나중에 다리를 놓는 인식관계가 아니라, 애초부터 살아진 관계로서 생기하는 것이며, 그런 한에서 이른바 인식론적 주관-객관 관계에 앞서 있는 관계이고, 역으로 인식론적 관계를 해체하지 않는다면 보이게 되지 않는 열려진 장소이다.

말하자면 내측으로부터의 기술에 의해서만 비추어지는 지知의 이 구조는 이미 일체의 지知의 근저에 있는 개방성을 고하고 있다. 후설 사유의 이른바 정태론적 현상학에서 발생적 현상학으로 향하는 전개에 의해서 그 개방성이 그 여러 사상事象 측면으로부터 보다 철저하게 그 모습을 드러내기 시작한다. 현출의 다양성을 관통하는 목적론적인 운동이 종착점 없는 과정으로서 개방성을 갖는다는 것이 인간 경험의 근거를 관통하고 있는 지知의 기본성격 의 하나라고 하는 점이 점점 치밀한 분석을 받게 된다. 이 현상은 총괄해서 말하면, '세계로의 초월'이라든가, 지평Horizont의 현상이라 불리는 것과 다른 것이 아니다.

(2) 「생활세계의 현상학」의 빛과 그늘—지평의 구도

앞에서 다룬 현상학의 인간과학적 전개란, 현상학 쪽에서 말하면, 생활세 계 현상학의 확대운동으로 볼 수 있는데, 이 운동은 원래 지평이 본래 지니고 있는, 인간 지知의 자기확대화 운동에 기초하고 있다. 지평의 논리는, 해석학에서 말하는 텍스트 해석에서 일어나는 전체와 부분의 상호규정이나 교체운 동 이론과 교차함으로써, 또 게슈탈트 심리학에서 말하는 상相, figure과 지반 ground의 전환 현상 등에 보이는 동시대적 지知의 이론과 교차함으로써 돌연 주목을 받게 되었지만, 실은 근대 초두의*수학 개념인 '부정무한不定無限'과 '상상력'과 대응하는 현상이라는 면에서 볼 때 이미 쿠자누스나 데카르트에 의해서 논해지고 있었다는 것을 알 수 있다. 그 유한적 무한성에 관한 논리가

19세기 이래 경험의 장면에서 '살아지는 논리'로서 등장한다. 그것은 '유기체의 사상思想'으로부터, 살아있는 것Lebewesen의 조직의 구조를 모델로 한 '생의 자기이해의 논리'로서 도출되는 것이다. 단 이 자기이해의 방식은 표현된 것에서 그 표현을 행하는 것으로 소급해 가는 것으로서 어디까지나 '문화의 이해'이고, 인간이 만든 것(에르곤)에 상황적으로 구속되는 이해이다. 여기서 지평의 논리가 되살려지게 되는 것이다. 이 논리야말로 아주 대략적으로 말한다면, 슐라이어마허로부터 딜타이를 지나서 가다머로 이어져 가는 해석학을 받쳐주는 논리이다.

후설이 발생적 현상학에 의거해서 행한 지평의 분석은 경험에서 주제가 되는 대상을 규정할 때 수반적으로 생기하는 의미의 장소에 대한 분석이며, '규정가능한 무규정성'이라 불리고 있다. 이 보편적 의미의 선행적 기투라고 하는 것이 거론됨으로써, 후설의『이념들』시기에 구상된 영역 사상의 역동적인 전개가 가능하게 되는데, 이는 후설을 이해하는 한 열쇠가 되는 지점이 되고 있다. 현상학과 존재론의 '일종의 맹약(『저작집』제10권)이라는 근대 학문론의 '은밀한 동경'(『이념들 I』)의 실현을 받쳐주는 논리가 여기서 작동하고 있기 때문이다. 그렇지만 의미 권역의 기투성은 기투되는 세계 속에 동시에 기투하는 작용이 있다는 점을 확인하는 것이기도 해야 한다. 그렇다면 지평의 현상은 개개의 대상규정에 수반되는 보편적 의미의 기투라는 차원에 머물지 않고, 바로 하이데거가 말하는 현존재의 존재이해의 방식을 묻는 존재론적 문제의 차원으로 이동하게 된다.

지평의 논리는 나아가 전후의 이른바 '지知의 이론'에서도 여러 변이를 통해서 등장한다. 지知의 부단한 자기수정, 개개의 관점의 교환과 수정과 합의는 언어적 상호행위론을 위시해서 인간과학의 관심을 받쳐주는 역할을 수행하고, 지知의 양적 생산과 교환의 활동에 크게 공헌하고 있다.

그런데 이 지평의 논리가 특권화함으로써 지적 자기맹목성이라는, 피할 도리가 없는 위기가 발생하게 된다. 이미 19세기 후반에서부터 지知가 가져오는 지적 상황이 니힐리즘으로 거론되고 있었는데, 오늘날 바로 '니힐리즘의 완결형태'(하이데거)로 일컬어지는 '과학기술이 세계를 지배한다'는 위기가 이 '지평지地平知가 독점적으로 의식을 지배한다'는 이면을 가진다는 점도 알아차리지 않으면 안 될 것이다. 분명 유연함의 면에서 수평적인 일상지日常知는 한없이 중요하다. 하지만 철학이 그것에 대해 고집하고, 또는 강압적이라고 할 수 있는 지평구속적인 이론의 주장에 머무는 한, 니힐리즘의 문제에 관해서는 무력할 수밖에 없다.

(3) 차이성 문제계통으로 향한 현상학적 전회──「생명과 지知」에 대한 물음

근대지近代知의 구도는 그 한계표상에 둘러싸인 목적론적 구도의 내부에서는 무궁한 개방성을 갖지만, 그러나 둘레 전체는 베어냄을 전제로 해서 성립하는 것이기에 현상역現象域 내부에서는 그 둘레 전체를 취할 수 없다. 지평면에 모습을 나타내 오지 않는 것을 지평구속적인 지知는 알아차릴 수 없다. 하지만 현상학의 사유를 철저하게 추진함으로써 제2의 에포케라고도 일컫는 사유의 전회가 일어나게 된다. 그것은 사상 그 자체의 자기제시 운동이 일으키는 사유의 전회이고, 근대지의 근저에서 이따금 일어나려 하고 있었던 지知의 임계현상이라고 말할 수도 있겠다. 이미 쿠자누스의 '현명한 무지docta ignorantia'라든가, 피히테의 후기 지식학에서 일어난 반성의 '자기멸각Sich Vernichten'은 '지知의 자기부정'을 말하고 있는 셈인데, 이는 전회의 사건과도 상통하는 것이다.

그렇다면 현상학에서 지知의 자기변모는 어떠한 방식으로 일어나는 것일까? 우선, 한계 그 자체를 세계지世界知와 같이 지평의 확대화 운동 속으로 거두어들여 간다는 것은 불가능하다는 점은 말할 나위도 없다. 그런 한에서 독일 관념론의 용어로 말한다면, 세계지를 이탈해서 '이성의 타자'를 말하는 논리를, 반성지反省知조차도 파하는 방식으로 전개할 수밖에 없다는 지知의 근본적인 전회에 직면하는 것이다. 알기 쉽게 말하면, 현상학에서는 그 임계현상을 고하는 지知의 차원은 '차이성의 문제계통'으로서 일어나고,

차이성에 대한 물음은 지知에 부정성이 생기하는 차원에 대한 물음으로서, 사유의 전화를 촉구하게 된다.

이 사유의 전환에는 두 사건이 결정적인 사상적事象的 관계를 갖는다. 첫째로, 하이데거의 '현현하지 않는 것의 현상학'에서 말하는 진리론이 현상학의 사유의 사상事象을 해명할 때 널리 차이성이 생기하는 방식을 묻는 가능성을 주었다고 하는 점이다. 하이데거에게 이 차이성은 존재와 존재자의 '존재론적 차이성'이라 불리는데, 한쪽의 차이항인 존재와 다른 한쪽의 차이항인 존재자가 서로 대립하고 배제하면서 상호 속하는 관계를 나타내고 있다. 게다가 이 양 항의 긴장감 있는 대항은 어디까지나 사유 자체가 스스로 체현해 가는 사건Sich Ereignen으로서 생기한다. 존재는 '존재자를 나타나게 하면서 스스로를 숨기는' 근본동향이며, 이 '나타남과 숨음'의 동시제휴적인 사건은 '밝히는 숨음die lichtende Verbergung'으로서 광학적 메타포에 의탁해서 표현되고 있다. 이렇듯 이 현상학적인 진리론의 차이론적 전개에서 중요한 것은 무엇보다도 이러한 '나타남과 숨음'의 동시생기라는 점이며, 특히 결코 현상면에서는 나타나 오지 않는 물러남의 계기 없이는 진리가 생기하지 않는다고 하는 점이다.

둘째로, 이 체현적 사건Sich-Ereignen이야말로 수행태에 있는 사유의 생동성의 자기은폐성, 생동성으로 인한 자기은폐성을 의미하고, 또 존재자와 존재의 차이성의 운동뿐만 아니라 널리 나타나는 것의 나타남과 제휴하는 '나타나지 않는 것의 운동'을 의미한다. 다만 여기서 당연히 우리가 반문하는 것은, '살아있는 활동태'에서 차이화가 지知의 원형으로서 일어난다는 것은 근대 자아론적 철학의 자아의 원리가 아닌가 하는 점이다. '아는 것과 알려지는 것 간의 일체성'이라는 자아론적 원리와 다르지 않은가 하는 반문이다.

이것에 답하기 위해서도 여기에 제3의 중요한 문제가 연결된다는 점을 언급해두어야 하겠다. 실은 바로 그 차이성의 생기가 자립적인 자아나, 기체로서의 주관성의 구상을 파괴하는 것이다. 주관성의 자립존재를 주장하는 이러한 견해들이야말로 '차이항의 탈차이화적 실체화'의 산물과 다른 것이 아니다. 이러한 수행태의 생동성은 한쪽의 '생생하게 살아있는 것'과 또 한쪽의 대극화對極化의 발생 간의 동시일체성이라고 하는 점이 자기의식이 자아의 원리가 아니라 생명의 자기관계성이라는 점을 고하고 있다.

숨음을 내장하는 바로 그 사건의 사건성에서, 생명의 지知의 자기직증성自己直證性과, 서로 반대되는 의식의 구성계기들의 내적 긴장관계가 하나가 되어 생기한다. 지知의 원형이 되는 활동을 말한 것은 P. 요크의 생명의 철학이다. 요크는 바로 현상학의 생명 이해의 선구자이며, 그가 설시하는 '자기의식'은 차이화의 차원에서 일어나고 있는 자기의식이고, 다름 아닌 생명의 자각이다. 차이성이 일어나는 장소는 분명 개별적인 인간의 개시성과 다른 것이 아니라 할지라도, 그것은 결코 개별적이고 자립적인 주관성의 기능으로서 이해되어서는 안 된다. 차이화의 사건은 바로 거기서 활동하는 초월론적 작용을 자립적인 주관으로 보는 이해를 와해시킨다. 자기이해가 주관에서 이루어진다고 보면 모든 것이 간과되고 만다. 이것이 앞에서 서술한 반성의 자기멸각이고, 표제로 든 사유의 자기변모이다. 이것이 모든 것은 차이화로서 일어나는 사건이라고 하는 사유의 자기이해가 없다면 말할 수 없는 차원의 사건이다. 그 경우 여기서 생겨 오는 이해의 사건이란 어떠한 것일까? 이미 완성된 구조 등과 같은 것이라고 말하는 것이 아니다. 그것은 차이화의 흔적에 지나지 않는다.

세계와 생명의 차이론적 관계에는 상像(및 상像의 체계)과 상화像化되는 생명 사이를 분리하고 고립화하는 어떠한 견해도 들어올 수 없다. 그와 같은 견해는 차이화의 바깥으로 나가서 모든 것을 눈에 의거한okular 것으로 만들어버리기 때문이다. 차이화는 상像의 체계가 생명의 자기상화自己像化이고 자기형성이라는 점을 고지한다. 상밖에 없다기보다는, 상이 있는 곳에서 상을 형성해 오는 생명이 활동하고 있는 것이다. 또한 상의 생명을 읽어내는 개시성도 활동하고 있는 것이지 않으면 안 된다. 이것이 초월론적 매체성으로서의 자각의 활동이다. 초월론적 매체성으로서의 자기각지自己覺知(자각自

覺)는 생기하고 있는 것 자체의 초월론적 자기이해이다. 경험의 구조에 이미 포함되어 있는 차이화가 하나하나 모두 사건을 투명하게 이해해 간다는 그런 논의는 성립하지 않는다. 사유의 변모에 의해서 차이화의 차원으로 들어간다고 했지만, 사실은 사유가 생명의 자기형성 속으로 들어가고 있는 것이다. 이렇게 사유 스스로가 생명의 자기형성이라는 점을 알아차릴 때 사유는 스스로를 변화시킨다.

그래서 또한 걸음을 되돌려보면, 차이화의 운동이 경험의 근저에서 일어나는 지知의 균열성이라고 하는 점은 후설 후기의 문제권역에 속하는 시간의식의 분석이나 신체성의 해명에서 엿볼 수 있는 바대로이다. 여기서 상세하게 파고들 수는 없지만 후설의 시간론과 신체론에 대한 차이론적 재검토는 현상학의 장래에 피할 수 없는 중요한 과제 영역을 형성하고 있다.

시간론에 관해서 한 예를 들어두고자 한다. 이제까지 이 부문의 연구는 대체로 극도로 해부학적인 분해와 같은 분석이었거나, 완성된 도식의 인간학적 응용이었다. 예를 들면 간단없는 흐름을 가장 깊은 차원으로 여기는 경우에서조차 흐름을 우선 전제로 하여 이를 위상화하는 분석으로 끝나고 있다. 후설의 시간론은 분명 흐름을 흐름으로서 이를 위상화하는 전기의 시간의식의 현상학에서 후기의 '살아있는 현재'의 차이화의 분석으로 이동하고 있다. 시간의 생기는 바로 차이화의 사건이다. '흐름'이라는 것을 말할 수 있다면 그것은 '흐름'을 흐름으로 의식하는 사건이 있어서이다. 흐름이란 흐름을 흐름으로서 현장에서 개시開示하는 것이며, 게다가 그 흐름의 자기개시自己開示는 '흐르지 않는, 서서 머물러 있는 것'과 하나가 되어서 성립한다. '흐름'이 '흐름'으로서 자체적으로 있다는 그와 같은 논의에는 이미 흘러간 것, 고정된 것을 보는, 눈에 의거한okular 입장이 개입하고 있다. 또 설령 '흐르는 것'과 '서서 머무는 것'의 대립적 공속을 말한다 하더라도, 흘러가는 것을 숨는 것으로 여기는 것은, 비성非性을 연緣 외에 있는 것으로 보는, 즉 결여된 것으로 보는 그리스적 존재관이 지니는 시상성視像性, okularität을 탈각하고 있지 않다.

(4) 금후의 과제들에 붙여서

또한 이 차이화 생기의 차원에 대해서 광범위에 걸치는 문제계통의 전개가 현상학에 부과되고 있다. 이 금후의 과제군들에 대해서 생각이 떠오르는 대로 언급해두자 한다(상세히는 졸저『세계와 생명』(靑土社, 2001년)을 참조하길 바란다).

우선 차이화를 생명의 자기관계성으로 보는 데에서 자기이해의 정동적情動的 생기를 현상학적으로 추구하는 방향이 열리게 된다. 프랑스 심신론의 전통에 입각하여 이미 베르그송이 생명의 지속이나 비약에 대해서 말한 그 방향이 M. 앙리의 생명의 현상학에서 '생명의 자기촉발'로서 근본적으로 탐구되고 있다. 그 경우 차이성의 초월적 방향의 계기는 경시되고, 내실적reell 계기가 살아지는 계기로서 중시되어, 정동적 지성이라든가 감각이 수행하는 역할이 재검토되고 있다. 생명의 자기이해와 관련하여 이 기능은 극히 중요하다.

현상학을 표방하지는 않지만, 생명의 자기차이화에 관한 G. 들뢰즈의 논의는 많은 점에서 현상학의 차이론적 전개에 시사점을 준다. 특히『차이와 반복』의 논리는 니체의 '관점주의'에 보이는 '영원회귀의 관점'의 사상적事象的 기반과도 겹치며, 현상학이 소홀히 할 수 없는 면이 있다.

나아가 '자기 속에서 자기를 비춘다'는 니시다 기타로西田幾多郎의 자각의 논리는 생명의 자기이해 논리의 확실성이라는 점에서 가장 적절한 문제의 위치를 현상학적으로 잘 보고 있다. 이는 멀리 거슬러간다면 쿠자누스의 '빛의 메타포', 후기 피히테의 상像 이론의 전개, 나아가서 생명의 자기의식의 활동성(자기수행지自己遂行知)과 의식구성계기의 대립긴장관계 간에 놓이는 수행적 제휴의 생기를 설시한 P. 요크의 작업 등과 상통하는 차원이 무엇인가를 고하고 있다(졸고「초월론적 매체성으로서의 자각」,『일본의 철학』I「니시다철학 연구의 현재」에 수록, 2000년 참조).

또한 물어져야 할 문제로서, 상像의 현상학이 '가시성과 불가시성'의 차이론적 전개 속에서 모습을 나타내 오는 '이콘Ikon적 차이성'의 문제계통이 있다. G. 뵈엠이 편집한 논문집에서도 엿볼 수 있는 것이지만, 상像의 현상학의 예술론적 전개와 더불어 신비주의에 대해 진리론적 해명을 수행할 가능성과도 겹치게 되는 방향이 있다. 이는 예술과 종교의 사상事象을 자리매김하는 원점을 탐구하는 데 딱 알맞은 문제계통이다.

하지만 상像의 현상학이 현상학이라면 현상학의 진리론적 전개인 '진리와 가상의 문제'에 무엇보다도 철저해야 하지 않을까 하는 것이 논자 본인의 거짓 없는 생각이다. 왜냐하면 세계의 상성像性에 대해 진리론적 해명을 수행함으로써만 상성像性과 가상성假象性의 구별이 가능하게 되기 때문이고, 이와 더불어 이 구별의 망각이 갖가지 형태를 취해서 발생하게 되는 모습을 현장에서 말하는 것이 가능한 무대를 장치할 수 있기 때문이다(『세계와 생명』 마지막 장 참조).

생生과 사死의 물음의 차원도 또한 사死의 상성像性이 가성성假象性과 왜 종이 한 장의 차이인가 이 수수께끼를 풀지 않는 한 열리지 않게 된다고 생각된다. 사死의 심연을 열어 보이기 위해서는 한계개념으로서의 사死를 이해하는 차원을 아득히 넘어서는 깊이를 이해할 필요가 있다고 생각된다(졸고 「타자와 사死」, 고모토河本・다니谷・마츠오松尾 편, 『타자의 현상학』 Ⅲ에 수록, 北斗出版 참조).

마지막으로 한마디 하면, 현상학의 사유의 이 변모가 유럽 철학의 사유와 비유럽계의 특히 동양의 옛 사유(대승불교 계통의 논리) 간의 이제까지 없는, 따라서 비교사상적이 아닌, 사상事象에 들어맞는 교차역을 여는 철학의 도정이 되기를 원해 마지않는다.

초출일람

제1장 현대 독일철학의 동향
(원제: 현대철학의 전개 ─ 독일)
大村晴雄 편저, 『근대사상론』, 福村出版, 1976년.

제2장 현상학의 역사적 전개들
(원제: 현상학의 전개 ─ 문제사적 고찰의 시도 ─)
『강좌·현상학③ 현상학과 현대사상』, 弘文堂, 1980년.

제3장 현상학 연구의 현황
『사상』 652호, 岩波書店, 1978년 10월.

제4장 현대철학의 반성이론
(원제: 현대철학의 반성개념에 대하여)
『현상학연구』 창간호, せりか書房, 1972년 10월.

제5장 해석학의 현황
현상학·해석학연구회 편, 『현상학과 해석학』 상권 서序, 世界書院, 1988년.

제6장 해석학의 논리와 전개
(원제: 해석학의 논리와 그 전개)
현상학·해석학연구회 편, 『현상학과 해석학』 상권, 世界書院, 1988년.

제7장 하이데거의 기술 비판
(원제: 시대비판의 특징 하이데거)
『실존주의강좌Ⅱ 시대비판』, 理想社, 1988년.

제8장 후설의 과학 객관주의 비판
(원제: 생활세계와 과학)
『신·암파강좌철학8 기술 마술 과학』, 岩波書店, 1986년.

제9장 후설의 목적론과 근대의 학지學知
立松弘孝 편, 『후설 현상학』, 勁草書房, 1986년.

제10장 가까움과 거리
『현상학연보』 창간호, 北斗出版, 1984년 4월.

제11장 현상학에 부과된 것
(원제: 현상학의 '사유의 사상事象'에 대한 소감)
『현상학의 현재』, 世界思想社, 1989년.

제12장 현상학적 사유의 자기변모
현대사상 12월 임시증간, 「현상학—지와 생명」, 靑土社, 2001년.

후기

현상학과 해석학의 교차에 초점을 정하고, 거기에서 일어나고 있는 현대의 지知의 동향을 탐구해보았다. 여기서 새롭게 다시 상기되는 것은, 제2차대전 후의 허탈감이나 해방감은 사상적으로는 동시에 어떤 밝음을 띠고 있었다는 점이다. 상실감이나 문명의 붕괴감은 오히려 장래로 가는 정해지지 않은 도정에 어떤 종류의 원망願望을 품게 하면서, 이른바 전후사상이라 불리는 사상思想의 상황을 산출하고 있었다. 사용되는 용어는 심각하고 과대했지만, 어딘가 가벼움을 수반하고 있었다는 점은 부정할 수 없다. 아마도 그 이유는 전후 사상이 '행동의 교설'로서 기능하는 바가 커서 심각하게 깊이 생각하지 않고 혼란한 사회정세에 좌우되고 있었던 데에 그 고유한 특징이 있었기 때문이리라.

이러한 전후사상으로부터 탈각하여, 시대의 요청에 응하는 형태로 본격적인 철학의 연구가 재개된 시기에, 전쟁 동안 중단되어 있었던 현상학 연구도 다시 숨을 쉬기 시작했다. 마침 유럽에서는 후설 저작집이 엄청난 양에 달하는 유고를 대규모로 정리하는 작업을 거쳐서 나오기 시작했고, 이후 잇따라서 일어나는 현대철학의 하나로서 현상학의 활동의 막이 열리게 되었다.

그건 그렇다 치고, 유럽 철학이 전전戰前의 철학이 직면하고 있었던 물음을 다시 물으면서, 자리 잡고 앉아 보다 본격적으로 한층 새로운 과제와 씨름하고자 했을 때 왜 현상학이 시대의 요망에 대응할 수 있었던 것일까? 이는 19세기에 시작되는 물음을 본래대로 비판적으로 계승하려면, 근대의 학지學知 전체에 대한 철저한 재검토, 즉 해체와 재구축에 있다는 점을 현상학이 알아차렸기 때문이라고 말할 수 있다. 사실 전후사상은 근대사상의 주체성의 원리나 특정한 요인에 은연중에 의거하고 있었기에, 19세기 유럽 사상을 일면적으로 계승하는 데에 상당히 빠져 있었다. 그 때문이기도 해서, 대표적인 예를 들면 마르크스주의나 실존주의와 같은 행동 교설의 원류를 거론하는 것이 거의 판에 박힌 과정이 되었다. 그런데 이윽고 이러한 경향을 대체하여, 가령 니체가 되었든 마르크스가 되었든 그들의 교설을 행동의 지침으로서 역설하여 강조하는 것을 떠나서, 어디까지나 근대의 지知에 각인된 구조적인 틀을 철저하게 해명하지 않고서는 그들의 작업을 독해할 수 없다는 점을 알게 되었다. 물음의 사정권이 확장되려면 물음이 '지知의 물음이 되는 것'을 스스로 증시할 수 있는 차원으로까지 심화하지 않으면 안 되기 때문이다. 지知의 발생에 즉해서 이를 구조적으로 보고 기능적인 틀을 철저하게 해명함으로써 본래 의미의 철학적인 비판적 계승이 가능하게 된다고 하는 점을 새롭게 다시 알아차리게 되었다고 해도 좋을 것이다.

이 방향에서 지知의 기반으로 향한 물음은 인식론적인 틀을 해체하여 고전적인 과학적 인식에 한정되는 문제설정을 넘어가고자 하지만, 그 경우 지의 성립조건이 되는 역사성이나 사회성 등의 제약을 논하는 시점을 확보하는 것만으로는 물론 충분하지 않다. 생의 개념에서조차 의지적인 원리를 실체로서 함의하는 한, 이 개념을 주제개념으로 하는 철학도 또한 근대의 주체성의 입장을 전제하고, 또 거기로부터 탈각할 수 있는 것이 아니다.

나아가 물음을 진전시켜서 무릇 묻는 자 자신이, 지知가 지로서 기능하는 현장에서 세계나 자기로 향한 경험을 성립시키고 있는 지의 구조를 그 심부까지 탐색할 가능성에 눈뜨지 않으면 안 된다. 그러한 물음으로 해서야 비로소 살아진 지 속에서 일어나는 여러 문제계통을 간취할 수 있게 되기 때문이다.

현상학과 해석학은 모두 지知가 가지는 다양한 현상 형태, 구체적으로 말해 지의 관점성과, 지의 생동성 즉 지가 살아가는 현장의 생기성격, 이 양자가 형성하는 특유의 구조를 묻는 방향을 걷는 철학 운동이다. 해석학 계통의 지의 이론은 생의 다양성에 기초하는 다채로운 지의 이론의 형성을 작품해석이나 역사적 이해의 장면에서 적극적으로 포착하고자 한다. 현상학은 살아진 경험 속에서 지의 원형을 구하고, 이미 경험의 기능의 면에서 다양성의 발생을 구조적으로 성립시키고 있는 장면을 탐색해낸다. 현상학에 의하면, 이 다양화를 다양화로서 취해내려면 그것을 사상事象으로서 해명하는 방법을 사상 그 자체 속에서 발견해 가지 않으면 안 된다. 여기에 현상학과 해석학이 만나는 장소가 현상학 쪽에서부터 열리게 된다. 그 장소와 그 역할이 '지평'의 기능으로, 거기로부터 전개되는 지의 논리가 갖는 현대적 의의를 확인해두는 일이 필요하다. 이것이 본서의 최초의 테마이다.

그런데 현상학적 사유가 해석학과 대결함으로써, 혹은 해석학과 공유하는 지평구속적 사유로부터 사유가 스스로 해방함으로써, 지평적 사유에서는 본격적으로 씨름하지 않는 차이성 문제계통으로 향할 때, 현상학은 '현현하지 않는 것의 현상학Phänomenologie des Unscheinbaren'으로서 새롭게 다시 스스로를 깊이 묻고자 한다. 본서의 제2의 테마는, 이 방향으로 향한 물음을 새롭게 전개하는 데 사상적事象的 축이 되는 것을 '지평'의 자기폐쇄성으로부터의 탈각에서 발견하고, 현상학과 해석학의 새로운 대립과 갈등 속에 잠재해 있는 문제를 새롭게 다시 묻는 데에 있다. 오늘날 가시성과 불가시성의 문제계통과도 상통하는 이 물음은 한편으로는 현상학 사유의 가장 깊은 차원으로 가는 통로를 개척함이 되는 것과 동시에(졸저 『세계와 생명』,

青土社, 2001년 참조), 다른 한편으로는 현상학과 해석학의, 사상事象에 즉응卽應하는 새로운 제휴를 묻는 가능성도 주게 된다.

현상학과 해석학 모두 근대사상에 대해서 양의적이다. 극복해야 할 것으로서 비판할 뿐만 아니라, 근대사상 속에 은연중에 간직되어 있는 가능성을 적극적으로 이끌어내고자 하는 것이기도 하다. 본서에서는 주로 전자(비판적 관계)에 대해서 거론했다. '머리말'에서 언급한 바와 같이 후자(적극적 관계)에 대한 논문은 다른 논문집에 수록했다. 현상학적 사유와 해석학적 작업에는 각각 기능하는 장면을 차원적으로 정돈하여, 사상事象에 적합하게 재배치하는 작업이 다시 필요하게 될 것이다. 이 과제는, 가상을 해체하는 현상학의 작업임과 동시에 지知의 세계관여적 운동이다. 이는 철학의 지로서 지의 최종 책임이란 무엇인가를 고하게 될 것이다.

본서 간행에 맞이하여, 현상학 연구의 도정에서 이제까지 여러모로 보살핌을 베풀어주신 여러분들께 깊은 감사를 드리고 싶다. 특히 본서의 해설을 맡아주신 다니 도오루谷徹 선생, 재판을 간행할 수 있도록 이해해주신 구판을 간행했던 書肆社 대표 히구라시 요이치日暮陽一 두 분 모두 저자에게는 평소 서로 깊이 연구자로서의 교류를 나눈 분들이지만, 이번 호의에는 특히 더 마음 깊이 감사드리고 싶다. 또한 筑摩書房學藝文庫 담당자인 나가야마 노리오伊藤正明 선생에게는 여러모로 세심한 배려를 받았기에 마음으로부터 고마움을 표하고 싶다.

2006년 4월
닛타 요시히로

미주

제2장 현상학의 역사적 전개들

(1) Pfänder, A.: *Phänomenologie des Wollens. Motive und Motivation*, Dritte, unveränderte Auflage mit einem Vorwort von Herbert Spiegelberg, 1963.

───── : *Schriften aus dem Nachlaß zur Phänomenologie und Ethik, Bd. 1, Philosophie auf phänomenologischer Grundlage*, hrsg. v. H. Spiegelberg, Bd. 2, *Ethik in kurzer Darstellung*, hrsg. v. Schwankl, 1973.

(2) Vgl., *Die Münchener Phänomenologie*, hrsg. v. Kuhn, B. Avá-Lallement und R. Gladiator, in *Phaenomenologica*, 65, 1975.

(3) Ingarden, R.: Die vier Begriffe der Transzendenz und das Problem des Idealismus in Husserl, in *Analecta Husserliana*, Vol. 1, 1971.

───── : Über den transzendentalen Idealismus bei E. Husserl, in *Husserl et la pensée moderne*, 1959.

Scheler, M.: Idealismus-Realismus, in *Philosophischer Anzeiger.* Ⅱ. Jahrgang. Heft Ⅲ. 1927. (일역 『シェーラー著作集13』, 白水社, 1977년, 321-325쪽)

(4) Conrad-Martius, H.: *Schriften zur Philosophie*, Bd. Ⅲ, 1959, zitiert nach E. Avé-Lallement, *Phaenomenologica*, 65, S. 33.

(5) Celms, T.: *Der Phänomenologische Idealismus Husserls*, 1928, zitiert nach E. Avé-Lallement, Phaenomenologica, 65, S. 32.

(6) 그러나 이 셀름스 논문에 대한 서평에서 팬더는 대립이 일어나야 해서 일어난 것임을 다음과 같이 서술하고 있다. "현상학과 관념론의 혼효는…… 모두 후설 현상학이 등장한 이래 현상학자들 사이에서 문제시되어 왔다." Vgl., ebenda, S. 32.

(7) Seifert, J.: Über die Möglichkeit einer Metaphysik. Die Antwort der "Münchener Phänomenologen" auf E. Husserls Transzendentalphilosophie, in *Phaenomenlogica*, 65, S. 103.

(8) 팬더의 이름을 적은 초고(A Ⅶ, A Ⅵ, 1909) 및 팬더의 『심리학 서설』(*Einführung in die Psychologie*)에 관한 비판적 문장, 「동기와 동기부여」(Motive und Motivation)에 관한 문장 등에 대해서는 슈만의 상세한 보고가 있다.

    Schuhmann, K.: *Husserl uber Pfänder, Phaenomenologica*, 56, 1973.

(9) Waldenfels, B.: Abgeschlossene Wesenserkenntnis und offene Erfahrung, in *Phaenomenologica*, 65, S. 76. (鷲田淸一 譯, 「閉じられた本質認識と開かれた經驗」, 新田・小川 編, 『現象學の根本問題』, 晃洋書房, 1978년 수록, 281-284쪽)

(10) Ricœur, P.: Phänomenologie des Wollens und Ordinary Language Approach, in Phaenomenologica, 65.

(11) Pfänder, A.: *Phänomenologie des Wollens. Motive und Motivation*, S. 155.

(12) 졸저 『現象學』, 岩波全書, 1978년, 192쪽을 참조하시오.

(13) Husserl, E.: *Kant und die Idee der Transzendentalphilosophie*, in *Husserliana*, Bd. Ⅶ, 1924, S. 230-287.

(14) Natorp, P.: Zur Frage der logischen Methode. Mit Beziehung auf Edmund Husserls <Prolegomena zur reinen Logik (1901)>, in *Husserl*, hrsg. v. H. Noack, 1973.

(15) Fink, E.: Die phänomenologische Philosophie Edmund Husserls in der gegenwärtigen Kritik, in *Kantstudien*, Bd, XXXVI, 1932, S. 319-383, jetzt in *Studien zur Phänomenolgie 1930-1939*, 1966.

(16) Kern, I.: *Husserl und Kant, Phaenomenologica*, 16, 1964, S. 420. 리케르트와 후설의 관계, 나토르프와 후설의 관계에 대한 본고의 서술은 케른의 이 연구에 빚진 바가 크다는 점을 미리 말해두고 싶다.

(17) Ebenda, S. 418.

(18) Seebohm, T.: *Die Bedingungen der Möglichkeit der Transzendental-Philosophie*, 1962. (桑野・佐藤 譯, 『フッサールの先驗哲學』, 八千代出版, 1979년, 238쪽)

(19) 같은 책, 242쪽.

(20) Kern, I.: a. a. O., S. 355.

(21) Hönigswald, R.: *Grundfragen der Erkenntnistheorie*, 1931.

(22) Cramer, W.: *Grundlegung einer Theorie des Geites*, 1957, 2 erweiterte Aufl., 1965.

Wagner, H.: *Philosophie und Reflexion*, 1968.

───── : Reflexion, in *Handbuch philosophischer Grundbegriffe*, 4, 1973.

(23) Henrich, D.: Selbstbewußtsein, in Hermeneutik und Dialektik, Ⅱ, 1970. 자세히는 졸저『現象學』, 岩波全書, 1978년, 제2장 2「反省と自己意識」의 대목을 참조하시오.

(24) Rombach, H.: Phänomenologie heute, in *Phänomenologische Forchungen*, 1, 1976, S. 30.

(25) Heidegger, M.: Mein Weg in die Phänomenologie, in *Zur Sache des Denkens*, 1969, S. 81. (辻村・ブフナー 譯,『思索の事柄へ』, 筑摩書房, 1973년 수록)

(26) Biemel, W.: Heideggers Stellung zur Phänomenologie in der Marburger Zeit, in *Phänomenologishe Forshungen*, Bd. 6/7, 1978, S. 144. 단, 그 후 간행된 하이데거의 이 강의(P. Jaeger 편집)에서는 이 최후의 한 행이 생략돼 있다.

Vgl., Heidegger, M.: *Prolegomena zur Geschichte des Zeitbegriffs. Gesammtausgabe*, Bd. 20, 1979, S. 10.

(27) Biemel, W.: a. a. O., S. 145. Heidegger: Gesammtausgabe, Bd. 20, S. 11.

(28) Biemel, W.: a. a. O., S. 168.

(29) Vgl., *Husserliana*, Bd. Ⅸ, 1959, S. 600-603.

(30) Heidegger, M.: *Die Grundprobleme der Phänomenologie. Gesammtausgabe*, Bd. 24, 1975, S. 27.

(31) Ebenda, S. 28-31.

(32) Husserliana, Bd. Ⅷ, S. 154-159, Bd. ⅩⅧ, S. 285.

(33) Husserliana, Bd. Ⅵ, S. 188.

(34) Scheler, M.: *Die Stellung des Menschen im Kosmos*, 1927. (龜井・山本 譯,「宇宙における人間の地位」, 일역『シェーラー著作集13』, 白水社, 1977년, 앞의 책, 50쪽.

(35) Heidegger, M.: *Sein und Zeit. Gesammtausgabe*, Bd. 2, 334.

(36) Ebenda, S. 151.

(37) 졸저『現象學』, 岩波全書, 1978년, 97쪽 참조

(38) Waldenfels, B. Möglichkeiten einer offenen Dialektik, in *Phänomenologie und Marxismus*, 1, S. 147.

(39) Fink, E.: Operative Begriffe in Husserls Phänomenologie, in *Nähe und Distanz*, 1976. (졸역「フッサールの現象學における操作的概念」, 新田・小川 編, 『現象學の根本問題』, 晃洋書房, 1978년 수록, 27쪽, 42쪽)

(40) 졸저 『現象學とは何か』, 紀伊國屋書店, 1968년, 70쪽 참조.

(41) 졸저 『현상학』, 岩波全書, 1978년, 84쪽 참조.

(42) *Husserliana*, Bd. XV, Nr. 38, Zeitigung-Monade.

(43) Landgrebe, L.: Faktizität und Individuation, in *Sein und Geschichtlichkeit*, 1974, S. 283. (瀬島他 譯, 「事實性と個體化」, 『現象學の根本問題』, 晃洋書房, 1978년 수록, 194-195쪽)

(44) Müller, M.: Einige Reflexionen über den geschichtlichen Ort der Phänomenologie, in *Erfahrung und Geschichte*, 1971. (池上他 譯, 「現象學の歷史的位置」, 『現象學の根本問題』, 晃洋書房, 1978년 수록, 17쪽.

(45) Heidegger, M.: *Zur Sache des Denkens*, S. 81 f.

(46) Vgl. Waldenfels, B.: Die Offenheit sprachlicher Strukturen bei Merleau-Ponty, in *Maurice Merleau-Ponty und das problem der Struktur in den Sozialwissenschaften*, hrsg. v. R. Grathoff und W. Sprondel, 1976, S. 17-27.

(47) Gurtwitsch, A.: *Théorie du champ de la conscience*, 1957.
　　　　─── : *Die Mitmenschlichen Begegnungen in der Milieuwelt*, 1977.

(48) Vgl., *Problémes actuels de la phénoménologie*, 1951.

(49) Claeges, U.: Zweideutigkeiten in Husserls Lebenswelt-Begriff, in *Perspektiven transzendentalphänomenologischer Forschungen*, Phaenomenologica, 49, 1972. (鷲田・魚住 譯, 「フッサールの<生活世界>概念に含まれる二義性」, 『現象學の根本問題』, 晃洋書房, 1978년 수록)

(50) Landgrebe, L.: Das Problem der transzendentalen Wissenschaft vom lebensweltlichen Apriori, in *Symposium sobre la nocion Husserliana de la Lebenswelt*, 1963, jetzt in *Phänomenologie und Geschichte*, 1967.

(51) Brand, G.: *Welt, Ich und Zeit. nach unveröffentlichten Manuskrpten Edmund Husserls*, 1955. (新田・小川 譯, 『世界・自我・時間──フッサール未公開草稿による研究』, 國文社, 1976년.
　　　Held, K.: *Lebendige Gegenwart*, 1966. (新田・小川・谷・齋藤 譯, 『生き生きした

現在』, 北斗出版, 1988년, 1977년)

(52) Claeges, U.: *Edmund Husserls Theorie der Raumkonstitution. Phaenomenologica*, 1964.

Graumann, C. F.: *Grundfragen einer Phänomenologie und Psychologie der Perspektivität*, 1960.

(53) Husserl, E.: *Zur Phänomenologie der Intersubjektivität*, Erster Teil (1905-1920), Zweiter Teil (1921-1928), Dritter Teil (1929-1935), *Husserliana*, Bd. XIII, XIV, XV, 1973.

(54) 이미 슈츠는 현상학적 사회이론을 시도하고 있다.

Schutz, A.: *Der sinnhafte Aufbau der sozialen Welt*, 1932.

────── : *Collected papers*, Ⅰ, Ⅱ, Ⅲ, *Phaenomenologica*, 11, 1962, 15, 1964, 22, 1966.

────── (Mit T. Luckmann): *Strukturen der Lebenswelt*, 1975.

후설의 상호주관성의 현상학과 대화의 철학 간의 상보관계를 논한 것으로서,

Theunissen, M.: *Der Andere. Studien zur Sozialontologie der Gegenwart*, 1965.

후설의 타자구성론이 갖는 역설 또는 딜레마를 사상事象 분석을 다시 검토함으로써 해결하고자 하는 시도로서,

Waldenfels, B.: *Das Zwischenreich des Dialogs. Sozialphilosophische Untersuchungen in Anschluß an Edmund Husserls. Phaenomenologica*, 41, 1971.

Held, K.: Das Problem der Intersubjektivität und die Idee einer phänomenologischen Transzendentalphilosophie, in *Phaenomenologica*, 49, 1972.

현상학과 루만(N. Luhmann)의 체계이론의 관계를 논한 것으로서,

Eley, L.: *Transzendentale Phänomenologie und Systemtheorie der Gesellschaft*, 1972.

Landgrebe, L.: *Der Streit um die philosophischen Grundlagen der Gesellschaftstheorie*, 1975. 등을 들 수 있다.

(55) Fink, E.: Weltbezug und Seinsverständnis, in *Nähe und Distanz*, 1976.

Patočka, J.: *Le monde naturel comme probléme philosophique. Phaenomenologica*, 68, 1976.

Landgrebe, L.: Lebenswelt und Geschichtlichkeit des menschlichen Daseins, in

Phänomenologie und Marxismus, 2, 1977.

(56) Rombach, H.: *Substanz, System, Struktur*, Ⅰ, 1965, Ⅱ, 1966.

───── : *Strukturontologie*, 1971.

───── : *Leben des Geistes*, 1977.

(57) Müller, S.: *Vernunft und Techinik. Die Dialektik der Erscheinung bei Edmund Husserl*, 1976.

(58) Held, K.: *Husserls Rückgang auf das phainomenon*, vorgetragen in München, 1978. (兒島洋 譯, 「フッサールの＜ファイノメノンへ＞の復歸」, 『思想』 652号, 1978年)

(59) 현상학과 마르크스주의를 둘러싼 현대의 문제들에 대해서, 1975년부터 78년에 걸쳐서 유고슬라비아의 두부로브니크에서 개최된 토의의 보고가 간행되어 있다. *Phänomenologie und Marxismus*, hrsg. v. B. Waldenfels, J. M. Broekmann und A. Pažanin. 1, *Konzepte und Methode*, 1977. 2, *Praktische Philosophie*, 1977. 3, *Sozialphilosoophie*, 1978. 4, *Erkenntnis-und Wissenschaftstheorie*, 1979.

(60) Vgl., *Geschichte──Ereignis und Erzählung. Poetik und Hermeneutik*, V. Hrsg. v. R. Koselleck und W. D. Stempel, 1973.

Routila, L.: Teleologie und das Problem der historischen Erklärungen── ein phänomenologischer Entwurf──, in *Phänomenologie und Marxismus*, 4.

(61) 야콥슨과 후설의 관계를 논한 것으로서,

Holenstein, E.: *Roman Jakobsons phänomenologischer Strukturalismus*, 1975.

───── : *Linguistik, Semiotik, Hermeneutik*, 1976을 들 수 있다.

(62) Binswanger, L.: Über Phänomenologie,jetzt in *Ausgewählte Vorträge und Aufsätze*, Bd. 1, 1947. (荻野恒一他 譯, 「現象學について」, 『現象學的人間學──講演と論文 Ⅰ』, みすず書房, 1962年 수록)

Boss, M.: *Psychoanalyse und Daseinsanalytik*, 1957. (笠原嘉他 譯, 『精神分析と現存在分析論』, みすず書房, 1962年)

Blankenburg, W.: *Der Verlust der natürlichen Selbstverständlichkeit*, 1971. (木村敏 他 譯, 『自明性の喪失』, みすず書房, 1978年)

Tellenbach, H.: *Geschmack und Atmosphäre*, 1968.

(63) 졸고 「現象學硏究の現況」, 『思想』 652号, 1978年(본서 제3장) 및 『現象學の根本問題』, 晃洋書房, 1978년에 수록된 「解說」을 참조하시오.

(64) Vgl., Gadamer, H. G.: *Wahrheit und Methode*, 2. Aufl., 1965, S. XXIX.

──────── : Rhetorik und Ideologiekritik, in *Kleine Schriften*, I, 1967, S. 125.

(65) Ricœur, P.: Phénoménologie et herméneutique, in *Phänomenologische Forchungen*, 1, 1975, S. 52-60. (水野和久 譯, 「現象學と解釋學」, 『現象學の根本問題』, 晃洋書房, 1978년 수록)

(66) Husserl, E. Phänomenologie der Mitteilungsgemeinschaft, in *Husserliana*, Bd. XV.

(67) Landgrebe, L.: Das Problem der Teleologie und der Leiblichkeit in der Phänomenologie und im Marxismus, in *Phänomenologie und Marxismus*, 1.

(68) Rombach, H.: Die Grundstruktur der menschlichen Kommunikation, in *Phänomenologische Forschungen*, 4, 1977, S. 32.

(69) ──────── : *Substanz, System, Struktur*, Bd. II, S. 453.

제3장 현상학 연구의 현황

(1) Broekmann, J. M.: Sprachakt und Intersubjektivität, in *Phänomenologie und Maxismus*, 3, 1978, S. 66-144.

(2) Langrebe, L.: *Der Streit um die philosophischen Grundlagen der Gesellschafstheorie*, 1975.

Eley, L.: *Transzendentale Phänomenologie und Systemtheorie der Gesellschaft*, 1972.

(3) *Symposim sobre la Noción Husserliana de la Lebenswelt*, Universidad Nacional Autónoma de Mexico, Centro de Estudios Filosóficos, 1963.

(4) Claeges, U.: Zweideutigkeiten in Husserls Lebenswelt-Begriff, in *Perspektiven transzendentalphänomenologischer Forschung*, Phaenomenologica, 49, 1972, S. 97. (鷲田・魚住 譯, 「フッサールの<生活世界>概念に含まれるの二義性」, 新田・小川 遍, 『現象學の根本問題』 수록, 晃洋書房, 1978년, 97쪽)

(5) Marx, W.: *Vernunft und Welt*, 1970.

(6) Biemel, W.: Reflexionen zurLebenswelt-Thematik, in *Phänomenologie heute*, 1972.

(7) Claeges, U.: a. a. O., S. 101. (앞의 책 일역, 100쪽)

(8) Beilage XVIII, Die Weise, wie der Leib sichals Körper und Leib Konstituiert, sowie die Weisen, wie überhaupt seine Konstitution und Aussending konstitution verschwistert sind, in *Zur Phänomenologie der Intersubjektivität*, Dritter Teil, S. 295-313.

(9) Landgrebe, L.: Meditation über Husserls Wort "Die Geschichte ist das große Faktum des absoluten Seins", in *Uit "Tijdschrift voor Filosofie"*, 36e Jaargang Nr. 1, 1974.

─────── : Reflexionen zu Husserls Konstitutionslehre in *Uit "Tijdschrift voor Filosofie"*, 36e Jaargang Nr. 3, 1974. (小川侃 譯,「フッサールの構成論ついての反省」,『現象學の根本問題』에 수록)

─────── : *Die Phänomenologie als tranzendentale Theorie der Geschichte*, in *Phänomenologische Forschungen*, 3, 1976.

─────── : Das Problem der Teleologie und der Leiblichkeit in der Phänomenologie und im Marxismus, in *Phänomenologie und Marxismus*, 1, 1977.

─────── : Lebenswelt und Geschichtlichkeit des menschlichen Daseins, in *Phänomenologie und Marxismus*, 2, 1977.

(10) 주(9)의 끝에 든 란트그레베의 논문 2편은 이 시도로 작성된 것이다.

(11) Aguire, A.: Transzendentalphänomenologischer Rationalismus, in *Perpektiven transzendentalphänomenologischer Forschung*, 1972. (졸역「超越論的現象學的理性主義」,『現象學の根本問題』에 수록)

(12) Waldenfels, B.: Möglichkeiten einer offennen Dialektik, in *Phänomenologie und Marxismus*, 1, S. 144.

(13) a. a. O., S. 146.

(14) a. a. O., S. 147.

(15) Gross, P.: *Reflexion, Spontaneität und Interaktion, problemata*, 14, 1972, S. 73, 148.

(16) Rombach, H.: *Die Gegenwart der Philosophie*, 1946, S. 72.

(17) Müller, S.: *Vernunft und Technik ──Die Dialektik der Erscheinung bei Edmund Husserl*, 1976, S. 213.

(18) a. a. O., S. 235.

(19) *Husserliana*, Bd. III, S. 370.

(20) Rombach, H.: Phänomenologische Wissenschaftsbegründung, in *Wissenschftstheorie*,

1, Hrsg. v. H. Rombach, 1974, S. 52.

(21) Rang, B.: *Kausalität und Motivation*, 1973.

(22) *Husseliana*, Bd. Ⅳ, S. 291.

(23) a. a. O., S. 116.

(24) a. a. O., S. 548.

(25) Marx, W.: a. a. O., S. 76.

(26) Übergang von der Welt des praktischen Lebens und ihren okkasionellen Urteilen zur wissenschftlichen Enthüllung ihrer Horizonte, als Ergänzender Text Ⅷ, in Husserliana, ⅩⅦ, S. 437-446.

(27) Brand, G.: Horizont, Welt, Geschichte, in *Phänomenoloische Forschungen*, 5, 1977, S. 60. (小川侃 譯,「地坪・世界・歷史」,『現象學の根本問題』에 수록, 224쪽)

(28) 졸저『現象學』, 岩波全書, 1978년, 제7장 2 참조.

(29) Theunissen, M.: *Der Andere*, 1965, S. 99.

(30) *Husseliana*, Bd. ⅩⅠ, S. 297 f.

(31) *Husseliana*, Bd. Ⅵ, S. 188.

(32) Brand, G.: *Welt, Ich und Zeit*. (新田・小池 譯,『世界・自我・時間──フッサールの未公開草稿による研究』, 國文社, 1976)

　　　Held, K.: Lebendige Gegenwart, 1966. (新田・小川・谷・齋藤 譯,『生き生きした顯在』, 北斗出版, 1988년, 1977년)

(33) Vgl., Nr. 38. Zeitigung──Monade, in *Husserliana*, Bd. ⅩⅤ.

(34) *Husserliana*, Bd. ⅩⅤ, S. 644.

(35) 졸저『現象學』, 제6장 1「歷史の目的論と哲學の課題性格」 참조.

(36) Waldenfels, B.: Verhaltensnorm und Verhaltenskontext, in *Phänomenologie und Marxismus*, 2, 1977, S. 154.

(37) Waldenfels, B.: Ethische und pragmatishe Dimension der Praxis, in *Rehabilitierung der praktischen Philosophie*, Bd. Ⅰ, 1972.

(38) Ricœur, P. Phänomenologie des Wollens und Oridinary Lanuage Approach, in *Die Münchener Phänomenologie*, 1975.

(39) Schnädelbach, H.: *Reflexion und Diskurs. Fragen einer Logik der Philosophie*, 1977, S. 139, 205.

(40) Nr. 29. Phänomenologie der Mitteilungsgemeinschaft, Nr. 30. Universale Geisteswissenschaft als Anthropologie, in *Husserliana*, Bd. XV.

(41) Vgl. Landgrebe, L.: *Der Streit um die philosophischen Grundlagen der Gesellschaftstheorie*, S. 17.

(42) Rombach, H.: Die Grundstruktur der menschlichen Kommunikation. Zur kritischen Phänomenologie des Verstehens und Mißverstehens, in *Phänomenologische Forschungen*, 4, 1977, S. 21.

(43) Rombach, H.: a. a. O., S. 23-29.

(44) Rombach, H.: a. a. O., S. 30.

(45) Rombach, H.: a. a. O., S. 31.

(46) Rombach, H.: a. a. O., S. 32.

(47) Rombach, H.: a. a. O., S. 32.

(48) Rombach, H.: a. a. O., S. 33.

(49) Ricœur, P.: Phénomenologie et herméneutique, in *Phänomenologische Forschungen*, 1, 1975, S. 52-60. (P・リクール, 水野和久 譯, 「現象學と解釋學」, 『現象學の根本問題』, 334-343)

(50) P・リクール, 위의 책, 342-345쪽.

(51) P・リクール, 위의 책, 354쪽.

(52) Rombach, H.: Phänomenologie heute, in *Phänomenologische Forschungen*, 1, 1975. S. 19. (H・ロムバッハ, 漁住・渡部 譯, 「今日の現象學」, 『現象學の根本問題』, 303쪽)

(53) 졸저 『현상학』, 제6장 참조.

(54) H・ロムバッハ, 앞의 책, 302쪽.

(55) H・ロムバッハ, 앞의 책, 310쪽.

(56) H・ロムバッハ, 앞의 책, 311쪽.

제4장 현대철학의 반성이론

(1) 이 논고는 1971년 10월에 개최된 제21회 東北哲學會(弘前大學 소재) 석상에서

발표된 강연의 원고이다. 다만 상당한 부분 삭제하거나 보필하거나 또는 수정을 가했기에 본래의 체재를 무너뜨린 바가 있지만, 요지는 발표된 것과 거의 동일하다. 강연의 취지가 현대의 철학적 반성론의 동향을 전하는 데 있었기에, 전체적으로 상당히 거칠게 그려놓은 서술에 머물고 있다.

(2) ディーター・ヘンリッヒ, 門脇卓爾 譯,「二つ大戰後の獨逸哲學」,『思想』558호.

(3) Schulz, W.: *Das Problem der absoluten Reflexion*, 1963.

(4) 후설이 이 역설을 해결할 때 인간적 자아와 초월론적 자아를 구별하고, 전자를 후자의 자기구성태로 본 것은『위기』등의 서술에 보이지만, 그러나 G. 브란트는 그것이 역설의 해결이 아니라는 점을 후설 자신이 알고 있었다는 것을 유고 등을 인용해서 증명하고자 하고 있다.

Brand, G.: *Die Lebenswelt*, 1971, S. 106.

(5) Asemissen, H. U.: *Strukturanalytische Probleme der Wahrnehmung in der Phänomenologie Husserls*. Kantstudien, Ergänzungshefte 73.

(6) Theunisssen, M.: Intentionaler Gegenstand und ontologische Differenz, in *Philosophisches Jahrbuch*, 70 Jahrgang, 2 Hb., S. 344-362.

(7) K. 헬트는 후설 현상학에 침투하고 있는 양의성의 기초를 '살아있는 현재'의 정지성과 유동성의 통일적 사태에서 발견하고 있다. 살아있는 현재는 서 있는 한 본질의 초시간성이나 불변성이라는 성격을 띠거나, 에고 코기토의 필증성 또는 절대성이라는 성격을 띠고, 흐르고 있는 한 스스로를 세계 내의 흘러가는 상대적 사실로 객관화한다. 원초적 노에시스임과 동시에 원초적 노에마이기도 한 이 '살아있는 현재'의 무차별적 통일은 이후 사유의 양 극단으로 대립화하게 된다. 이 헬트의 지적은 후설 현상학의 양의성을, 특히 반성의 양의성을 지知의 발생의 근원적 양의성에 기초하는 것으로 본 탁월한 해석이다.

Held, K.: Nachwort des Übersetzers, in L. Robberechts: *Edmund Husserls*, 1967, S. 157. (ロブレクツ / ヘルト, 粉川哲夫 譯,『フッサールの現象學』, せりか書房, 1971년, 201-202쪽)

(8)「살아있는 흐르는 현재」(Lebendige strömende Gegenwart)라는 연구표제가 붙어 있는 초고군C는 C1에서 C17까지 번호로 분류되어 있는데, 각각이 다시 독립된 단편적 초고군을 포함하고 있다. 이 초고군은 부분적으로 공개되고 있는 중이다. 또한 공간구성론이나 키네스테제의 분석론을 주된 내용으로 하는 초고군D에도

'살아있는 현재'를 취급한 초고(D15)가 포함되어 있는데, 대체로 1930년대의 지향적 분석론에는 이 초고들 이외에도 곳곳에서 '살아있는 현재'의 문제군을 산견할 수 있다.

(9) Husserl, E.: *Erste Philosophie*, Zweiter Teil, Husserliana, Bd. Ⅷ, 1959, S. 88. 졸고「フッサールにおける方法の問題」,『思想』536호, 185쪽.

(10) Held, K.: *Lebendige Gegenstand*, 1966, S. 82.

(11) Landgrebe, L.: *Der Weg der Phänomenologie*, 1963, S. 203 f.

(12) Henrich, D.: *Fichtes ursprüngliche Einsicht*, 1967.

(13) Ders., Selbstbewußtsein, in *Hermeneutik und Dialektik*, 1970, S. 283.

(14) Gadamer, H.-G.: *Wahrheit und Methode*, 2. Aufl., 1965, S. XXIV.

(15) Ders., Rhetorik, Hermeneutik und Ideologiekritik, in *Kleine Schriften*, Ⅰ, 1967, S, 125.

(16) Ders., *Wahrheit und Methode*, S. XXII.

(17) Vgl., Brand, G.: *Lebenswelt*, S. 112.

(18) *Wahrheit und Methode*, S. 250-274.

(19) Heidegger, M.: Sein und Zeit, S. 150 ff.

(20) *Wahrheit und Methode*, S.

(21) Ders., a. a. O., S. 343.

(22) 가다머는 제2판의 서언에서 Wirkungsgeschichtliches Bewußtsein 개념의 양의성에 대해서 스스로 언급하고 있다. "따라서 그것의 양의성은, 한편으로는 역사의 진행 속에서 성취되고 역사에 의해서 규정된 의식을, 다른 한편으로는 이 성취되고 규정되어 있는 것 그 자체의 의식을 의미한다는 점에서 성립한다"(Ebenda, XIX-XX)

(23) Ebenda, S. 289.

(24) Schulz, W.: Anmerkungen zur Hermeneutik Gadamers, in *Hermeneutik und Dialektik*, Ⅰ, S. 306.

(25) *Wahrheit und Methode*, S. 344-360, S. 556.

(26) Fink, E.: *Spiel als Weltsymbol*, 1960.

  Heidemann, I.: *Der Begriff des Spiels*, 1968.

(27) Vgl., *Wahrheit und Methode*, S. 464.

Schulz, W.: a. a. O., S. 309.

(28) Gadamer, H. -G.: Zum Problematik des Selbstverständnis, in *Kleine Schriften*, Ⅰ, S. 78.

(29) *Wahrheit und Methode*, S. 441.

(30) a. a. O. S. 444.

(31) a. a. O. S. 450.

(32) a. a. O. S. 450.

(33) *Kleine Schriften*, Ⅰ, S. 92.

(34) a. a. O. S. 92.

(35) a. a. O. S. 127.

(36) Vgl., Fink, E.: Welt und Geschichte, in *Husserl und das Denken der Neuzeit*, 1959, S. 152.

(37) Vgl., Landgrebe, L.: *Phänomenologie und Geschichte*, S. 149.
   졸저『現象學とは何か』, 紀伊國屋書店, 1968년, 189-193쪽. 같은 책, 講談社學術文庫版(1992년), 227-229쪽.

(38) P. 얀센은『위기』에 보이는 후설의 근대철학사에 관한 서술과, 목적론적 역사의 구상 사이의 모순을 지적하고 있다. Vgl., Janssen, P.: *Geschichte und Lebenswelt*, 1970, S. 90 ff.

(39) Boehm, R.: *Vom Gesichtspunkt der Phänomenologie*, 1968, S. 246.

(40) Husserl, E.: *Die Krisis der europäischen Wissenschaften und die transzendentale Phanomenologie, Husserliana*, Bd. Ⅵ, 1954, S. 381.

(41) Harbermas, J.: *Logik der Sozialwissenschaft.* 현재는 아래의 논문집『해석학과 이데올로기 비판』중 가다머를 비판하는 대목에만 수록되어 있다. Zu Gadamers <Wahrheit und Methode> in *Hermeneutik und Ideologiekritik*, 1971, S. 45-46.

(42) Ders., Der Universalitätsanspruch der Hermeneutik, in *Hermeneutik und Dialektik* Ⅰ, S. 218.

(43) 가다머는 1966년 제8회 독일철학회 개회강연에서 "언론적 세계해석이라는 선입견을 넘어가는 일이 이성의 과제이다"고 서술하고, 『진리와 방법』을 프로그램적으로 넘어가는 것에 대해 말했다고 하는데, 최근 발표된 예의 논쟁에 대한 회답을 보면 반드시 그렇다고 잘라 말할 수 없는 점이 있다. (Gadamer, H. -G.:

Replik, Ebenda, S. 283 ff).

(44) Braun, H.: Zum Verhaltnis von Hermeneutik und Ontologie, in *Hermeneutik und Dialektik*, Ⅱ, S. 218.

(45) Borman, C. v.: Die Zweideutigkeit der hermeneutischen Erfahrung, in *Philosophische Rundschau*, 16, Heft 2, S. 116. 이 논문도 『해석학과 이데올로기 비판』에 재수록되어 있다. 같은 책 115쪽.

(46) Vgl., Waldenfels, B.: *Das Zwischenreich des Dialogs*, 1971, S. 80.

(47) 이 비정립적 성격에 대해서 가다머가 반성에 '들음Hören'의 성격을 부여하고, 이른바 정립적 반성의 '봄Sehen'보다 더 근원적이라고 말하고 있는 점은 무척 흥미롭다. "들음은 전체로 가는 길이다. 왜냐하면 그것은 로고스를 들을 수 있기 때문이다"(*Wahrheit und Methode*, S. 438).

(48) A. 슈츠, M. 토이니센, 앞에서 든 B. 발덴펠스의 노작들이 현재의 그 대표적 시도들이다.

제5장 해석학의 현황

(1) Vgl., Gadamer, H. -G.: Hermeneutik in *Historisches Wörterbuch der Philosophie*, Bd. 3, 1974, S. 1061.

　　Birus, H.: Einleitung der *Hermeneutischen Positionen*, hrsg. v. H. Birus, 1982, S. 6. (竹田・三國・橫山 譯, 『解釋學とは何か』序文, 山本書店, 1987년, 8쪽)

(2) Vgl., Ders., a. a. O. S. 7. (일역 9쪽)

제6장 해석학의 논리와 전개

(1) 쿠자누스의 신・세계・개체의 관계에 대해서는, 졸고 「深さの現象學」(『思想』 749호, 岩波書店, 1986년 11월) 참조.

(2) Waldenfels, B.: Das Zerspringen des Seins, in *Leibhafige Vernunft*, hrsg. v. A. Métreau und B. Waldenfels, 1986, S. 154.

앞의 졸고 참조.

(3) 졸저 『現象學と近代哲學』, 岩波書店, 1995년, 301-306쪽 참조.

(4) Vgl., Assmann, A. u. J. *Schrift und Gedächtnis*, 1983, S. 269 f.

(5) ebenda.

(6) Ders., a. a. O. S. 279.

(7) 딜타이가 지적하는 순환의 세 형태에 대해서는, 졸고 「生活世界と科學」, 『科學・魔術・記述』, 新岩波講座哲學 8권 수록, 1986년, 355쪽 참조. 본서 296-297쪽 참조.

(8) 앞의 졸고, 354쪽. 본서 295쪽 참조.

(9) 졸고 「フッサールの目的論」, 立松弘孝 遍, 『フッサール現象學』 수록. 勁草書房, 1986년, 138-146쪽 참조. 본서 353쪽 참조.

(10) 같은 책, 158쪽 참조. 본서 353쪽 참조.

(11) Heidegger, M.: Sein und Zeit, GA. Bd. 2, 1977, S. 203.

(12) 지知의 「로서-구조」에 대해서는, 이미 피히테의 지식학에서 서술되고 있는 반성론에서 지知의 이분화의 기능으로서 이 말이 사용되고 있다.

(13) Vgl., Wilson, T. J.: *Sein als Text*, 1981, 45 f.
    Frank, M.: Was heißt "einen Text verstehen"? in *Texthermeneutik-Aktualität, Geschichte, Kritik*, 1919, S. 58-77.

(14) Frank: a. a. O. S. 63.

(15) Frank: a. a. O. S. 69.

(16) Vgl., Ingarden, R.: *Das literarische Kunstwerk*, 3. Aufl., 1965, § 38.

(17) Gadamer, H. -G.: Text und Interpretation, in *Text und Interpretation*, hrsg. v. P. Forget, 1985, S. 35.

(18) Vgl., Japp: *Hermeneutik*, 1977. 특히 이하의 대목에서 가다머의 텍스트 개념에 대한 비판이 서술되고 있다.
    Ⅱ. Kapitel, 1. Der Skandal der Hermeneutik, Ⅲ. Kapitel, 2. Die Schrift.

(19) 졸고 「歷史科學における物語り行爲について」, 『思想』 712호, 科學論特輯号, 76쪽.

(20) Heidegger, M.: Vom Wesen des Grundes, in *Wegmarken*, 1967, S. 67.

(21) 물론 현상학적 환원의 조작이 해석학적 순환의 장면으로부터의 탈각이라는 점은 제6성찰에서 후설이 지적하고 있는 바와 같다. 왜냐하면 이해의 선행성이 작동하는 장면은 어디까지나 자연적 태도에서의 선행적 소여성에 머물러 있다고

하기 때문이다.

(22) Vgl., Boehm, G: Zur Hermeneutik des Bildes, in *Die Hermeneutik und die Wissenschaften*, hrsg. v. H. -G. Gadamer und G. Boehm, 1978. (G・ベーム, 物部晃二 譯, 「造形的形象の解釋學」, 新田・村田 遍, 『現象學の展望』, 國文社, 1986년 수록)

(23) 슈미트는 니체 사상에 보이는 두 영역 곧 exoterik과 esoterik을 각각 생성의 세계와 영원회귀의 교설로 보고 대비하고 있는데, 그러나 문제는 이 두 영역의 교차를 어떻게 구조화할 수 있는가 하는 점이다.

Vgl., Schmid, H.: *Nietzsches Gedanke der tragischen Erkenntnis*, 1984, S. 97. 해석학자들 중에서 이런 의미의 상보성에 대해서 논급하고 있는 사람은 R. 비일이다. 비일은 후설의 지향성의 원리와 화이트헤드의 창조성이나 살아있는 자기활동성의 원리 간에 상보관계가 성립한다는 점, 바꿔 말하면 인간의 이성과 비이성 간에 기본적 유희공간이 형성될 수 있다는 점을 논하고 있다.

Wiehl, R.: Die Komplementarität von Selbstsein und Bewußtsein, in *Theori der Subjektivität*, hrsg. v. K. Cramer und anderen, 1987, S. 60/75.

제8장 후설의 과학 객관주의 비판

(1) Vgl., Schnädelbach, H.: *Philosophie in Deutchland, 1831-1933*, S. 25-50.

(2) Vgl., Fellmann, F.: Das Ende des Laplaceschen Dämons, in *Poetik und Hermeneutik*, V, 1973, S. 123.

(3) Vgl., Sommer, M.: Leben aus Erlebnissen, Dilthey und Mach, in *Phänomenologische Forschungen*, 16, 1984.

(4) Avenarius, R.: *Der menschliche Weltbegriff*, 3. Aufl., 1912, S. 23-31.

(5) Sommer: a. a. O. S. 68.

(6) Schnädelbach:a. a. O. S. 114.

(7) Vgl., Gebhard, W.: 'Der Zusammenhang der Dinge', Weltgleichnis und Naturverklärung im Totalitätsbewußtsein des 19. Jahrhunderts, 1984.

(8) 드로이젠의 역사이론에 대해서는, 졸고 「歷史科學における物語り行爲について」, 『思想』 712호, 「科學論特輯」 참조 또 다음의 책 참조. Schnädelbach, H.:

Geschichts-philosophie nach Hegel, 1974.

(9) Schnädelbach: *Philosophie in Deutchland, 1831-1933*, S. 116.

(10) Ebenda, S. 114.

(11) Vgl., Fellmann, F.: *Gelebte Philosophie in Deutchland*, 1983.

(12) M・リーデル, 塚本・伊藤 譯,『解釋學と認識批判』, 河上・青木 外 遍,『解釋學と實踐哲學』, 以文社, 1984년, 100쪽.

(13) Dilthey, W.: *Gesammelte Schriften* [이하 *G. S.*로 약기], Ⅴ, S. 144.

(14) Bollnow, F.: Festrede zu W. Dilthey 150. Geburtstag, in *Dilthey-Jahrbuch*, Ⅱ, 1984, S. 47.

(15) Dilthey, W.: *G. S.*, Ⅶ, S. 276.

(16) Vgl., Schnädelbach, H.: *Geschichtsphilosophie nach Hegel*, S. 125-129.
Riedel, M.: Verstehen oder Erklären? *Zur Theorie und der Geschichte der hermeneutischen Wissenschaften*, 1978, S. 57-61.

(17) Dilthey, W.: *G. S.*, Ⅷ, S. 160.

(18) Markreel, R. A.: Dilthey und die interpretierenden Wissenschften――Die Rolle von Erklären und Verstehen, in *Dilthey-Jahrbuch*, Ⅰ, 1983, S. 62.

(19) Dilthey, W.: *G. S.*, Ⅶ, S. 152.

(20) M・リーデル, 앞의 역서, 95쪽.

(21) Bollnow: a. a. O., S. 49.

(22) Dilthey, W.: *G. S.*, Ⅶ, S. 205-210.

(23) 현상학적 반성이나 환원에 대해서는, 졸저『現象學』岩波全書, 1978년, 참조.

(24) Vgl., Holenstein, E.: Prototypische Erfahrung, in *Hintergehbarkeit der Sprache*, 1980. (佐藤康邦 譯,「プロトタイプ的經驗」, 村田純一他 譯,『認知と言語』에 수록. 産業圖書, 1984년)

(25) 지평의 현상학에 대해서는, 졸고「地平の現象學への道」,『思想』688호, 참조.

(26) Husserl, E.: *Die Krisse der europäischen Wissenschaften und transzendentale-Phänomenologie, Husserliana*, Bd. Ⅵ, 1954. 위기의 과학론에 대해서는 앞의 졸저『現象學』참조.

(27) Husserl, E.: *Erfahung und Urteil*, 4. Aufl., S. 45.

(28) *Husserliana*, Bd. ⅩⅤ, 1973, S. 376.

(29) Ideen zu einer reinen *Phänomenologie und Phänomenologischen Philosophie, Zweites Buch, Husserliana*, Bd. IV, 1952.

(30) Die Konstitution der geistigen Welt. 역시 이 부분만이 M. 좀머에 의해 편집되어 1984년에 간행되었다. *Philosophische Bibliothek*, 369.

(31) 괴팅겐 시대의 생활세계론에 대해서, 본고는 다음의 문헌을 참조했음을 밝혀두고자 한다.

Sommer, M.: Husserls Göttinger Lebenswelt, Einleitung für *Die Konstitution der geitigen Welt*(PhB, 369).

(32) Sommer, M.: a. a. O., S. XXVIII.

(33) Vgl., Waldenfels, B.: Die Abgrundigkeit des Sinnes, Kritik an Husserls Idee der Grundlegung, in *Lebenswelt und Wissenschaft in der Philosophie Edmund Husserls*, hrsg. v. E. Stroker, 1979, S. 126 ff.

(34) *Husserliana*, Bd. VI, S. 136.

(35) Ebenda.

(36) Vgl., Waldenfels, B.: Im Labyrinth des Alltags, in *Phänomenologie und Marxismus*, 3, Sozialphilosophie, hrsg. v. B. Waldenfels und anderen, 1978. (山口一郞 譯, 「日常の迷宮のなかで」, 『現象學とマルクス主義 I ── 生活世界と實踐』, 白水社, 1928년, 13-17쪽)

(37) Vgl., Rüsen, J.: Der Struktur der Geschichtswissenschft und die Aufgabe der Historik, in *Für eine erneuerte Histrorik*, 1976, S. 44 ff.

(38) Ricœur, P.: Rückfrage und Reduktion der Idealität in Husserls "Krisis" und Marx' "Deutsche Ideologie", in *Phänomenologie und Maxismus*, 3, S. 218 ff. 『現象學とマルクス主義 I』, 326-330쪽.

(39) 매체의 구조와 기능에 대해서, 졸고 「近さと隔たり」, 『現象學年報 I』, 北斗出版, 1984년, 참조. 본서에 수록(제10장).

(40) Held, K.: Heideggers These vom Ende der Philosophie, in *Zeitschrift für philosophische Forschung*, Bd. 34. Heft 4, 1980, S. 544 ff. (졸역 「ハイデガーとフッサール──學の起源をめぐって」, 『現象學の展望』, 國文社, 1985년 수록, 28-32쪽.

제9장 후설의 목적론과 근대의 학지

(1) Fink, E.: *Das Problem der Phänomenologie Edmund Husserls*, 1939. (新田・小池 譯, 『フッサールの現象學』, 以文社, 1982년, 140쪽)

(2) Vgl., Rombach, H.: *Gegenwart der Philosophie*, 2. Aufl., 1962, S. 69.

(3) Vgl., Rang, B.: *Repräsentation und Selbstgegebenheit.*

──── : Die Aporie der Phänomenologie der Wahrnemung in den Frühschriften Husserls, in *Phänomenologische Forschungen*, 1, 1978, S. 131.

(4) Waldenfels, B.: Möglichkeiten einer offenen Dialektik, in *Phänomenologie und Marxismus*, 1, 1977, S. 146 f.

(5) Vgl., Aguirre, A.: *Genetische Phänomenologie und Reduktion. Zur Letztbegründung der Wessenschaft aus radikalen Skepsis im Denken E. Husserls*, 1970, S. 140.

(6) Held, K.: Edmund Husserl, in *Klassiker der Philosophen*, hrsg. v. O. Höffe, 1981, S. 280.

(7) フィンク, 앞의 책, 일역 143-144쪽.

(8) Held: a. a. O., S. 278.

(9) フィンク, 앞의 책, 일역 158쪽.

(10) 같은 책, 일역 169쪽.

(11) 발생적 현상학이 성립하게 된 상황에 관해서는 졸저 『現象學』, 岩波全書, 1978년, 제3장 1, 83-88쪽 참조.

(12) Vgl., Dritter Abschnitt: Assoziation, Erstes Kapitel; Urphänomen und Ordnungsformen der passiven Synthesis. Zweites Kapitel; Das Phänomen der Affektion, in *Hua.* Bd. XI, S. 117-191.

(13) Düsing, K.: Teleologie und natürlicher Weltbegriff, in *Neue Hefte für Philosophie*, 20, 1981, S. 54-59.

(14) Landgrebe, L.: Das Problem der Teleologie und der Leiblichkeit in der Phänomenologie und im Marxismus, in *Phänomenologie und Marxismus*, 1, 1977, S. 86.

(15) Held: a. a. O., S. 293.

(16) 명증의 구도와, 『위기』에서 말하는 지知의 구도 간의 대응에 대해서는 앞의

졸저, 124-127쪽을 참조하길 바란다.

(17) Manuskripte K Ⅳ. 6, S. 99, Zitiert nach G. Brand.

(18) a. a. O., S. 226, Zitiert nach G. Brand.

(19) Brand, G.: *Welt, Ich und Zeit*, S. 16.

(20) Brand, a. a. O., S. 17.

(21) Vgl., Theunissen, M.: *Der Andere. Studien zur Sozialontologie der Gegenwart*, 1965, S. 129 f.

(22) 자기이입론의 아포리아에 관해서는 앞의 졸저, 제5장 2를 참조하길 바란다.

(23) Meist, K. R.: Monadologische Intersubjektivität. Zum Konstitutionsproblem von Welt und Geschichte bei Husserl, in *Zeitschrift für philosophische Forschung*, B. 34, Heft 4, 1980, S. 580.

(24) ebenda.

(25) Meist: a. a. O., S. 581.

(26) Held, K.: Das Problem der Intersubjektivität und die Idee einer phänomenologischen Transzendentalphilosophie, in *Perspektiven transzendentalphänomenologischer Forschung*, 1972, S. 53.

(27) Manuskripte C 2. Ⅰ, 3, Zitiert nach K. Held.

(28) Meist: a. a. O., S. 588.

(29) 생활세계에 관한 연구는 최근 재차 활발해지고 있는데, 본장에서도 인용한 슈트렉 편, 『후설 철학에서 생활세계와 과학』이나 발덴펠스 외 편, 『현상학과 마르크스주의』 전 4권에 수록된 논문들을 위시해서, 헬트의 헤라클레이토스 논고(Held: *Heraklit, Parmenides und der Anfang von Philosophie und Wissenschaft*, 1980)도 현상학적 생활세계론의 전개라고 볼 수 있다. 물론 생활세계의 문제계통을 확대한다면 슈츠나 민족적 방법론ethnomethodology의 일상성 이론을 위시해서 오늘날의 사회철학 분야로 넓게 미치고 있다.

(30) Waldenfels, B.: Im Labyrinth des Alltags, in *Phänomenologie und Marxismus*, 3, 1978, S. 22.

(31) Ders., Die Abgründigkeit des Sinnes, Kritik an Husserls Idee der Grundlegung, in *Lebenswelt und Wissenschaft in der Philosophie Edmund Husserls*, hrsg. v. E. Stroker, 1979, S. 125 f.

(32) ebenda.

(33) Vgl., Claeges, U.: Zweideutigkeiten in Husserls Lebenswelt-Begriff, in *Perpektiven transzendentalphänomenologischer Forschung*, hrsg. v. U. Claeges und K. Held, 1972.

(34) Landgrebe, L.: Lebenswelt und Geschichtlichkeit des menschlichen Daseins, in *Phänomenologie und Marxismus*, 2, 1977, S. 34.

(35) Ders., a. a. O., S. 37.

(36) Fink, E.: Welt und Geschichte, in *Nähe und Distanz*, 1976.

(37) Biemel, W.: Husserls Encyclopaedia-Britannica-Artikel und Heideggers Anmerkungen dazu (1950), in *Husserls*, hrsg. v. Noack, 1973, S. 309.

(38) Waldenfels: a. a. O., S. 136.

(39) 역사서술의 이론과 실천의 관계에 대해서는, 졸고 「인간존재의 역사성」, 『강좌 · 현상학』 제2권에 수록된 내용을 참조하길 바란다. 또한 후설의 역사목적론을 '이야기적 서술'의 문제계통에 의거해서 논급한 것으로서 루틸라의 연구가 있다. 또 이야기적 역사서술의 현상학적 분석에 관해서는, 펠만의 논문을 참조하길 바란다.

Routila, L.: Teleologie und das Problem der historischen Erklärungen, in Phänomenologie und Marxismus, 4, 1979. (일역 『現象學とマルクス主義』, 제2권에 수록, 白水社, 1982년)

Fellmann, F.: Das Ende des Laplaceschen Dämons, in *Poetik und Hermeneutik*, Bd. V, 1973.

사항 찾아보기

인명 찾아보기

W

옮긴이 후기

　『현상학과 해석학』의 저자 닛타 요시히로新田義弘(1929-)는 현재 일본 철학계를 대표하는 철학자 중의 한 사람이다. 닛타는 철학 공부를 시작했을 때 독일에서 하이데거와 후설에게서 배우고 돌아와『하이데거의 철학』, 『인간존재론』 등을 저술하고 많은 후대 현상학자들을 육성한 미야케 고이치 三宅剛一(1895-1982)에게서 철학하는 통찰력을 물려받았고, 이후 독일로 유학을 가 현상학을 공부하는 동안 이 책『현상학과 해석학』에서 자주 거론하는, 현상학 운동의 중진 오이겐 핑크, 거의 같은 세대의 현상학자 클라우스 헬트, 베른하르트 발덴펠스와 깊은 철학적 친분을 맺었다. 일본으로 돌아와서는『의식과 본질』의 저자인 이슬람 철학 연구자 이즈츠 도시히코井筒俊彦 (1914-1993), 선불교에 관한 여러 저서를 쓴 니시다 기타로 연구자 우에다 시즈테루上田閑照(1926-)와 교류를 맺었다.

　닛타 요시히로의 학문 도정은 크게 3기로 나눌 수 있다. 제1기는『현상학이란 무엇인가』(紀伊國屋新書, 1968년)와『현상학』(岩派全書, 1978년)을 저술한 시기이다. 닛타는 이 책들에서 후설 현상학의 성립과 전개를 보여주고, 후설 이후 하이데거, 메를로-퐁티 등의 현상학자들이 전개한 현상학을 고찰해 가면서 여러 우여곡절 끝에 도달한 현상학의 사상적 깊이를 보여주고 있다. 특히 시간과 상호주관성에 대한 분석은 오늘날에도 그 의의를 잃지 않을 정도로 탁월하다. 제2기는『현상학과 근대철학』(岩波書店, 1995년)과 『현상학과 해석학』(白菁社, 1997년)을 저술한 시기이다. 이 책들에서 닛타는 현상학의 사유를 근대에서 현대로 이르는 철학사 속에서 파악해서 해명하고 있다. 앞의 책은 독일관념론과의 관계 속에서, 뒤의 책은 해석학과의 관계 속에서 이 점을 보여주고 있다. 제3기는『세계와 생명』(靑土社, 2001년)을 저술한 시기이다. 이 책에서 그동안 진행되어 온 사색이 '매체성의 현상학'으로서 결실을 보고 있다.『현대의 물음으로서의 니시다철학』(岩波書店, 1998년)이 제2기에 가까운 시기에 간행되었지만, 내용으로 보아 이 제3기에 넣을 수 있다. 이 책은 니시다 기타로 연구이자 동시에『세계와 생명』에 나타나는 닛타 요시히로의 독자적인 사색이 시작했음을 알리는 연구이기도 하다.

닛타 요시히로는 우리한테 많이 알려져 있는『선善의 연구』를 지은 니시다 기타로西田幾多郎(1870-1945),『의식과 본질』을 쓴 이즈츠 도시히코井筒俊彦(1914-1993) 등의 일본의 지성들과 함께 우리가 꼭 연구해야 할 철학자이다. 다니 도오루谷徹는 닛타의『현상학과 해석학』을 해설하는 글에서 1950년대 이후 일본에서는 이분만 한 철학자를 만나 보기 어렵다고 말하면서 닛타를 높게 평가하고 있다. 나 역시 닛타의 다른 책『현상학이란 무엇인가』(도서출판 b, 2014)를 번역하면서 이분이 현상학을 연구하는 수준의 깊이를 발견할 수 있었는데,『현상학과 해석학』을 만나면서부터는 닛타가 단순히 현상학을 연구하는 철학자가 아니라 이 시대에 새롭게 봉착한 문제들과 부딪쳐가며 현상학에 기반해서 새로운 사상을 창조하려는 독창적인 철학자라는 점을 알게 되었다. 닛타는 다른 저서『세계와 생명』에서『현상학과 해석학』에서 논하기 시작한 매체성의 철학을 확립했기에, 이제 그에게는『현상학과 해석학』에서 지나가듯 잠깐 말한 동아시아의 대승불교 사상과의 만남을 모색할 수 있는 길이 열리게 되었다고 생각한다. 서양철학과 동아시아의 대승불교를 한데 엮어가며 회통하고자 하는 일본의 철학자들의 노력이 없었던 것은 아니지만, 닛타의 작업이 유독 돋보이는 것은 그가 서양의 근현대 철학을 반성이라는 하나의 주제로 엮어서 반성되지 않는 자리의 깊이를 발견하기까지 사상事象 그 자체로 향해 꾸준히 달려온 서양 근현대 철학의 실패와 성공을 보여주면서 그 소중함을 일깨워주었기 때문일 것이다.

닛타 요시히로는 이 책『현상학과 해석학』에서는 물론이고『현상학과 근대철학』과 같은 책에서도 반성작용에 대해 심도 있게 사색하고 있다. 동아시아의 대승불교와 만나는 자리는 바로 이 반성작용이 미치지 못하는 자리일 터이다. 만약 닛타가 한편으로는 후설, 다른 한편으로는 러셀과 대결을 펼쳤던 마이농의 논리학을 연구해서 용수의 논리학 및 이에 기반하고 있는 선불교를 비롯한 동아시아 대승불교들과 조화를 이루게 한다면, 이 자리의 성격이 더 명확히 밝혀질 수 있을 것이다. 이는 심리치료와 인지과학 등에서 많이 원용하고 언급하고 있는 불교의 수행과 밀접하게 관련되기에 잠깐 불교의 수행에 대해 이야기해보겠다.

지금 우리나라 불교계에서는 크게 보아 두 가지 수행을 하고 있다. 하나는 붓다가 창안한 위빠사나 수행이고, 다른 하나는 중국 송나라의 대혜종고가 창안한 간화선 수행이다. 위빠사나 수행은 4념주 수행이란 말에서 알 수 있듯이 념念, sati에 기반한 수행, 다시 말해 한 찰나 전의 일도 놓치지 않고 잡아가는 기억念, sati에 기반해서 관찰의 능력을 키우는 수행이다. 물론 붓다는 이 사띠 수행만 한 것은 아니다. 까시나 수행을 비롯한 여러 방식의 사마타 수행도 하셨다. 기본적으로 마음을 한 곳에 집중해서 고요하게 만드는 능력을 키우는 사마타 수행을 해야 몸의 기운을 변화시켜 마음의 정서들을 아름답게 가꾸고 이에 기반해서 올바른 사유를 진행할 수 있기 때문이다. 우리나라 조계종 승단에서 천 년 가까이 해 온 간화선 수행은 화두라는 문제를 놓치지 않고 물음을 견지하며 지속해 가는 수행이다. 요컨대 위빠사나 수행이 일어남과 사라짐을 한 찰나 한 찰나 놓치지 않고 보아가는 수행이라면, 간화선 수행은 화두라는 문제 하나를 잡아 한 찰나 한 찰나 놓치지 않고 끊임없이 물어가는 수행이다. 이 두 수행을 사마타 수행의 계기를 제외하고 철학 쪽에서 접근해 간다면, 위빠사나 수행은 후설의 현상학에 가깝고, 간화선 수행은 들뢰즈의 철학에 가깝다고 할 수 있다. 나는 이런 수행들의 성격에 대해 깊은 이해가 있을 때 닛타가 탐구하고자 하는, 그리고 우리 시대 동서양 철학자들이 탐구하고 싶어 하는 문제들이 원만하게 해결될 수 있다고 믿고 있다.

우리나라는, 방대한 유식불교 논서『유가사지론』에 대한 중국과 한국의 여러 논사들의 주석을 총망라한 신라 둔륜의『유가론기』, 규기의『성유식론술기』와 원측의『성유식론소』등을 집성한 신라 태현의『성유식론학기』 같은 유식불교 논서들이 내려오고, 또 당송대 선사들의 화두를 총망라한 고려 혜심과 각운의『선문염송설화』같은 공안집이 전해져 내려오는 나라이다. 중국불교 내 유일한 인도불교 종단인 법상종의 유식불교가 이렇게 총망라되어『유가론기』와『성유식론학기』에 실려 있고, 가장 중국불교다운 선불교의 아름답고 심오한 화두들이『선문염송설화』에 담겨 있다. 이 중 유식불교를 오늘날 철학의 언어로 풀어가며 공부하려면, 닛타가 이『현상학과 해석학』에서 밝혀놓은 후설의 발생적 현상학과 가다머의 철학적 해석학이 큰 도움이 될 것이다. 가령 후설 현상학의 지평지향성 개념에 의탁해서 아뢰야식의 상분인 유근신有根身과 기세간器世間을 더 넓게 읽어낼 수 있다. 유식불교에서 말하는 유근신의 미세함, 기세간의 광막함은 현상학에서 말하는 신체의식과 세계의식의 암묵적이고 비주제적이고 전반성적인 성격을 띠기 때문이다. 아뢰야식의 또 다른 상분인 종자는 업종자와 명언종자이기에, 후설의 하비투스 개념을 통해 업종자의 습관적 성격을 들여다볼 수 있고, 또 가다머의 영향작용사적 의식 개념을 통해 명언종자의 역사적 사회적 성격을 잡아낼 수 있다. 또한 닛타는 후설의 현상학을 따라 나와 타자와 세계의 등근원성에 대해 말할 때 이 등근원성을 이루게 하는 부정성과 원초적 차이를 밝혀내면서 현상학과 해석학을 이른바 차이의 철학으로 데리고 가고 있다. 닛타가 들뢰즈의『차이와 반복』이 이러한 현상학적 탐구에 동반되어야 할 중요한 책이라고 말하고 있는 데서 이 점을 확인할 수 있다. 닛타가 차이의 철학으로 이끄는 일련의 현상학적 작업이 들뢰즈의 차이의 철학과 일치하는 것은 아니지만, 이런 시도는 불교로 말하자면 인도의 유식불교와 중국의 선불교를 회통하는 작업이라 할 수 있다.

만약 닛타가 사상 그 자체로 향해 가면서, 니시다 기타로가 그러했듯 동양과 서양의 정신이 만나는 길을 모색하고 있다면, 그의 남은 과제는 무엇보다 들뢰즈의 차이의 철학을 궁구하는 일일 것이다. 들뢰즈는 중국으로 유학 가서 위앙종의 위대한 선사가 된 신라의 파초혜청의 화두를 그의 또 다른 저서 『의미의 논리』에서 다루고 있다. 들뢰즈가 말라르메와 크뤼시포스가 말하는 부정의 의미와 나란히 놓으면서 파초혜청의 화두를 훌륭하게 풀어냈다는 사실에서 알 수 있듯이, 선문헌 『선문염송설화』의 화두들은 들뢰즈나 라캉 같은 현대 서양철학자들의 언어로 충분히 해독될 수 있다고 나는 믿고 있다. 이렇게 아직 철학의 언어들로 해석되지 않은 선사들의 화두들이 철학의 언어들로 해석되기 시작할 때, 화두가 본래 가지고 있는 예술적 아름다움, 또 내 마음에 흘러가는 과정을 관찰하도록 추진해 가는 동력 등이 철학의 언어와 만나는 기쁨을 누릴 수 있게 될 것이다. 닛타가 사유하고자 하는, 보이지 않는 자리는 불교의 수행과 철학이 서양의 철학을 맞이하여 새로운 정신의 문명을 일구어내도록 도와주는 귀중한 자리이리라. 닛타가 그리는 동양 정신과 서양 정신의 만남은 이런 것이 아닐는지?

차분히 마음을 가라앉히고 고요히 주변을 돌아보면 얼마나 감사할 일이 많은지! 그런데도 진정 감사하는 마음으로 살기란 얼마나 어려운 일인지! 그런 와중에도 내 마음의 바다에 잔잔하게 감사하는 마음을 일게 하는 분들이 있으니, 도서출판 b 대표 조기조 선생님, 편집부의 백은주, 김장미 선생님이다. 그간의 노고에 깊은 감사의 말씀을 드린다.

2018년 1월 31일
수조산 박인성

● 닛타 요시히로 新田義弘

이시카와켄石川県에서 태어나 도호쿠대학 문학부 철학과를 졸업했다. 도요대학 교수를 역임했다. 현재 도요대학 명예교수이다. 『현상학이란 무엇인가』(1968), 『현상학』(1978), 『현상학과 근대철학』(1995), 『현대의 물음으로서의 니시다철학』, 『세계와 생명』(2001) 등의 저서가 있고, 『세계·자아·시간──후설 미공개 초고에 의한 연구』, 『후설의 현상학』, 『살아있는 현재──시간의 심연에 대한 물음』, 『초월론적 방법론의 이념──제6 데카르트적 성찰』 등의 역서가 있다.

● 박인성 朴仁成

서울에서 태어나 연세대학교 영어영문학과, 동국대학교 대학원 불교학과를 졸업했다. 현재 동국대학교 불교대학 불교학부 교수이다. 저서로『법상종 논사들의 유식사분의 해석』 등이 있고, 역서로『생명 속의 마음: 생물학, 현상학, 심리과학』, 『불교인식론 연구: 다르마끼르띠의 쁘라마나바릇띠까 현량론』, 『현상학이란 무엇인가: 후설의 후기사상을 중심으로』, 『유식사상과 현상학: 사상구조의 비교연구를 향해서』, 『현상학적 마음: 심리철학과 인지과학 입문』, 『유식삼십송 풀이: 유식불교란 무엇인가』, 『유식삼십송석: 산스끄리뜨본과 티베트본의 교정·번역·주석』, 『아비달마구사론 계품: 산스끄리뜨본·티베트본·진제한역본』, 『중론: 산스끄리뜨본·티베트본·한역본』 등이 있으며, 논문으로『변행심소 촉에 대한 규기의 해석』, 『들뢰즈와 무문관의 화두들』 등이 있다. 2014년에 제2회 대정학술상, 2015년에 제6회 대원불교문화상, 2016년에 제8회 청송학술상을 수상했다.

마음학 총서 6

현상학과 해석학

초판 1쇄 발행 | 2018년 7월 20일

지은이 닛타 요시히로 | 옮긴이 박인성 | 펴낸이 조기조
펴낸곳 도서출판 b | 등록 2006년 7월 3일 제2006-000054호
주소 08772 서울특별시 관악구 난곡로 288 남진빌딩 302호 | 전화 02-6293-7070(대)
팩시밀리 02-6293-8080 | 홈페이지 b-book.co.kr | 이메일 bbooks@naver.com

ISBN 979-11-87036-60-9 93100
값 | 24,000원